ほんとうのことは
誰にも言いたくない

ほんとうのことは誰にも言いたくない　目次

【凡例】

・本文中、括弧の使用は原則として、書籍名、雑誌名、連載漫画およびび長編小説のタイトル、CDアルバム名、テレビドラマ・アニメ・映画タイトル、テレビ番組名には『』、読切漫画および短編小説のタイトル、楽曲名、引用には「」、強調には〝〟を用いた。

・雑誌およびアンソロジーは、初出時のみ続く（）内に出版社名を記した。

プロローグ

岸に残る者と夜明けに向かう人

『違国日記』

『違国日記』

六年にわたる連載が完結

——両親の事故死をきっかけに、交流のなかった叔母で少女小説家の槙生と暮らすことになった高校生の少女・朝の日々を通してさまざまなものが描かれた『違国日記』ですが、六年にわたった連載が完結を迎えました。お疲れ様でした。

ありがとうございます。終わりました。

——まずは『違国日記』という作品を描き終えた率直な感想から聞かせていただければと思います。

最終回（last page）に関しては漠然としたビジョンがずっと自分の中にあったので、それがわりと過不足なく描けたな、と。もちろん入りきらなかったこともあるのですが、まあわりと全部描きたいことは描けたんじゃないかなとは思いますし、だからと言って特に感慨深くなることもなかったです。自分が考えていた最終回で描きたいことにどうやって辿り着くか、そのために必要なものは何かを考えるというのは、毎回ネームを練っていたときと特別に何か違いがあるわけではなかったですし。ただ、ほかの作品に比べると、読者の方をちょっと意識しながら描いた最終回だった気はします。

――その意識の違いはどこから生じたものなのですか？

もともと私は自分のキャラクターや作品にあまり思い入れがあるほうではないので、『違国日記』が最終回を迎えることと自体には特に何も感慨めいたものはなかったです。ただ、これまでの自分の作品と比べて『違国日記』という作品は、私の想像以上に読者の方に愛していただけて、大事に読んでいただいている印象が強かったんです。そのすごく大事に読んでくださっている方たちに、きちんと私が伝えたいことを伝えられるだろうかとか、その人たちをがっかりさせることなく「ああ、よく終わった」と思ってもらえるだろうかという小さな懸念はありました。

たとえば『さんかく窓の外側は夜（以下、さんかく窓）』だったら、物語が終わることを惜しんでくれる方たちがいらっしゃることはわかっていましたし、最終回を描くにあたっては、あの作品を好きだと言ってくれる人たちに向けて「絶対にこのラストは好きだと思うから楽しみに待ってて！」という気持ちのほうが強かったんです。『違国日記』は読んでくださる方によって、どこに焦点を合わせて楽しまれているかが本当に多様なので、『さんかく窓』

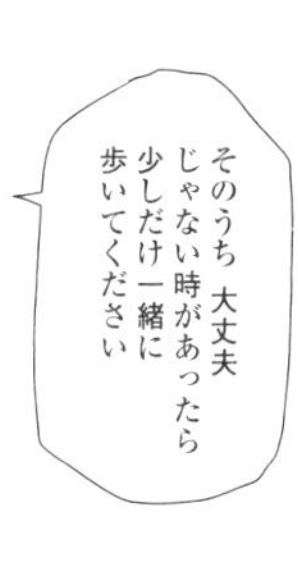

『違国日記』

のようには思えませんでした。とはいえ、『違国日記』をああいうかたちで終えるというのは連載初期から決まっていましたし、ラストの劇中詩も二年くらい前には固まっていましたので、特に何を変えるというわけでもなく、懸念というよりは、どんな風に受け取ってもらえるかなという楽しみな気持ちのほうが強かったかもしれません。

――描き終えたという達成感のようなものはありました？

いや、実は発売を心待ちにしていたゲーム（『ゼルダの伝説 ティアーズ オブ ザ キングダム』[*1]）がありまして……（笑）。大手を振ってそのゲームができると、描き終えたらすっかり気持ちはそちらに行っていました。

――『違国日記』だからどうこうというのでなく、これまでの作品と同様にエンドマークがついた事実があるだけ、という感じでしょうか。

そうですね。どの作品も大事だし、一つひとつが仕事だったわけだし、『違国日記』とほかの作品にそこで大きな差異はないです。作品によっては私自身にとって特別な意味をちょっと持っていたりするものもありますが、そのことは作品そのものには意味をもたらさないですし。長編だろうと短い読切だろうと、自分が描きたいことはだいたい描けたから全部受け取ってくれ、くらいの気持ちで世に送り出しています。『違国日記』の最終回もそんな感じで。ただ、楽しみでもあったんですよね。

――楽しみとは？

『違国日記』が読者の方によって多様な捉え方や楽しみ方がされているとお話ししましたが、まさにそこですね。このエピソードを描いたらどんなリアクションが来るんだろう、このことについてどんな風に受け取ってくれるんだろうと、こちらもいろいろ考えられて、その反応の多様さは『違国日記』という作品を描くうえで結構大きなファクターだったように思います。たとえば、読者の方の反応によってキャラクターの印象をハンドリングしたりはしていました。私の想定を超えて槙生がちょっと好かれすぎているように感じたり、朝の幼馴染で友人のえみ

『違国日記』

りが見た目の印象が先行して嫌われているように感じたりしたら、エピソードで調節したりだとか。一方で、私はエンドマークをつけた作品の続きは絶対に描かないので、最終回についてはどれだけ多様な反応をいただいてもその作品には活かしようがないのですが、だからこそシンプルに最終回や完結した物語そのものをどんな風に受け取ってもらえるのかが楽しみでもありました。今も楽しみです。*2

——そこに、多少の不安は混じっていたりするのですか？

まあ、こちらがコントロールできないネガティブな反応は想像しても仕方がないというか、実は私、わりと落ち込むタ

イプなので、そういうことは気にしないようにしています。

——以前のインタビューなどでは、窓の外の天気を気にしても仕方ない、という風にたとえていらっしゃいましたね。

そうですね。伝えたかったことが伝わらないのは、私の力量不足だったりそのほかの理由だったり、どうしたって起こることだと思うんですね。なので、そこは気にしすぎたりすることなく、作品を大事にしてくださっている方たちを失望させないといいな、という願望を込める程度で、描き終えた作品については特に考えないようにしています。

そうなるとは思わなかった！

——最終回は想定通りのかたちで終えられたというお話でしたが、想定外のことは何もありませんでしたか？

こう終わらせると決めていたかたちで終えられたのは想定内でしたが、思ってもいなかったエピソードが結構入ったのは意外でした。構成が予想外に上手くいった気がしています。でも、塔野が最終回に登場することは実際にネームを手掛けるまでまったく考えておらず、「お前、出てくるのか……」という感じで、ちょっと驚きましたね。しかも意外に活躍した風で（笑）。塔野と朝が話すあのシーンを描けたことで、未知の前途へ向かう人へ言いたいことは言えた気がするし、朝が抱える解決しない問題をどう扱うかということもまあまあ上手く表せたかなと思うんです。読み手の方をぽんと〝突き放す〟ことができたかなと。答えをわかりやすく明示はしないという、私の好きなやり方ができた気がします。

——塔野は朝の後見人としての槙生の監督を担当する弁護士ですが、これまでも独特の持ち味で登場しています。

最終回で朝と会話を交わすシーンもとても印象的でしたので、その登場が予定外だったというのは読者としても意外です。

最終回のかたちを決めていたといっても、卒業式の日のエピソードを入れることと、劇中詩、それから、成長した朝が一話（page.1）に繋がるフレーズを書くということくらいでした。それ以外の細かなことは、いざネームをやるとなったときに固めていった感じで、なのでノートにも最終回については本当に最小限のメモしかないんです。

『違国日記』

（創作ノートを開く）

ね、どこにも「塔野」の文字はないでしょう？（笑）「槙生と醍醐（だいご）」とは書いてありますが、最終回に槙生の友人である醍醐を出そうと思ってメモしたものの、メモした二日後くらいには、なんで醍醐を出そうと思ったのかわからなくなったりもしました。結局、醍醐にしても塔野にしても、出てくれたらなんかいい気がすると思いながら、具体的なエピソードを考えて用意していたわけではないので、一人掛けのソファに斜めに体を預けて唸っていましたね。

——それはなかなかネームが完成しなくて？

そうです。どういう風に決めたところに辿り着こうかなーと、ソファでぐでーっとなりながら考えていました。そうしたら、そうなるとは思わなかったなって自分でも思う展開になったりして。思いもよらなかったという点では、最終回もそうなんですが、よりそう感じたのは五〇話（page.50）だったかもしれません。あれも同様に「そうなるとは思わなかった！」という回だったんですよね。

——第一話を違う角度からリフレインしていた回ですね。

同じことをリフレインするけれど、最初とは意味やシチュエーションを覆すというのが昔からずっと好きな演出のやり方ではあるのですが、それが読切の頭と終わりとかでなく、ものすごく長いスパンでビシッと決まったような感じが五〇話にはありました。描いていてすごく気持ちよかったんですよね。リフレインに気づかない方もいるだろうなと思うのですが、何度も読み返してくださっている方たちがいるのも知っていましたし、読んでくださる方を信頼するというか、リフレインに気づいて「わあ！」って思ってくださるんじゃないかなって。

——読み手としても、ここにこんな風に繋がるのかという快感がありました。

しかもキリよく五〇話で、しかもコミックス一〇巻の巻末に入る話で、見事に計算されつくしたかのようじゃないですか。まったく想定していなかったんですが（笑）。

——最初から考えていたと言われても疑わないですよ。

私、辻褄合わせが得意なんです。たまに自分でもびっくりするくらい見事に辻褄が合うことがあって、五〇話なんかはまさにそれですね。

――先ほど槙生の詩は二年ほど前にできていたとお話しされていましたが、それも辻褄合わせというか、そういうものが入ると物語がまとまるであろうと事前に予兆があって考えたものだったのですか？

いえ、あれはなんか急に思いついたものでした。そのときに取り掛かっていた回のネームを布団に入って寝ながら考えていたときに、ふとあの詩が浮かんで。考えなきゃいけないネームにはまったく関係ないものが思い浮かんじゃったなと思いながら、これは最終回に入るものなんじゃないかとスマホのメモアプリに打ち込みました。そのあとに担当編集者さんと打ち合わせをしたときに、普段は気恥ずかしくて先の展開について何かを見せたりしないんですが、あの詩だけは「最終的にここの心情に辿り着きたいと思っています」とお見せしました。でも恥ずかしいから「では、私はトイレに行ってきます」と（笑）。

『違国日記』

――目の前で読まれたくなかったわけですね（笑）。思い浮かんだフレーズが最終回に繋がるものだという思いは明確なものだったのですか？

はい。「岸に残る者」や「錨」というフレーズが浮かんだときに、これだと思いました。そこに向かって行きたいって。それで、自然と最終回に向けて話の展開がそういう流れになっていったんだと思います。

――劇中詩自体が話の方向性を示す灯台のような存在になったんですね。

そうなんです。あそこが辿り着くべきところなんだと思えるものになりました。その結果、連載序盤に思っていたところとは少し違う場所に着地した感はあるんですけどね。

怒りながら描いていた

――当初はどんなところに辿り着く予定だったのですか？

もう少しシンプルに、朝と槙生が友情を築くような話になるつもりでした。そう考えると、思いのほか重くなったというか複雑なものになりましたね。ただ、この劇中詩は私が若い人に対して思うことがそのまま生で表れている感じもあるので、それを外に出せてよかったという気持ちもあります。

――あの詩をどう捉えるかにも受け取る読者の多様さが出るのではと思いました。かくいう私は、かつてだったら背中を押されて海へと漕ぎ出す新しい舟として受け取っていたと思うのですが、すでに歳を重ねた自分としては自然と岸に残る者として読んでいました。まだ夜明け前の世界へ新しい舟を送り出さなくてはいけない不甲斐なさや、夜が明け切っていないことへの怒りだとか、それでも舟の行く先が少しでも平穏であるよう祈る気持ちだとか、そういう幾重にも襞が重なったような思いでいたのですが、これもきっと人によってさまざまなんだろうなと。

そうだと思います。たとえば医学部を目指していた朝の友人である千世（ちよ）が、女子学生が医大受験で不当な扱いを受けていたこと[*3]を知って傷ついて怒る場面（page.35）や、槙生の詩が登場する最終回でさえ、私は世の中の在り様を怒りながら描いていたんですね。もちろん、その怒りをそのまま出しはしませんので、私が感じている怒りが伝わらない読者の方もいます。あるいは、私の怒りを感じとったうえで腫れ物に触るような扱いをする方も。ただ、それはそれで捉え方ですから。

『違国日記』

――怒りが根底にあっても、最終回に登場したのが夜明けに向かう人へ贈る詩なのは希望があると思いました。

これから嵐が待ち受けていることを伝えていないのはずるいんですけどね。あなたが漕ぎ出す海は荒いけれど、たとえ転覆しても死なないで、とそう言わないのはずるいなあと。ずるいし、そう伝えざるを得ないのは悔しいと思いながら、「それでも」と思いながら描いていました。

——そういう意味でも、『違国日記』はこれまでの作品と比べて描き手からのメッセージがはっきりと籠められているようにも感じます。

それはその通りです。言いすぎじゃないかと思いながら読んでくださっている方や、言いすぎているからと読むのをやめた方もいると思うのですが、私としてはこれぐらいのものを籠めないと伝わらないんじゃないかという気持ちもあって。伝わることで、自分にも思い当たることがある、言いたいことがあるという人たちも手を挙げてくれるようになったりしますしね。この作品を大事に読んでくれる人がいるとわかったこと自体が、私にとってとても実りあることだったと思います。

成長した朝の姿は見せない

——最終回は、成長した朝とえみりと思しき二人が喫茶店でしゃべっているところから始まり、高校三年生の朝の時間軸に移動し、またその場面へと戻ってきます。〝現在〟である成長した朝とえみりの顔をあえて見せなかったのは最初から決めていたことですか？

そうです。見たい方も多いと思うのですが、私としては絶対に見せたくありませんでした。高校時代の朝についても、たとえば大学の学部だとかどんな方向に進むのか、その情報を出すかどうかを担当さんに聞かれたこともあるのですが、それも出したくなかったですし。朝がどんな人になるのか、見せたくなかったんですよね。朝は本当に平々凡々で、能力値も性格もものすごく突出した何かを持っている人ではないんですが、そんな人に思いもよらない展開が待ち受けているのか、それとも大多数といわれるようなところに収まるのか、それはわからないままでいてほしいなと思って。だから、最終回で顔が見えない朝の耳にものすごくたくさんピアスがついているかもしれないし、清楚な感じのロングヘアーになっているかもしれない。それは全部わからないままにしたかったんです。

――それはなぜでしょうか。

なりたい人になっている途中の朝は、なりたい人になりたいと思って読んでいる人たちのなりたい像でもある、と思ったからです。だから、それを具体的に提示したくないと思っていました。朝とえみり、二人の手は登場しますが、あれは以前に二人が話していた〝なりたい私〟像の片鱗ですね。朝は読者の方たちが何かを仮託している存在でもあったので、未知数のままにしようと決めていました。ただ、顔を出さないのってすごく構図が難しくて、描きながらどうしたものかと困っていました（笑）。

――登場人物の顔は見えないのに、すごく印象的な心に残る終わり方でした。

最終回で「何、書いているの？」「昔の日記」というやりとりを描こうというのも、すごく最初の段階から決めていたことだったので、辿り着けてよかったです。

――コミックス派の方はあまり意識されないかもしれないですが、最終回は大増ページでしたね。

普段の倍のページ数を描きました。たっぷり六四ページ。ただ、自分としては読んでも長く感じなくて、それがいいことなのかどうかは私にはわからないんですけど。

――ページを繰る手が止められなくてあっという間の六四ページでした。

ありがとうございます。そう言ってくださる方も多いのですが、労力を普段の倍かけたのです……ということはちょっとだけ言っておきたい（笑）。

――連載二回分ですからね（笑）。大増ページで描くことになった経緯をお聞きしても？

それは私からお願いしました。どうしても一話分の最後には何かしらの山場や引きを入れてしまうので、最終回の一つ前の話でそれをやることなく、その分のページも最終回に加えることで、最終回をガーッとテンポよく進められるんじゃないかなと思って。あとは私の体力などの問題で一号休みたいというのもあって、いろいろ言い訳しながら一回休んでその分倍ページにするというかたちにしてもらいました。

――もともと最終回を増ページにしたい気持ちはあったのですか？

いえ、わりと直前ですね。仕事を前倒してやるほうなので日程的には余裕があったのですが、私の気持ち的に直前（笑）。

――最終回はなかなかネームが完成しなかったというお話でしたが。

『違国日記』はどの回もわりとネームに時間をかけるほうではあったんですが、最終回は三週間半ほどネーム作業をやっていました。スピーカーから音楽を流しながら、iPadを抱えてソファにぐったりと寄りかかって、床にネームを描けた分だけ打ち出した紙をバーッと広げて。数ページ進んでは最初からテンポを見直して、コマを増やしたり削ったり、またボーっと考えて……という三週間半。どんな話でもネームをやるときはそんな感じなのですが、最終話の一つ前の話は一〇日くらいで終わったので、やっぱり時間がかかったほうですね。

――見直すポイントはテンポなんですか？

そうですね。なんかしっくりこなかったり、次の展開が思いつかなかったりするときって、だいたいテンポが間違っているんですよ。それで最初からネームを見返すと、ここに一コマ足りないんだとか、ここの一ページが余計なんだとか、ここに言葉が足りないとかテンポを阻害するものが見えてくる。そこが直ると自然と次のシーンが思いついてネームがするすると進んでいくんです。

――『違国日記』の最終回はそのテンポの見直しに時間を要して、結果的に三週間半かかったというわけですね。

塔野が登場してきてからはわりと山場の連続みたいな感じでスムーズにいったのですが、そこまでが大変でしたね。

――ある意味、塔野のおか……。

塔野のおかげではない（笑）。でも塔野がひょっこり出てきて、意外な場の踏み固めをしてくれたことで、「この先、行ける……！」という実感が湧いたのは確かです。

――そういえば、告知面などにおいては大々的に最終回を迎えるという感じではなかったですよね？　もう終盤ですという匂わせというか周知期間が短かった印象が……。

そうなんです。〝まもなく最終回！〟的な空気を出されてしまうと私が緊張しちゃうので、そういう風な告知はなしにしてもらっていたもので急な感じになりました。私は本当にプレッシャーに弱いので、最終回のネームを描き終えていないのにそろそろ最終回なんて怖くて言えない（笑）。それで最終回のネームを実際に描き終えたときに、これならもういいだろうと確信を持って「急なお知らせですが最終回です」とSNSで告知したら、思いもよらないほど大きなリアクションをたくさんいただいてしまって。告知したときのインプレッションがすごくて、こんなにたくさん読んでくださっていた方、反応してくださる方がいるんだと驚きました。

――コミックス最終巻が刊行されるときも「最終巻なの!?」と驚く方がたくさんいると思います。

コミックス派の人には、そろそろ終盤ですよと終わりの気配を感じてもらえたらなというのもあって、単身が続いていたカバーイラストを一〇巻では二人に戻しているんですよ。感じ取っていただけましたか!?（笑）

――（笑）

最終回に関しては、終わりを迎えることを寂しく思っていただけるのはありがたいと思いつつ、その寂しさをきちんと回収できる最終回になったと自分では思えていますので、どんな反応をいただけるか楽しみです。といっても、最終回はページも多いですし、どんな風に読んでもらえるかは実のところ未知数なんですが、自分が描いたものを読んでほしくて漫画を描いている身としては、早く読んでもらいたい思いでいっぱいなところもあって。最終回のネームの最後に「おわり」と書いた時点で自分の中には「よし、終わった」という気持ちがあるくらいでしかないので、読者の方からの感想を目にして初めて「なるほどね」とか「そうですか」とかいろいろな気持ちが生まれてくるんじゃないかと思います。

――コミックスが刊行されてからのほうがやはり反応はありますものね。

そうなんです。どの作品のどの回でもそうなんですが、自分の作業を終えてから雑誌の発売まで間がありますし、コミックス派の人がそれを目にするまでさらにスパンがあるわけで、早く読まれたいという気持ちがあるせいでそのことばかり考えちゃうのも嫌なんですよ。でも、読まれたいと思うことをやめようっていうのも何か違う気がするし、気持ちがアップダウンを繰り返すのも嫌なので、結局のところ、仕事を終えたあとに発売を楽しみにしていたゲームがあるくらいがちょうどいい気がします。そのゲームのことしか考えられなくなるから（笑）。

＊1　『ゼルダの伝説　ティアーズ オブ ザ キングダム』……二〇二三年五月に任天堂より発売されたNintendo Switch用のアクションアドベンチャーゲーム。勇者リンクの冒険を描く『ゼルダの伝説』シリーズの最新作。

＊2　今も楽しみです……本取材は、二〇二三年八月のコミックス最終巻にあたる『違国日記』一一巻刊行前に行われた。

＊3　女子学生が医大受験で不当な扱いを受けていたこと……二〇一八年八月に発覚した医学部入試における女性差別を基にしたエピソード。医学部の入学試験において、女性の合格者を減らすための操作が行われてきたことが判明し、大きな問題となった。

第1章

家庭内新聞からオリジナル漫画へ

幼少期

小学校時代

中学・高校時代

大学時代

幼少期

東京育ち東京在住

――一九八一年生まれだと伺っています。ご出身はどちらですか？

母が兵庫県出身で里帰り出産をしたので生まれたのは兵庫県なのですが、育ったのは東京です。一五歳くらいまで都下で暮らしていて、そのあとは母方の祖父母の家があった、もうちょっと都心よりのところへ。その近所にある中高一貫校に通っていました。今でも同じエリアに住んでいます。

――ご親戚も近くに住まれていたのですか？

いいえ、父方の祖父母は隣県で暮らしていました。多少の行き来はあるものの、私が子供の頃から親戚間の付き合いが希薄で、特に父があまり人付き合いをするほうではなかったのもあって、父の兄弟のことなど私はよくわからないままなんです。父方も母方も祖父母が亡くなったあとは親戚で集まることもなくて。そもそも、うち自体が家族間の繋がりが薄いというか、父はわりと非社会的だし母も慣習的な繋がりにあまり意味を見出せないタイプなので、家族みんな人付き合いにさほど積極的ではないんですよね。

――ごきょうだいはいます？

一〇年くらい会っていない兄がいます。

――年齢差はどれくらいですか？

三歳です。兄に限らず、うちはみんな性格が強いというか、エネルギーを持て余しているほうなので衝突すると激しかったですね。

――全員、独立独歩というかマイペースな感じなのですか？

そうですね。中でも父は、生物学的にも戸籍的にも父親だし、同じ家でずっと長く暮らしていたんですが、いまだに「なんだろうな、あの人は」という感じで。

――これまで何度かお話を伺う機会に恵まれましたが、横道に逸れたたくさんの余談の中でお母様の話は出てきてもお父様については耳にしたことがなかったので、死別か離別されているのかと思っていました。

いや、いるにはいるんです（笑）。大人になってから知り合った友人たちにも似たようなことを言われました。全然父親の話をしないから、母しかいないんだと思っていたって。父はほとんどしゃべらなくて、感情表現も乏しいし、他人が目に入っていないような言動をとるので、父に言わせると家族を愛しているらしいんですが、それを実感したことはあまりないんですよね。不自由なく育ててもらったし、もちろん尊敬している部分もあります。ただ、漫画を描き出したときに自分が〝父親〟というものを描けないことに気づいてしまって。だから私の漫画には父親がいないことが多いんだと思います。

――お父様と衝突したこともあるのですか？

父は他人の気持ちを顧みることが大変苦手なので、向こうが発したこちらを軽んじるように取れる言葉に対して私がキレて、でもなぜキレたかが父にはまったく伝わらない、みたいなことはよくありました。まあ、私も万年反抗期みたいなところがあるので、それで衝突してしまうということもあるんですが。

私は小さな頃から自分の世界以外にあまり意識が向かないというか、外に出て友達と遊ぶのとかも好きじゃなかったし、邪魔されたくない私のペースとかスペースがあったので、父はそんな娘をまったく気にしていなかっただろうけど、母はいろいろ思うところはあったんじゃないですかね。家族間の距離みたいなものを気にしていたのかもしれない。でも……どうかな、マイペースな父を選んだわけだから、初めから耐性があるのかもしれないけど。

ペースを乱されるのが嫌だった

――小さな頃は一人で遊ぶほうが好きだったのですか？

好きでしたね。不思議とノリが合って仲良くなる子もいましたが、基本的には一人が好きでした。これはのちに母から聞いたのですが、幼稚園かそれより前くらい幼かったとき、近所に住んでいた同い年の男の子と遊んでいて、その子が「大きくなったら結婚しようね」と言ったそうで、それを聞いた私が「嫌だーー!!」と全力で拒否して泣きながら帰ってきたことがあるらしいです（笑）。

――何がそんなに嫌だったんでしょう。びっくりしたのかな？

わかりません（笑）。でも、わりと今に至るまで他人からそういう好意を向けられることに嫌悪感がちょっとあって。今なら自分がアロマンティック[*1]なのかもと思いますが、そういう概念を知るまでは、なぜかわからないけれど嫌だなと思い続けていました。恋愛感情的な意味合いでなくても、小さい頃は特に、他人に感情を向けられるのが苦手でしたね。子供のときに大人に気遣われたり優しくされたりするのも居心地悪くて嫌だったし。干渉されるのも嫌いで、工作やお絵描きをしているときに母がよかれと思って手助けすると、癇癪を起こしていたらしいです。

——先ほどおっしゃっていたように、自分のペースやスペースを侵されるのが不快だったんですかね。

だと思います。そういうところはいまだにあって、自分のペースを崩されるとすぐに「うう……！」となります（笑）。大人になったら環境を整えたりしてある程度自分のペースを押し通すこともできますが、子供の頃は周囲に合わせることを強制される機会がたびたびあるわけで、とにかくしんどかったです。幼稚園だとか小学校だとか、どこか決まった場所へ決まった時間に通い続けることがもう苦痛でした。

ただ、うちの母親はなんでもやりたいと思ったことをやればいいというスタンスで、ある程度は放置してくれていたのでよかったです。母は自分が若いときに勉強でも仕事でも努力することを望まれて、一生懸命がんばって成果も出したのに、一定のところで「女だからこの辺で」と突然もういいよと勝手に周囲に区切りをつけられてしまった時代の人で、おそらくずっとそれが怒りとしてあるんだと思います。兄と私に関して差をつけないというのを徹底していましたし、自分の子供が多少頓智気（とんちき）なことをしていても、それが安全に関わることでなければ見守っていてくれていましたね。

――心配されていた実感はあるんですね。

私は無鉄砲ではなかったんですが、ある意味周りが見えていない子供だったので心配はかけたと思います。子供の頃、親に怒られると頭を冷やさせようとしてなのかよく玄関の外に出されていたんですが、あるとき夜に怒られて外に出されたときに、私も頭に血がのぼっていたものでこのままいなくなってやると決意しまして（笑）。そのまま歩き出したら、後ろから笑いながら母が自転車で追いかけてきたことがありました。たぶんドアスコープでずっと様子を見ていたんだと思うんですが。

――危ないことがないように、と。

当時は決意を無にされて子供心にすごい傷つきました（笑）。

――ご自身は危ないことに挑んでいくタイプだったんですか？

いいえ、その真逆で、危険行為が本当に嫌いでした。これはいまだにそういうところがあるのですが、誰かがブランコを激しく漕いでいたりとか、駅のホームの縁を歩いてたりする様子だとか、危険行為を見るのも嫌で。体育でちょっと危なげなことをやらされるのも見るのもダメだったな。そういう私にとっては、外は危険がいっぱいでした。だから、自分の意思以外で外に出るのは本当に気が進まなくて。具体的な危険行為以外にも、自分を取り巻く外界というものに及び腰だったので、他人とどう関わっていいのかもわからなかったように思います。幼稚園で先生に話しかけるのも苦手で、トイレに行きたいとすら言えなくて何度もお漏らししていたくらいでした。

――引っ込み思案というのともちょっと違います？

違うんじゃないかな。本当はみんなと遊びたいのにそれができないとかではなくて、みんなが一緒に遊んでいても、私はお絵描きしていたいときはそうしていたかったので。幼稚園ではみんながお遊戯していても「絵を描いていていいよ」と言ってくれる先生が一人いて、その先生のことは好きでした。

フィクションとの距離感の違い

——人と一緒にいるのが嫌というわけではないんですよね？

そうですね。仲良くなる子とはなるという感じでした。私はあまり自分から積極的に友達を作ったり、仲良くするってことができないわりに、コミュニティの中に私のことを妙に好いてくれる子が必ずいまして、そういう子たちとは仲良くやっていたように思います。思い返すに、私のことを適度に放っておいてくれる子たちだったんじゃないかと。

——ペースを乱されるとしんどいわけですものね。

そうなんです。それと、相手に「こうしなきゃ」と何かを押し付けられたり、私の考えることや言うことをおかしいとか変とか言われたりするのがすごく悲しくて苦手でした。

——自分が考えていることや楽しいと思うことなどがほかの人とは違うという意識がありました？

通じないことがあるとは思っていた気がします。小学生くらいのときに、私の部屋にはオバケが出るという設定の作り話を、それを面白がってくれる友達に話していたのですが、あるとき別の子に「なんでそんな嘘をつくの？」と言われたことがあって。嘘じゃなくて作り話なんだけどなって私なりにものすごく衝撃を受けたのを覚えています。そのオバケ話を物語だと思っていた私と、そう思っていなかった相手との齟齬があったんだと思うんですけど。

——たとえば、先生にトイレに行きたいと言い出せなかったりだとか、お友達と積極的に仲良くできなかったりすることに当時から自覚はあったのですか?

ありましたね。集団の中でどう振る舞えばいいかわからないというか……。自分がやりたいことに集中してしまうところがあって、自分から外界にどう働きかけていいかわからない。大人がしゃべったり何かしたりしているときにそれを邪魔すると怒られるという刷り込みがあって、怒られたくなかったから話しかけるタイミングを掴めない。今は図太くなったけど、基本が〝怒られたくない〟なんですよ。漫画家は締め切りを守っていれば怒られなくて済むところがあるので助かっています。バイトは気が利かなくてよく怒られていたので苦手だったし、学生時代も先生に怒られていたし。もちろんそれは自分にできていないことがいろいろあるからなんですけど。

——イベントなどでは特に緊張されている様子もなく上手にお話しされているので、とても意外です。

緊張しても何もいいことないなと思って、二〇代の半ばくらいから自己洗脳ぎみに「緊張するの、やーめよ」と思い立ったら大丈夫になりました(笑)。

海外児童文学や漫画との触れ合い

——小さな頃、お絵描き以外ではどんなことをして遊んでいたのですか?

その頃の私の一番の友達は祖父が外国で買ってきてくれたカエルのパペットだったのですが、その子と遊んだり、あとは本をよく読んだりしていました。

――どんな本を？

うちの母が教訓的なところのある日本の絵本を苦手としていて、だからなのか海外の絵本や児童文学ばかり与えられていたように思います。私が好きだったのは、モーリス・センダック[*2]やレオ・レオニ[*3]の作品だとか、あとはアーノルド・ローベルの「がまくんとかえるくんシリーズ」やエルジェの「タンタンの冒険シリーズ」が好きでした。ほかにも好きなものはたくさんあったと思います。自分で図書館へ行って借りてくるようになった頃はC．S．ルイスの『ナルニア国ものがたり』が大好きでした。なんで自分の家にはナルニア国に通じている道がないんだろうってその事実が悲しかったです（笑）。ミヒャエル・エンデ[*4]の作品も好きでした。〝どこか〞に行く物語が好きだったのかもしれません。

あと、家に手塚治虫の全集があったんですよ。親が何百巻もあると思わずに、なんの気なしに注文したらしいんですが、それを片っ端から読んでいました。それは幼稚園くらいからかな。模写するのも好きだったので、手塚漫画を読んではロックとブラック・ジャックをよく描いていましたね。たぶん今でも描けると思います（笑）。

――お絵描き自体は物心ついたときにはもう好きだったのですか？

そうですね。私は全然覚えていないのですが、物心つくかつかないかぐらいでもうペンを持ちたがったそうで、落描きばかりしていたようです。

――工作したりブロック遊びをしたりもしていましたか？

いえ、ブロックは上手に遊べなくて、私はお絵描きばかりでした。兄はブロックが得意だったんですが、相手が得意なほうの、私はブロックを、兄は絵を、自然とやらなくなった気がします。

——なるほど。漫画を読むのも好きでしたか？

はい。『杉浦茂のモヒカン族の最後』がなぜか家にあって、わけわかんないんだけど面白かったという記憶が。あと新聞の四コマ漫画だとか雑誌の広告漫画だとかも舐めるように読んでいました。とにかく漫画を読むのが好きで、家にある手塚治虫全集も繰り返し読んでいました。そのときの私にとって難しい内容でも、多少大きくなってから「あのシーンはこういう意味だったんだ！」とわかることがあるから、また読んで。たぶん私自身が描くことはないと思うんですが、実は触手ものが好きで、それは幼少期に手塚作品を読んでいたからだと思うんです。「帰還者」という触手が登場するＳＦ短編があるんですよ。あの作品のせいだと思います。私の性癖の大半は、手塚治虫作品と宮崎駿作品でできているので（笑）。

フラットに人として対峙希望

——習い事などはされていましたか？

四、五歳くらいのときにバレエの舞台を見たのをきっかけに自分もやりたいと思って、ちょっとだけ習っていました。でもやっぱりバレエ教室も集団行動しなきゃいけないから全然馴染めなくて。私は小さな頃から男の子に間違われたり、〝オトコオンナ〟って言われたりしてからかわれることがあって、それも嫌だったんだけど、バレエの発表会などでお化粧したり衣装を着たりしたときに「女の子らしい」と言われるのも嫌で。そういうのが積もり積もって、わりとすぐに辞めてしまいました。そのあと、ピアノを数年習いました。リズム感もないし、練習もきちんとするほうではなかったからよく怒られて。ある程度は弾けるようにはなりましたけど、四、五年くらい習って辞めたのかな。

——絵を習ったりもしました?

幼馴染が通っていた絵画教室に誘われて一回行ったことがありますが、「ここはこう描いたほうが」とか「こんな色で塗っちゃダメ」とか言われるのが嫌でそれきりでした。

——嫌なことが一貫していますね。

我ながら(笑)。

——男の子に間違われたり、反対に可愛いと言われたりすることが嫌だったというのは、バレエ教室だけの話ではなく、成長してもわりとつきまとってくることではなかったですか?

そうですね。そのあたりの居心地の悪さを自分なりに解消しようと、ファッションで迎合しようとしたこともあるのですが、大衆的な受けを求めるのもなんか馬鹿馬鹿しいなと思って。みんなと同じ格好をしたり、みんなに受け入れられやすい格好をしたりして安心するより、みんなと違っても自分が好きだと思える格好をするほうが自分の好みだから、それでいいんじゃないかと思うようになりました。なので、スカートも穿くし、男っぽい格好をしたりもするし、好きな服を着ています。まあ、どんな格好をしても何かしらのレッテルは貼られるしセクシャリティとかを勘違いもされるので、面倒くさいことからは逃れられないんですが。そういうのをわりと子供の頃からずっと抱えている気はしますね。

小学校時代

家庭内新聞を発行

——小学校時代で特に印象に残っていることはありますか?

昔のことをあまり覚えているほうではないんですが、嫌だったなーという感情は残っています(笑)。

——嫌だったんですね。

嫌でしたね。自分が納得できることなら気にならないんですが、なぜそれをしなきゃいけないのか、したらいけないのか、意味がわからないルールが多くて。ただ、先生にしてみても面倒な子だったろうなとは思います。一つ、私のひどい小学生エピソードを挙げますと、私は文房具がとても好きだったのですが、小四くらいかな、ペン型の修正液を手に入れまして、それを使うのがすごく楽しかったんです。それで、国語の教科書の文字を全部レタリングするみたいに修正ペンでなぞりまして、一冊全部白塗りにしたんですよ。

——一冊丸ごとですか⁉

はい。偏執的ですよね。それを知った先生に「教科書をそんな風に扱うなんて」と大激怒されて、「読めるものなら読んでみろ」と叱られたのですが、私は字の通りに綺麗になぞっていたので、余裕で読めて。しかも音読が得意だったもので、すらすら読んだ結果さらに先生に怒られて、なんて理不尽なと思っていました。ひどい生徒です。

——でも、文字をなぞっているときは楽しかったんですね。

熱中しました。楽しかったです（笑）。

——小学生になってもお絵描きは好きだったんですよね？

ずっと描いていましたね。でも、別に学校で表彰されるような上手い絵は描けなかったです。小学生の頃の私の悩みは、自分の絵が作為的に感じられることでしたから。

——小学生のときにそう思っていたのですか？

はい。自然に描かれている感じがしなくて、躍動感もないし、すごくつまらない絵だと思って嫌でした。爆発的な衝動とかきらめくものが感じられなくて、つまらないなって。たぶん、描いた絵を誰かに見せたくて描いているというのが私の根本にあって、ただ絵を描くのが好きで誰にも見られなくていいから描くといった、そういうタイプの情熱が自分にはないと思っていたからなのかもしれません。

——実際に、自分が描いた絵を仲の良い子に見せたりしていたのですか？

見てほしいくせに「見て見て！」と本当に言えるメンタルではなかったので、これ見よがしに描いたりしていたと思います。あと、五、六歳くらいのときからしばらく家庭内新聞を発行していたんですよ。一枚の紙に新聞っぽい体裁で自分なりのニュース記事を書いたり。「なんと父のシャツが後ろ前であった」とかそういう子供らしいネタを（笑）。そこに四コマ漫画を描いたりして、完成すると母が壁に貼ってくれていたのですが、そういうもので作ったものを見てほしい欲求をなだめていたんじゃないかと思います。

親からの漫画禁止令

――読む側としては、手塚作品以外にどんなものを読んでいましたか？

本当になんでも読んでいました。家にあったので、いしいひさいちさんの『がんばれ!!タブチくん!!』や河合じゅんじさんの『かっとばせ！キヨハラくん』も読んでいたし、兄や男の子の友達が買っていた『月刊コロコロコミック』（小学館）や『コミックボンボン』（講談社）、幼馴染や友人が買っていた『りぼん』（集英社）『なかよし』（講談社）『ちゃお』（小学館）はちょこちょこと読ませてもらっていました。

――育った時代的には、少女小説と呼ばれるジャンルが人気だったかと思うのですが、海外児童文学以外にもそういったライトノベル系の小説作品も読まれていましたか？

流行っていたと思いますが、私が読んでいたのは日向（ひゅうが）章一郎さんの「星座シリーズ[*5]」と「放課後シリーズ[*6]」くらいでした。そういうものを自分が読むのを恥ずかしく感じたり、なんか似合わないと思っていたりしたのか、自己認識ギャップみたいなのが邪魔をして、少女小説だとかいかにもな少女漫画を買ってほしいとなかなか言えなかったんですよね。

小学校高学年くらいから学習塾に通っていたのですが、そこで趣味が似ている友人から借りて読んだり、『週刊少年ジャンプ』（集英社）の漫画も塾の下にある書店で立ち読みしちゃったりしていました。それで帰りが遅くなって怒られていました。

──『ジャンプ』作品はどんなものが好きだったのですか？

藤崎竜さんの『PSYCHO+（サイコプラス）』や、中学生の頃に連載を開始した作品ですがかずはじめさんの『MIND ASSASSIN』が大好きでした。それと、冨樫義博さんの『幽☆遊☆白書』。飛影が好きでした。ほかには『ジャンプ』作品ではないんですが、絵柄も含めて楠桂さんの作品がとても好きでした。そういえば、あまりに漫画を読みすぎて、親から禁止令を出されたこともありましたね。『りぼん』だとか雑誌を一回買ってもらったら、その一冊をずっと繰り返し読んで、ほかに何もしなくなるものだから棚の高いところに隠されたり。

──自分でコミックスを買うことはあまりなかったのですか？

はい。親が買ったもの以外だと、親戚のおばさんや近所の人が池野恋さんの『ときめきトゥナイト』を途中までと、大和和紀さんの『はいからさんが通る』と『ヨコハマ物語』を全巻くれて、それも何回も何回も繰り返し読みました。

手塚治虫と宮崎駿

──その頃には自分が好きな漫画の系統が把握できるようになっていましたか？

どうだったかな。キャラに関してだけ言えば、男装している女の子が好きだったように思います。

──手塚の『リボンの騎士』の影響だったりして？

そうかもしれません！　ボーイッシュなキャラが登場する作品には好きなものが多くて、楠桂さんの『桃太郎まいる！』だとか、読んだのは中学の頃ですが日高万里さんの「秋吉家シリーズ」も好きでした。男キャラだったら、ちょっと不器用でカッコいいタイプが好み。高橋留美子さんの『らんま½』の良牙が大好きでしたね。

考えてみると、異性装も好きだけど、強い女の子、がんばる女の子キャラに惹かれていたように思います。『ときめきトゥナイト』[*7]でも、蘭世と真壁くんの関係自体にはときめかないんですが、蘭世ががんばって真壁くんを助けたり、助けられた真壁くんが変に意固地になったりしないのがいいなと思っていました。いまだにそうなんですが、自分の知恵と体、特に知恵で乗り切るような女の子キャラがいる漫画が大好きなんですよね。津田雅美さんの『彼氏彼女の事情』だとか、『はいからさんが通る』もそうですし、ひかわきょうこさんの『彼方から』もずっと好きです。ヒロインが異世界転移して、まず語学学習からがんばっていく根性が本当に〝好き！〟と思いました（笑）。そして、私の最愛の女性キャラは昔から今でもずっと変わらず『風の谷のナウシカ』のクシャナです。

――自分の性癖の大半が手塚・宮﨑作品でできていると先ほどお話しされていましたが、お二方の作品で特に好きなものを挙げるとしたら？

宮﨑さんの作品だと漫画版の『風の谷のナウシカ』です。「いのちは闇の中のまたたく光だ」というセリフで号泣しましたから。『シュナの旅』[*8]も好きでした。あれも結局〝生きるとは〟という話だったと思うのですが、そういうのに私が弱いというのもあります。あとはやっぱり漫画版の『ナウシカ』は気絶しそうになるほど絵が上手い。映画作品ももちろん好きで、自分で映画館に行けるようになってからは、どれも三回は映画館で見ています。『崖の上のポニョ』は、ポニョが波に乗ってわーっとやってくる描写だけで号泣しちゃうんです。わけがわからないけれど、号泣のツボをついてくる感じがたまらなく好きで。それと、宮崎作品は根底に離別があるのが本当に好きなところですね。『天空の城ラピュタ』もそう、『もののけ姫』もそう。新作の『君たちはどう生きるか』のこれまでの作品と同じテーマを繰り返す姿勢も素晴らしかったです。宮崎作品ではありませんが、親に連れて行ってもらって見たアニメ映画の『銀河鉄道の夜』[*9]も大好きなのですが、あれも離別が描かれていて、いまだに大好きな作品です。

——手塚作品では何がお好きですか？

『火の鳥　太陽編』でしょうか。あれはもう逃れられない業と愛の物語なうえ、構成が見事すぎて、一番好きと言っていいと思います。それと『三つ目がとおる』[*10]かな。この二作は大人になってからこれだけは、と思って自分用に『三つ目がとおる』の愛蔵版と『火の鳥』のオリジナル版全巻を買いました。

——好みを知ると、挙がる作品やキャラに頷くばかりです。先ほど『幽☆遊☆白書』の話が出ましたが、テレビアニメもよくご覧になっていましたか？

いいえ。小学校の低学年……中学年くらいかな、その頃から理由は知りませんが兄がオタク嫌いになり始めたようで、家でアニメが見られなくなりまして。なので、テレビアニメを見た経験がほぼないんです。そのせいかいまだにアニメの楽しみ方がよくわからない。小学生の頃に『ドラゴンボール』のアニメをちょこっと見て、そこからテレビアニメは大人になってから見た『魔法少女まどか☆マギカ』まで飛びます。

――それは結構な飛び方ですね。

ちょうどそのとき入院していて、みんな面白いって言っているし時間もあるから見てみようって（笑）。子供のときはチャンネル権が自分にほぼなかったし、そもそもそんなにテレビっ子ではなかったのもあって、ドラマとかもあまり見ていないんですよ。ドラマ、特に日本のテレビをよく見ていたのは二〇歳すぎから三〇歳くらいまでの間だけですね。

絶望エンドなショートストーリー

――ブロック遊びは苦手だったと伺いましたが、絵以外で何か創作されていましたか？

特には。ただ、自分では熱心にやっていた記憶はないんですが、ショートストーリーみたいなのを何作か書いたことがあって、そういうのを母が取って残していたんですよ。私は物が残るのが嫌なので、成長してからそれらを全部捨てたのですが、八歳のときに書いたらしきショートストーリー三本がどれも絶望エンドで、我ながら内容がやばくて思わず全編写真に撮って、原本は捨てました。

――捨てちゃうんですね……。

残るのが嫌なので（笑）。

――三本はいずれも連作のつもりで書いたのですか？

いえ、そんなことはないんですが、終わり方が一緒なんですよね。何を考えて書いたのかまったく覚えていないんですが。書き出しが妙に上手くて笑っちゃう。

少女とかなしみ

作 ■■■■

たのしい毎日がつづいた。ある日は広い野原へ行ったりある日は友だちとりんごとりに行ったり……。しかしその少女はときどきとてもかなしい気もちになるのであった。その少女のちち親はとうにしんでいた。そしてちち親のかたみを見てはかなしむのであった。そんなときは友だちがあそびにきても口もきかずむっつりだまってうつむいているのだ。そんな少女だってゆめはあった。せかいにとっても、とっても、やくだつ人になることだ。少女のちち親はそうするためにとてもねっしんだった。三じかんほどいすのせもたれによっかからないようにしたり、毎日一じかんべんきょうしたりするのだ。少女はちち親からならったことをわすれず、その、ばいも二ばいも三ばいもがんばりぬいていた。しかし、かなしみはとけないままであった。もっともっとがんばった。しかし以前とせんせんかわらない。そして少女は、かなしみにふけってさいごのねむりについた。

男とせんそう

作 ■■■■

まだせんそうがずっとつづいているころのことだ。6月30日。一人の男の人がせめて行った。男はてっぽうのたまをよけ、うまくのりこんだ。だが見つかってしまった。男はろうやへ入れられた。そして、何日かたった。一人の男が、やってきた。そして、「めしのじかんだ。早くこい。」といった。そのひょうしに男はもっていたてっぽうでその男をころし、にげた。そとは人のしたいの山や、なかまのやつがいる。そして、男はひっしにたたかった。少し、うでにてっぽうのだんがんがかすった。だが、男はそんなことを気にせずけんめいにたたかった。とちゅう、かべがからだにがガーッとたおれてきたが、うまく出られた。そして、目の前にもばくだんがおちてきたが、やっとのことでにげられた。男はけんめいにいっしょうけんめいに、たたかった。そして、何日も何日も休みなくせんそうはつづいた。そして、ばくだんがおち、男はさいごのねむりについたのであった。

ヤマシタによる短編「少女とかなしみ」「男とせんそう」

——構成も決まっていて、達者だなと思います。これは原稿用紙にサインペンで書かれていますが、一発書きだったのでしょうか。

書き損じがありますし、そうだと思います。デスエンドだし、黄緑色のペンで書くような話じゃないんですけど。

——戦争を題材にしているんですね。SNSで被爆三世であることに触れられたりしていますが、おじい様やおばあ様から戦争に関わるお話を聞かされたことはあるのですか?

母方の祖父母なんですが、子供ながらに反戦派であることはわかっていましたが直接話を聞くことはほぼなかったです。むしろ二世である母から祖父母はこういうことで苦労した、大変だったという話をたまに聞いていました。いつどこでかは忘れてしまいましたが映画の『風が吹くとき』[*11]を見たり、小学校の教室に中沢啓治(けいじ)さんの『はだしのゲン』[*12]があったり、手塚作品でも反戦漫画はたくさんあるので、戦争に関しては実体験を聞いた経験よりそういったものからの刷り込みが大きいような気はします。

――なるほど。ショートストーリーの内容もさることながら、書かれている原稿用紙がとても気になります。産業図書とあるのですが、理工学書から人文・社会学など学術書を中心に刊行されている出版社ですよね。

あ、そうなんですね。うちは母方の祖父も私の父も本を出していたので、家に原稿用紙があるのはめずらしくなかったというか、気にも留めていませんでした。

――ちなみに、お二方ともどんなご本を？

祖父は某企業で最終的に会長を務めていたのですが、啓蒙書みたいなやつを何冊か出していて、私はつまらなそうだと思って読んでいないんですが、読んだ友人に言わせると面白かったそうです。父はプログラミングの仕事をやっていて、副業なのか物理学者の肩書きもあって。小学校の低学年くらいのときに、父が出したプログラミングの本に私の描いた絵が載ったことがあります。「絵、描いてみろ」と言われて描いたんですが、そういえば何かしらの原稿料をもらった覚えがない（笑）。

――文章を書くのも好きだったのですか？

このショートは書いたこと自体覚えていなかったのですが、おそらくこういうのを書くのは

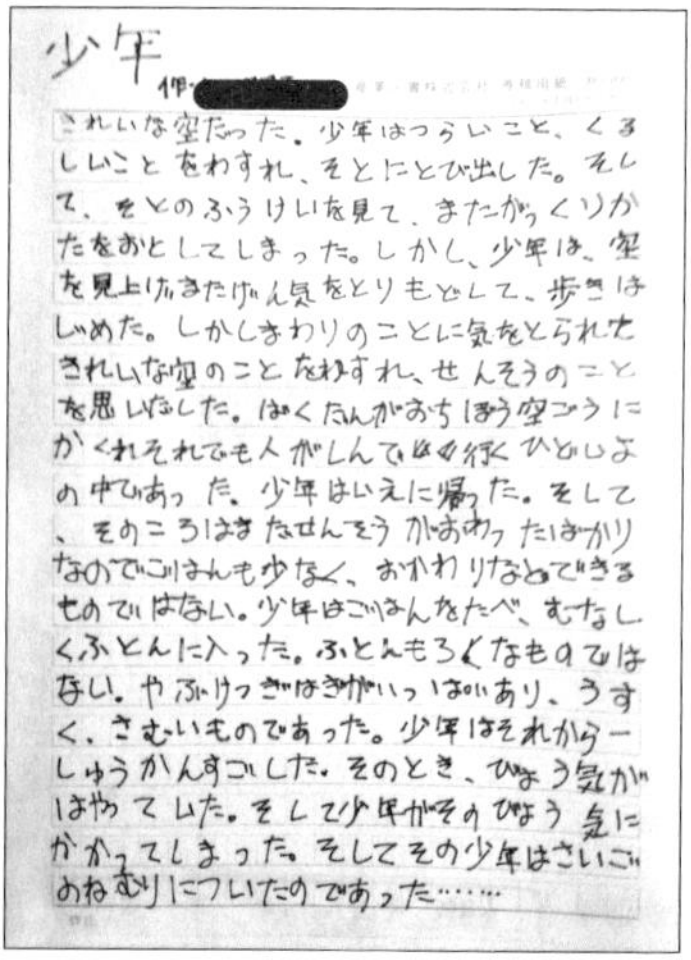

ヤマシタによる短編「少年」

嫌いではなかったと思います。でも、作文はつまらないものしか書けなくて苦手でした。クラスメイトが文集に書いた作文がめちゃくちゃ面白くて、ものすごく嫉妬したことは覚えています（笑）。

——書いたからには誰かに見せたい欲求は小説でもありました？

欲求はあっても、絵を見てもらうよりハードルが高かった気がするし、誰にも見せていないと思います。絵だと何かの端にちょこっと描いたりもできますが、文章はそういかないし、一枚絵と違ってある程度労力を使って読んでもらわないといけないので、そんな働きかけはできなかったんじゃないかな。

中学・高校時代

干渉し合わない風通しのいい環境

——中高一貫の女子校に進学されたと伺っています。それはご自分の意向だったのですか？

いいえ、親主体ですね。親としては、私の性質的に小学校くらいからインターナショナルスクールなり私立校なりに入れたほうがいいんじゃないかとも考えていたそうなんですが、家庭環境や気質もバラバラな人がより多く集まっている地元の小学校に通ったほうが視野を広く持てるのではと思って地元の公立校に通わせていたそうで。兄も中高一貫校に進学していたのもあってか、自然な流れで私も中学からは私立に、となりましたね。学校で授業を受けるのは苦手でしたが勉強はできないほうではなかったので、私もなんとなく流れに身を任せる感じで、じゃあ受験するかと。

——授業が苦手だと受験勉強は大変ではありませんでしたか？

大変でした。国語は得意だったのですがその頃から理系の教科が全然できなくて、勉強するのはものすごい苦でしかなかったです。でも、塾自体は楽しかったんですよ。塾の先生はビジネスライクに接してくれるし、進学塾だったこともあって来ている子たちは頭の回転が速くて、その雰囲気も好きでした。私は成績はよくなかったんですけど、なんとか合格できて本当によかったです（笑）。

——進学先の雰囲気はどうでしたか？

とても居心地よかったです。中高通して全然学校に行かない時期もあったのですが、いつ行っても友達が変わりなく接してくれて楽でした。すごく自由な校風で、校則も生徒たちが自主的に動いて変えたりして、風通しがよかったんですよね。互いに干渉し合わないというか、たとえば誰かが「あの子、嫌いなんだよね」と言っても「へー」で終わる感じ。誰も迎合して悪口で盛り上がることがない。ざっくばらんな付き合いができて楽しかったです。

——一学年何人ほどいたのですか？

当時で二五〇人くらいだと思います。六クラスあって、高校になるとざっくり理系・文系に分かれるのですが、高三になると静かに勉強しろということなのか、切り離された校舎を宛がわれまして。文系の教室は車道に面しているけれど理系は静かな緑道に面しているというわかりやすい差をつけられていました（笑）。

――仲間内には趣味の合う友達もいました？

話が合う子はいました。友達にはギャルの子もオタクの子もいたけど特にグループという感じでもなく、私は仲の良い子と大体二人でつるんでた感じかな。校則では漫画の持ち込みは禁止されていたのですが、みんな学校に持ってきて読んでいましたね（笑）。漫画を読むからオタク、みたいに色眼鏡で見られることもなかったし、漫画好きな子からさほどそうでもない子まで、普通に漫画を読んでいました。仲が良かった子が隠れオタクだったのですが、彼女はスーパー秘密主義で、自分がハマっている作品のことを全然教えてくれないし、語ってもくれないんですよ。なので彼女が好きな作品について盛り上がるとかはなかったんですが、漫画だとか音楽だとか「あれ読んだ？」「これ聞いた？」と話をするのは楽しかったですね。あと、ギャルで超成績いい子がいて、生徒会長までやっていて本当にカッコよかった。

――部活は何かされていたのですか？

もともと漫画研究会に入りたいと考えていて、一旦入部したのですがみんなあまり漫画を描いていなかったり、読んでいる漫画の趣味とかも違っていたりして自然と行かなくなってしまいました。それからずっと漫研への憧れのようなものがあります（笑）。その後、演劇部に所属しました。

音楽と映画に彩られた中学校時代

――当時ハマっていたことはなんでしたか？

音楽と映画かな。中学生くらいから映画をよく見るようになって、レンタルビデオをよく利用していました。その頃はまだ個人でやっている小さなレンタルビデオ屋が結構あって、映画のポスターをもらったりしましたね。それで『ユージュアル・サスペクツ』[*13]のポスターを部屋に飾ったり。

――『ユージュアル・サスペクツ』が好きだったんですか？

好きでした。あと『レオン』[*14]とか『スワロウテイル』[*15]とか。『トレインスポッティング』[*16]とか『バッファロー'66』[*17]とか、そういう雰囲気の映画を好んで見ていました。

――洋画、邦画こだわることなく？

はい。新旧問わずいろいろ。CDショップにもたくさん通いました。当時、CHARA[*18]や岩井俊二[*19]作品が好きだったんですよね。

――なるほど、それで『スワロウテイル』。

『PiCNiC』[*20]も好きでした。黒沢清[*21]作品を好きでよく見ていたのもその頃かな。『CURE』[*22]はいまだに私の最愛のホラー映画です。それと当時、石原理（さとる）[*23]さんの漫画がとても好きだったのですが、コミックスの袖などで映画の話に触れていらして、そこから影響を受けたり。漫画も好きだから読んではいましたが、思春期特有の感じで、カッコつけて音楽やら映画やらを楽しんでいたように思います（笑）。

——音楽も洋楽、邦楽問わず聞いていたのですか？

音楽は洋楽寄りでした。もともと親が洋楽好きで家にCDがいっぱいあって、小さい頃から親が好きなマイケル・ジャクソンやビリー・ジョエルを聞かされるうちに自分も好きになっていて。クラシック音楽も聞かされていました。オペラのLPレコードとかが家にありましたね。父がオーディオマニアで、機材も凝っていたし、吸音材の位置的にここにしか座っちゃいけないとか言うタイプだったんで音楽的に通じ合えることはあまりなかったんですが、音楽がよく流れている家だったんですよね。母方の叔父が編集したビートルズのミックステープをくれたりして、そのおかげでビートルズを大好きになりました。邦楽もまったく聞かないというわけではなくて、Mr. ChildrenやTHEE MICHELLE GUN ELEPHANTとか、友達が好きなバンドの音楽を聞いたりしていました。

——たとえば舞台やコンサートなど、ライブで楽しむことは経験されていましたか？

演劇部に所属していたこともあって、よく舞台を見に下北沢の小劇場へ行っていました。パーマネントモンキース[*24]とサモ・アリナンズ[*25]という劇団が特に好きでしたね。野田地図（NODA MAP）を設立してからなので、だいぶあとの話ですが、野田秀樹[*26]さんの作品も追いかけていましたね。

大好きなBL作品を母親にお薦め

——好きな漫画家として先ほど石原理さんの名前が挙がっていましたが、中高時代に好きだった漫画作品について教えてください。

『今日から俺は!!』（以下、今日俺）』が大好きでした。当時の『週刊少年サンデー』（小学館）に載っていた作品は好きなものが多かったです。『うしおととら』や『GS美神 極楽大作戦!!』『らんま½』『俺たちのフィールド』だとか。『今日俺』はクラスで流行っていたんですよ。学校中で流行っていたのは『行け！稲中卓球部』で、授業中に隠れて読んでも噴き出して笑ったりしない子が英雄扱いされていました（笑）。

――それは強メンタルですね（笑）。少女漫画はあまり読まれていなかったのですか？

そんなこともないですよ。少年漫画のほうが好きなものが多かった時期ではありましたが、やまざき貴子さんの『っポイ！』や柳原望さんの「一清&千沙姫シリーズ」だとか、望月花梨さんの作品も好きでした。山田南平さんの「久美子&真吾シリーズ」も。『花とゆめ』や『LaLa』（ともに白泉社）は、やられてもやられても立ち上がるような主人公の女の子たちが多くて、好きでした。あとは片岡吉乃さんの『クール・ガイ』がとにかく大好きだったんですよね。

――白泉社のラインナップから突然『別冊マーガレット』（集英社）系に飛びましたね。

私の周りでは神尾葉子さんの『花より男子』が大人気だったのですが、私は『クール・ガイ』がめちゃくちゃ好きで。胸キュンシーンとギャグシーンのギャップが見事ですごく面白かったんですよ。

――BLも読まれていたんですよね。

はい。私の周りのBLを好きな子はみんな、こだか和麻さん[*27]の『KIZUNA―絆―』[*28]だとかをこっそり読んでいたんですが。

——こっそりなんですか？

エッチだから（笑）。私はコメディの『腐った教師の方程式』[29]が好きだったんですよ。それと石原理さんの『あふれそうなプール』[30]と『カリスマ』[31]。特に『カリスマ』は私が読みたいと思った男同士の関係が描かれていて、なんか暴力的でマスキュリン（男性的）で、いい女キャラも出てくるし、もう本当に胸を撃ち抜かれました。これはBLを知らない人が読んでも衝撃的で面白く読めると思ったので、カバーをつけて母に貸したのですが、手ごたえのある反応が返ってこなくて残念でした（笑）。

——BLの存在を知ったのはいつ頃だったのですか？

小学校のときかな。とにかく漫画を読みたかった頃だったので、近所の本屋さんで片っ端から雑誌を立ち読みしていたんです。当時はまだ紐でくくられていなかったので、読もうと思えば読める状態だったうえ、本屋さんも恐縮なことにお目こぼししてくれていて。その中にBL誌だかアンソロジーがあったんだと思うんですよね。あとは、友達が何かしらの同人誌を持っていたんだっけかな。もともとBLを知らずとも『幽☆遊☆白書』を読んで、飛影と蔵馬は一緒にいてほしいとか思っていたので、概念も自然と体に馴染みました（笑）。

ただ、中高生くらいになってあらためてBLを読み始めたときに、可愛い男の子キャラに食指が動かないのもあって、こだか和麻さん、石原理さんの作品くらいしか自分の好みにフィットするものがなくて。でもBLを読みたいから、いろいろ読みはしていました。BL誌での連載ではなかったけれど、村上真紀[32]さんの『グラビテーション』[33]も好きでした。

——BLに限らず、小説も読まれていましたか？

読んでいたのは一般小説が多くて、好きだったのは中島らもさんや原田宗典さんです。あとは花村萬月さん。花村さんの『ブルース』[*34]と中島らもさんの『人体模型の夜』[*35]がめちゃくちゃ好きでした。

――ああ、なるほどと言いたくなるラインナップですね。

現代作家のちょっとサイコホラーっぽいものがすごく好きだったんです。どれかは母が薦めてくれたんだっけかな。図書館によく通っていたのでそこで借りて読んだように覚えています。

――お母様お薦めというのもいいですね。私は子供の頃に横溝正史作品ばかり読んでいて、装幀が煽情的なものが多かったこともあって、母親に物騒な本ばかり読んでいると心配されたことがあります。

（笑）。私も中学生のときだったか、ディアゴスティーニの『マーダー・ケースブック』という海外の猟奇殺人犯の特集シリーズを集めようとして、父に本当に嫌がられて断念したことがあります。すごい楽しみにしていたのにと残念で仕方なかったのですが、今思えば、そりゃまあ親としては子供が嬉々として殺人鬼の本を買い集めようとしていたら安穏な気持ちではいられないですよね。

高三で同人誌活動開始

――中高時代、ご自分の創作活動は何かされていましたか？

だいたいは設定だけ考えて、一人で喜んでいました。たまに友達にその設定を見せたりしていたかな。漫画のネタとして考えることが多くて、でも完成させたものは一本もないです。

――ネタとしては、わりと日常的な話を考えていたのですか？

いいえ、サイバーパンクだったり、ダークＳＦっぽい話が多かったような気はします。多国籍なキャラだけ描いてみたりとか。キャラクターの服を考えるのが好きだったんですよね。衣装とそのキャラと周囲のキャラのざっくりとした関係性を考えて、そこから一本のストーリーに昇華できずにいました。風呂敷はどこまでも広がるけど、畳み方がわからない（笑）。でも、そのどこまでも風呂敷を広げていく快感は、もう味わえないものなのでちょっと口惜しいですね。

――もう味わえません？

無理だと思います。どうしたってキャラクターに動機付けをする責任というか必要を感じてしまうので、野放図には広げられないです。一〇代のあのときだけ味わえたものなんじゃないかなと思います。

――小説も書いていましたか？

趣味で書いていました。小説は高二か高三のときに一本だけ完成させたことがあります。それはのちにまとめ直して同人誌として出しました。大正昭和あたりを想起させる時代を舞台にした、若干ＢＬの雰囲気が漂う男同士のハラハラするスパイ・アクションです（笑）。

――それは何か創作のきっかけがあったのですか？

その頃、純文学にハマって三島由紀夫や芥川龍之介、大江健三郎を特に好きで読んでいたんですが、そういった作家の作品に限らず、純文学で描かれる人間の関係性ってどこか暴力的なＢＬの要素が感じられるところがあって、当時それをものすごく浴びていたんですね。執着と憎しみの根底にあるのは愛、みたいな話だとか、セックスしていないだけでもうそれは愛だよね⁉というような話が純文学って結構あるじゃないですか。そういうのを真似したくなって書いたんだと思います。授業中に電子辞書を片手にノートに手書きで書いていました。

――子供のときはあまりテレビドラマは見ていなかったとお話しされていましたね。

二〇代になるまでドラマはほとんど見ていなくて。二〇歳を超えてから見た山田孝之さん主演の『WATER BOYS』[*36]が好きでした。ラストで、一番輝かしい瞬間に青春が終わるのですが、それがよくって。この作品を見たあとに日本の若手俳優に興味が湧いて、俳優さん目当てでドラマを見始め、そのうちに宮藤官九郎（クドカン）さんの作品に出会って。クドカンをはじめ脚本家でもドラマを追うようになりました。

――演劇部に所属していたそうですが、脚本なども書かれたり？

『白雪姫』をアレンジしたダークゴシックホラーのようなものなど、二本ほど短い脚本を書いたことはありますが、私が脚本・演出をやると自分がやりたいことが明確すぎて横暴になっちゃうんですよ。それで後輩から嫌がられて、嫌がられたことに傷ついてしまうので、もうやるまいと。役者としてやる分にはわりとダメ出しをくらうことなく上手くやれていたほうだったのですが、裏方作業は協調性が大事なのでダメで。集団行動はやっぱり苦手だと思って、お芝居することが好きだけれど劇団という集団には向いていないとつくづく感じました。

――デビュー以前から二次創作で同人誌活動をされていましたが、始めたのはこの時期あたりですか？

高三ですね。大学受験が終わったあとに、それまで存在は知っていて自分でもやってみたいなと思いながらやり方がわからなくて手が出せなかった同人誌というものを、当時『ONE PIE

CE』にハマっていたので出したいと思い立って、同人誌活動をしていた友人に相談したんです。そのときに描いた原稿が初めて完成させた漫画原稿だと思います。

――同人誌を読んだことはあったのですか？

ほぼなかったです。誰かが学校に持ってきたものをチラ見する程度で、ただ『ONE PIECE』にハマったあと、ウェブサイトで二次創作物を読んではいました。当時、映画の『ファイト・クラブ』[*37]にもハマっていたので、その二次創作を読むためにサイトを周回していたように思います。それもやっぱりサイト閲覧オンリーで、自分で出してみたいと決意するまで、印刷物としての同人誌には縁がなかったんですよ。

大学時代

国文学科からグラフィックデザイン学科へ

――大学進学時は何か目標があったのですか？

何もなかったです。いずれ絵に関わる仕事に就けたらいいなという本当に漠然とした何も考えていないようなイメージはありましたが、大学で何をやりたいとかは特になくて、でも進学率一〇〇パーセントだし、親も私が当然大学に進むものだと思っているしで、本当に考えなしに流されるように進学を決めて。それで某大学の国文科へ進んだんですが、そんな気持ちで決めているから、半年も経たないうちに大学で勉強する気がなくなってしまったんです。それで大学に行かなくなったので、とりあえずバイトを始めました。ただ、バイトも向かないので本当につらくて。それでもお金は稼がなきゃいけないしで、一年くらいやっていたのかな。そのうちに、デザインの専門学校に行きたいなと思うようになったんです。それで母校の美術教師に相談しに行ったら、この世には美大などの受験に特化した美術予備校というものがあると教えてもらいまして、二〇歳の夏くらいから半年ほど通うようになりました。チューブトップとかノースリーブとかばかり着て通っていたので、同じ予備校に通っている女の子から「ノースリーブさん」というあだ名をつけられていました（笑）。

——美術やデザインの専門的なことを学ばれたのはそのときが初めてですよね？

はい。デッサンとか平面構成とか初めて経験して、面白かったです。そのときに買った筆がもう筆先とかダメになっちゃっていたんですがつい最近まで使っていまして、それは単に買い替えるのが面倒だという思いと、画材って決して安いものではないので、なかなか買えなかった当時の気持ちとリンクして買い替えるのに及び腰になっていたところがありまして。しかも画材売り場にいる人って、みんな自分より経験も力もある人に思えて、当時は売り場に行くのにも緊張していた記憶があるので、余計に気が進まなくて。でも本当につい最近、もう自分は大人だし、プロだし、画材を自由に買ってもいいのではと気づいて買い替えました。すごく使いやすいです（笑）。

——志望校はすぐに決まったのですか？

最初は専門学校を目指そうと思っていたのですが、予備校の先生に「専門じゃもったいない気がするから美大を受けなさいよ」と言われて、ちょっといい気になりました（笑）。それでいくつか美大を受験することにしまして、結果、東京造形大学のグラフィックデザイン専攻へ進み、主にエディトリアルデザインを勉強しました。授業は面白かったし、学ぶべきことはたくさんあったんですが、卒業後のビジョンが何かあるわけでもなく、漠然と学生生活を過ごしていました。楽しかったんですけどね。

――どんなことが楽しかったのですか？

大学の友達とはウマが合いましたし、続けていた同人誌活動も楽しかったし（笑）。デザインの授業で担当教授の仕事のアシスタントみたいなことをして、結果、その教授がデザインを担当した本（『現代物理学が描く突飛な宇宙をめぐる11章』）の奥付に一緒に名前を載せてもらったこともありました。

――美大の授業といえば講評というイメージがあるのですが……。

授業で必ずありましたね。講評で自分の作品について厳しいことを言われると、自分の人間性まで否定されているようでつらいという子もいましたが、私はわりと講評されるのが好きだったんですよ。負けず嫌いというのもありますが、とにかく褒められたり人の感想を聞いたりするのが好きなので（笑）。どこがいまいちだったか教えてほしいですしね。そういう意味では、今でも編集者の方からネームや作品についてフィ

『現代物理学が描く突飛な宇宙をめぐる11章』カバー

ードバックを受けるのはすごく好きですね。講師や編集者の方は意見を述べることに対してすごく自覚的なので、その分的確で興味深い言葉が出てくることが多いんです。単なる感想とはちょっと違うんですよね。なので、何を言われても基本的には大丈夫でした。

就職活動として漫画を投稿

――卒業後についてはいつ頃から考えていたのですか？

大学四年になってからです（笑）。これはもういい加減に就職のことを考えなくてはならぬと思って、何かしら自分ができそうなことで引っかかったところでがんばろうと。それで、漫画原稿とイラストのポートフォリオ（自身の作品をまとめた資料）とデザインのポートフォリオをそれぞれ作って、適宜送りました。その中で引っかかってくれたのが漫画だったんです。

――投稿も就職活動の一環だったのですね。

そうです。『アフタヌーン』（講談社）と『MAGAZINE BE×BOY』（ビブロス、現リブレ）に同時期に送ったんだっけかな。そうしたら両方から色よいお返事をいただけたので、私の就職活動は終了しました。それが大学四年生の夏か秋くらいのことだったと思います。

――二〇〇五年に「ねこぜの夜明け前」でアフタヌーン四季賞夏を受賞されましたが、そこからBL誌で本格的に活動を始めるまで少しブランクがありますよね。

その間は映画館でバイトをしながら、『アフタヌーン』の担当さんにネームを何本も提出していました。私は本当に使えないバイトだったのでよく叱られていたこともあって、早くバイトを辞めたいと思いながらネームを描いて。担当さんはとてもいい人だったのですが優しくはなかったので怖くて、ネームを見せに行くたびに緊張していましたね。その編集さんには、「若いのに老成した漫画を描くね」って言われたのが印象に残っています。

そのときも同人誌活動はずっと続けていまして、オリジナルでも何冊か同人誌を出していました。それで、『くいもの処 明楽（あきら）』の雛形にあたる同人誌をコミティア[*38]で出したときに、「これを商業誌で連載しませんか？」と東京漫画社の方からお声がけいただきまして、それで商業誌で描かせてもらうようになりました。

＊1　アロマンティック……恋愛の指向の一つであり、他者に恋愛感情を抱かない人のこと。他者に性的に惹かれない人、ならびにそのような性的な指向を表す言葉としてアセクシュアルがある。

＊2　モーリス・センダック……絵本作家。一九二八年、アメリカ生まれ。一九六四年、代表作『かいじゅうたちのいるところ』を発表。同作は、二〇〇九年に映画化された。主な作品に『あなはほるものおっこちるとこ』『まどのそとのそのまたむこう』『7ひきのいたずらかいじゅう』などがある。

＊3　レオ・レオニ……絵本作家。一九一〇年、オランダ生まれ。一九六三年、代表作『スイミー』を発表。同作をはじめ多くの作品を詩人の谷川俊太郎が翻訳している。主な作品に『あおくんときいろちゃん』『フレデリック』『アレクサンダとぜんまいねずみ』などがある。

＊4　ミヒャエル・エンデ……児童文学作家。一九二九年、ドイツ生まれ。一九七三年に『モモ』、一九七九年に『はてしない物語』を発表。代表作である両作は、ともに映画化されている。

＊5　「星座シリーズ」……一九九〇年刊行の『牡羊座は教室の星つかい』からはじまる日向章一郎によるライトノベルシリーズ。都立高校に通う大野ノリミが、許婚で担任教師の麦倉ナオトとともに、星座

占いによって身近に起こった事件を解決していく。イラストはみずき健が担当。

＊6 「放課後シリーズ」……一九八八年刊行の『放課後のトム・ソーヤー』からはじまる日向章一郎によるミステリー要素を持ったラブコメディ。幼馴染の男女がさまざまな事件に遭遇していく。イラストはみずき健と、穂波ゆきねが担当。

＊7 『ときめきトゥナイト』……一九八二年、『りぼん』にて連載を開始し、現在『Cookie』（集英社）にて続編が連載されている池野恋による少女漫画。それぞれ主人公が異なる三部構成の作品で、第一部では魔界の少女・江藤蘭世と、彼女が片思いする男子中学生・真壁俊の恋愛が描かれる。

＊8 『シュナの旅』……一九八三年にアニメージュ文庫から刊行された宮﨑駿による描き下ろしの絵物語。チベットの民話をベースにしており、谷あいの貧しい小国の王子・シュナが、金色の穀物を求めて旅する姿を描く。

＊9 『銀河鉄道の夜』……一九八五年製作、杉井ギサブロー監督のアニメーション映画。ますむらひろしによる宮沢賢治の同名小説の漫画化が原作で、登場人物は猫として描かれる。印刷所で働くジョバンニと友人のカンパネルラとの銀河鉄道での旅が幻想的に切り取られる。細野晴臣が劇伴を手掛けた。

＊10 『三つ目がとおる』……一九七四年から一九七八年にかけて『週刊少年マガジン』（講談社）にて連載されたSF作品。三つ目族の子孫で不思議な力を持つ少年・写楽が、古代遺跡や財宝が絡んだ謎に挑む姿を、ミステリータッチで描き出す。

＊11 『風が吹くとき』……一九八六年製作、ジミー・T・ムラカミ監督によるアニメーション映画。『スノーマン』で知られるレイモンド・ブリッグズの絵本を原作に、イギリスの田舎で暮らす老夫婦の生活が、原子爆弾によって崩壊していく姿を描く。二〇二四年八月にリバイバル上映が行われる。

＊12 『はだしのゲン』……一九七三年から一九七四年まで『週刊少年ジャンプ』にて連載された中沢啓治による自伝的漫画。広島に落とされた原子爆弾によって父、姉、弟を奪われた少年ゲンの姿を描く。

＊13 『ユージュアル・サスペクツ』……一九九五年製作、ブライアン・シンガー監督によるサスペンス・ミステリー。近年はトム・クルーズとともに『ミッション：インポッシブル』シリーズを手掛けるクリストファー・マッカリーが脚本を担当し、前科者五人組の犯罪計画の顛末を、巧妙な構成で見せる。

銀座テアトル西友などで上映された、いわゆるミニシアター映画。

＊14 『レオン』……一九九四年製作、リュック・ベッソンが初めてアメリカで監督したバイオレンス・アクション。殺し屋レオンと家族を殺された一二歳の少女マチルダの交流と闘いを描く。日本では日本ヘラルド映画（現KADOKAWA）が配給した。

＊15 『スワロウテイル』……一九九六年製作、日本ヘラルド映画配給による、岩井俊二長編監督作第二弾。紙幣偽造データを入手した娼婦のグリコが、ライブハウスを買い取り、歌手として有名になっていく。歌手のCHARAがグリコを演じ、劇中のバンドYEN TOWN BANDは、実際にCDをリリースした。

＊16 『トレインスポッティング』……一九九六年製作、ダニー・ボイル監督によるイギリス映画。ヘロイン中毒の主人公たちの日常を、斬新な映像で切り取っていく。渋谷のシネマライズにて三三週にわたって上映され、ミニシアターブームを牽引した。

＊17 『バッファロー'66』……一九九八年製作、ミュージシャンで俳優のヴィンセント・ギャロが初監督した恋愛映画。刑務所を出たばかりの孤独な男と、彼に拉致される通りすがりの女性との関係を描く。渋谷シネクイントのオープニング作品として三四週にわたるロングラン上映が行なわれたミニシアター映画を代表する作品。

＊18 CHARA……歌手。一九九一年、シングル「Heaven」でデビュー。一九九七年にリリースされたアルバム『Junior Sweet』はミリオンセラーを記録した。俳優としても活動し、岩井俊二監督の『PiCNiC』で初主演。

＊19 岩井俊二……映画監督。一九九三年に放送されたテレビドラマ『打ち上げ花火、下から見るか？横から見るか？』の演出で注目され、一九九五年の『Love Letter』で長編デビュー。主な作品に『リリイ・シュシュのすべて』『花とアリス』『キリエのうた』などがある。

＊20 『PiCNiC』……一九九四年に撮影され、一九九六年に公開された岩井俊二監督作。精神病院から逃げ出した三人の男女が、世界の終焉を見に塀の上を歩いていく。CHARAと俳優の浅野忠信は本作での共演をきっかけに結婚した。

＊21 黒沢清……映画監督。一九八三年、『神田川淫乱戦争』で商業デビュー。『回路』『LOFT　ロフト』

国際的な評価を受けている。

＊22　『叫』などホラー映画を多く手掛ける。カンヌ国際映画祭やヴェネチア国際映画祭で受賞するなど、

＊23　『CURE』……一九九七年製作、黒沢清監督のホラー・サスペンス。他人をコントロールし猟奇殺人を引き起こしていく謎の若い男と、中年の刑事との対決をたんたんとしたトーンで切り取っていく。

＊24　石原理……一九九二年、『b-Boy』に掲載された「38度線」でデビュー。主な作品に『少年は明日を殺す』『犬の王』『毒を食らわば恋までも』などがある。

＊25　パーマネントモンキース……俳優の松田鈴子が立ち上げた劇団。テレビ朝日系で放送された音楽番組『VIDEO JAM』で、ユースケ・サンタマリアとともにコントを披露しており、同コーナーはビデオ化されている。

＊26　サモ・アリナンズ……大人計画に所属する小松和重が、倉森勝利、平田敦子、久ヶ沢徹らと、一九九二年に立ち上げた劇団。主な作品に『ホームズ』『蹂躙』『ビタジルダ』などがある。

＊27　野田秀樹……劇作家・演出家。一九七六年に劇団・夢の遊眠社を立ち上げ、一九八〇年代の小劇場ブームを巻き起こす。一九九二年に同劇団を解散し、一九九三年にユニットNODA・MAPを設立。主な作品に『小指の思い出』『贋作 桜の森の満開の下』『ザ・キャラクター』などがある。

＊28　こだか和麻……漫画家。一九八九年、『週刊少年チャンピオン』(秋田書店) 掲載の『せっさ拓磨!』でデビュー。その後、『MAGAZINE BE×BOY』等のBL誌を中心に執筆活動を行う。主な作品に『BORDER 境界線』『イクメン☆アフター』『恋愛方程式』などがある。

＊29　『KIZUNA―絆―』……一九九一年刊行の同人誌『激愛』よりスタートし、二〇〇八年『BE・BOY GOLD』で完結したこだか和麻のBL漫画。こだかのデビュー作『せっさ拓磨!』の脇役である円城寺圭と鮫島蘭丸を主人公に、二人の愛と葛藤を描くBL黎明期を代表する作品。

＊30　『腐った教師の方程式』……一九九三年から二〇〇二年にかけて『b-Boy』と『MAGAZINE BE×BOY』で連載されたBL漫画。とある理由から不良高校に入学した敦と、彼の高校の保険医・雅美との関係を描く青春グラフィティ。

『あふれそうなプール』……一九九六年から二〇〇〇年にかけて『MAGAZINE BE×BOY』で連載さ

れた石原理の代表作。心に傷を負い対人恐怖症になってしまった入谷は、わざと三流の男子高に入学するが、同級生の木津との出会いによって再び心が揺れていく。

*31 『カリスマ』……一九九二年『PC-18 REMARK』にて連載が開始され、一九九六年『MAGAZINE BE×BOY』で連載終了した石原理のBL漫画。ニューヨークを舞台に、ストリートギャングの暴力に屈せず、自閉症の兄マーフィーを守りながら生きる青年アーチャーの姿を描く。

*32 村上真紀……漫画家。一九九五年、少女漫画誌『きみとぼく』（ソニー・マガジンズ）掲載の「ナルシストの悲劇」でデビュー。BL漫画を中心に執筆している。主な作品に『グラビテーション』『キミのうなじに乾杯！』『ゲーマーズへブン！』などがある。

*33 『グラビテーション』……一九九五年から二〇〇二年にかけて『きみとぼく』と『WALL FLOWER』（幻冬舎）に掲載されたBL漫画。ロックバンドのボーカル・新堂愁一と小説家・由貴瑛里の関係をハイテンションに描き出す。一九九九年にOVA、二〇〇〇年にテレビアニメが製作された。続編として『グラビテーションEX.』と『新堂家の事情　グラビテーションN.G.』がある。

*34 『ブルース』……一九九二年に刊行された花村萬月による暴力と性に彩られた物語。横浜・寿町を舞台に、ゲイでヤクザの中年男性、ブルースギタリスト、在日の活動家の関係が描かれる。

*35 『人体模型の夜』……集英社のPR誌『青春と読書』に連載され、一九九一年に単行本が刊行された中島らものホラー小説。眼や鼻、性器など人間の器官をモチーフに一二の物語が紡がれる。

*36 『WATER BOYS』……フジテレビジョン・共同テレビジョン制作、二〇〇三年放送のテレビドラマ。二〇〇一年に製作された矢口史靖の同名映画を原作に、シンクロナイズドスイミング（アーティスティックスイミング）に青春を懸ける男子高校生たちの姿を描く。

*37 『ファイト・クラブ』……一九九九年製作、デヴィッド・フィンチャー監督によるエドワード・ノートンとブラッド・ピットの主演作。男たちが拳のみを武器に闘う秘密組織「ファイト・クラブ」を舞台に、暴力的なイメージが繰り広げられていく。

*38 コミティア……一九八四年にスタートしたオリジナル作品のみを扱う同人誌即売会。二次創作作品の出品は禁止されている。参加者には内藤泰弘、あらゐけいいち、こうの史代、九井諒子らがいる。

第2章

閉じない世界としてのＢＬ

デビュー前夜
『くいもの処　明楽』
『タッチ・ミー・アゲイン』
『恋の心に黒い羽』
『イルミナシオン』

デビュー前夜

二次創作との出会い

――デビュー前のお話を特に同人誌活動のことを含めてもう少しお聞きしたいのですが、『ONE PIECE』にハマるまで、二次創作で特定のジャンルにハマったことはなかったのですか？

ありませんでした。二次創作が盛んにされている作品をあまり読んでいなかったのが大きいと思います。特に高校時代は、漫画は読むけれどガッツリとハマるというわけでもなくて。当時好きだった作品として松本大洋[*1]さんの『鉄コン筋クリート』[*2]を挙げるのを失念していたのですが、あの作品が本当に大好きで周りに布教したものの誰も興味を示してくれなくて悲しい思いをしました（笑）。お話ししているとぽつぽつ記憶がよみがえってきますね。高校時代はサブカルが大好きだったのもあってか、映画や音楽、演劇のほうにどっぷりで、記憶のリソースがそちらに割かれている気がします。大学生時代の話になりますが、松本さんの短編漫画を原作にした、豊田利晃[*3]さんの映画『青い春』[*4]も好きでしたね。

――同人誌は自分でもやってみたいと思いながら、やり方がわからなくて手が出せなかったとお話しされていましたね。

特に漫画は完成させたことがなかったから実現のさせようがなくて。『ONE PIECE』にハマったときはパッションに突き動かされるように原稿を完成させることができたので、じゃあ同人誌を出してみようかなって思えたんです。それでイベントに参加することにしました。同人誌の作り方やイベントへの参加方法とかを知っている友人が身近にいなかったら挫けていたかもしれないですが。『ONE PIECE』では、男性キャラのカップリングだけでなく、女性キャラクターをメインにした本なども描いていました。

——原稿の描き方も教わったのですか？

「トーンははみ出さずに貼ったほうがいいんじゃない？」とか言われながら完成させました（笑）。

——それ以前に同人誌を買うためにイベントなどに足を運んだことはあったのですか？

いいえ、自分が描きたい、同人誌を作ってみたいという気持ちのほうが強かったので。二次創作のサイトは周回していましたけどね（笑）。

——以前、個人サイトを開設していらっしゃいましたが立ち上げたのはこのあたりの時期だったりします？

そうですね。大学受験が終わったあとくらいだったかな。二次創作サイトをいろいろ見るうちに、掲示板なんかで交流も始めて、そのときに自分のサイトを作ってみたらと言われたのをきっかけに作りました。当時の個人サイトはわりと交流前提でコンテンツが作られていたようにも思うんですが、サイトを通じて同好の士たちとコミュニケーションが取れて、満たされなかった漫研への憧れがずいぶん昇華されました（笑）。

——同人誌を出すようになってからは結構なハイペースで？

月に一回はイベントに参加して、毎回二四ページ以上の新刊を出していたので……結構なペースでしたね（笑）。

――それは情熱がものすごい。

振り返ると自分でも驚きますね。

二次創作からオリジナル作品へ

――オリジナルではそんな風に湧き立つものはなかったのでしょうか。

それはやっぱり二次創作とは違いますよ。私にとって二次創作は、創作というものの楽しいところだけ、綺麗な上澄みだけすくってるような楽しい行為でした。時には祈りみたいなものでもありましたけどね。この物語がこうであればいいのにって、切実な思いから描いたものもあるけれど、それでも自分でゼロから作るのとは労力が違います。当時の私にはオリジナル作品を最初から最後まで自分で描き切る胆力がなかったと思います。

二次創作って、工作キットを用意してもらっているようなものだと思うんです。土台とお人形は用意されていて、どんな風に人形を置いて、どうやってデコレーションしていくか遊びながら作っていく。それが楽しいのはキットの元である原作が素晴らしいからなんですが、このキット遊びって創作初心者には有意義というか、とてもいい訓練になると思います。自分がどんなことにときめくのか、何を描きたいのかを考えるところから、どんな設定をこのキャラに付与したら面白いかとか、どんな展開にしたら描いていて楽しいかとか、自然とそういうことが考えられるようになって、それを外に出すために頭の中を整理整頓できるようになっていく。私の場合はそうだったので、情熱に支えられて楽しくたくさん同人誌原稿を描いたおかげで創作の基礎訓練ができて、それをやり続けていくうちにオリジナル作品も描き上げたいという気持ちが湧いてきたように思います。

——なるほど。一つの原稿を完成させる経験も積めるし、原作を基本としてさまざまなパターンの話を生み出す練習にもなるわけですね。

馴れ初めを違うパターンで何度でも描くことができたり、たとえばパラレルな物語を描いて自分なりにエンドマークをつけたりと、原典である原作がしっかりあるからこそいろいろな選択を自由にして枝葉を伸ばすことができる。それは創作の基礎訓練としてとても役立ったと感じています。

——エピソードなりそれこそ結末なり、創作するうえで一つの選択をするのは迷うところも多く難しい点ですよね。

そうなんです。オリジナルの場合、あらゆる選択肢の中から一つ選ばなくちゃいけなくて、選んだらほかの可能性をすべて排除することになるのでなかなか決め切れなかったり、こっちのパターンもよかったなとあとあと惜しむことがわりとあったりするんですが、二次創作だと別の機会に描こうって思えるから決断しやすいんですよね。描きたいなと思ったことが描きやすくて、創作の気持ちいいところを堪能できていいんですよ。

——そして同人誌制作を続けたのちに、就職活動の一環として投稿に至ったわけですね。

同人誌で描いた作品を何作か投稿しました。『アフタヌーン』にまず一回送ったのですが、何も引っかからなかったように覚えています。まあ、そんなものでしょうと思いつつ、次にまた送ったのが準入選をもらって、それをきっかけに『アフタヌーン』で担当さんがついたんだっけかな。同時期に『MAGAZINE BE×BOY』に送ったのも努力賞か何かをいただいて。

――投稿先としてその二誌を選んだのは何かきっかけが？

ＢＬに関しては、石原理さんやよしながふみさんのものなど、私が持っているコミックスのほとんどがビーボーイコミックスだったというのと、ほかのＢＬ誌は可愛い系の作品が中心だったり、エロ的にハードコアだったりしたので、自分が投稿できるとしたらここかなと。『アフタヌーン』も似た感じで、『寄生獣』[*5]が好きだったのと、自分が描くものは少年誌とは合わないだろうし、では青年誌でと考えたときに『アフタヌーン』にはどんな作品が載っていてもおかしな感じがしない気がしたのが大きいです。当時あまり漫画誌を熱心に読んではいなかったので、少ない知識の中で選んだ投稿先という感じでした。

――並行してされていたほかの就職活動での反応はいかがでしたか？

ほかはポートフォリオを一度送ったきりで特に重ねて行動したりはしていなかったのですが、漫画以外はどこも梨のつぶてで。どこからでも色よい反応がもらえたらそこで就職活動は辞めようと思っていたので、漫画で最初に返事がもらえてよかったです（笑）。もしほかの道で決まっていたら、どこもクライアントのことをちゃんと考えて、注文されたものをしっかり仕上げるという仕事になっていたと思うので、それはきっと途中で挫折することになっていた気がします。漫画のほうが自由度がより高くて、面白く仕上がりさえすればある程度は許してもらえるから、自分にとって最善の道が開けたんじゃないでしょうか。

――漫画家を目指すことについてご両親から何か言われたりしましたか？

親から何かを直接的に聞いたことはないのですが、私が子供の頃からやりたくないことを徹底的にできないまま生きていたのは親の目にも明らかでしたし、気持ちの波も大きいほうだったので、二〇歳すぎまで私が生きてこられたことに対して親としても思うところがあったのか、死なきゃいいかみたいな感じだったと思います。とても幸運なことに、生活的な支援をすることはできるから、その中で最大限にやってみて自立しなさいという空気でした。

『くいもの処 明楽』

恋愛も含んだ日常の群像劇

――同人誌として出した『くいもの処 明楽（以下、明楽）』をきっかけに、出版社から声がかかったというお話でしたね。

はい。自分としてはシリーズものとして出していくつもりの一冊めだったのですが、声をかけてくれた編集の方にあの話を恋愛を主軸にして描いてくださいって言われて描き直したのが第一話（ＯＲＤＥＲ．１）です。自分としては群像劇っぽいものが描きたくて考えた物語だったので、もともと考えていたストーリーからこぼれ落ちたものがたくさんあるんですよ。もったいないとは思いつつ、あのときの私にしか描けないものだったとも思うので、もう何かに変換して描くことはできないように思います。

――第一話は、二〇〇六年四月に刊行されたアンソロジー『年の差カタログ』（東京漫画社）掲載です。ちなみに同人誌自体の反応はいかがでしたか？

　コミティアに参加させてもらったのですが、いちおう持参した分は捌けたものの二次創作で出しているときに比べたらやっぱり数は少なくて、暇だなーって感じていたように思います。

――では出版社から声がかかったことは意外でした？

　だと思います。大概の記憶が曖昧なんですが、それくらいの時期に代原（代理原稿）として『タッチ・ミー・アゲイン』が『BE・BOY GOLD』（二〇〇六年八月号、リブレ出版、現リブレ）に掲載されることになったり、『明楽』を始められることになったりして、バイト先に嬉々として「辞めます」と伝えたのは覚えてます。映画館でバイトしていたのですが、そこでも失敗をたくさんして怒られていたので、バイト先のみなさんはいい人たちばかりだったけど、早く辞めたいと思っていて。その時期に仕事が決まったので、渡りに船とばかりに辞めました

同人誌版『くいもの処 明楽』

（笑）。

——そもそも同人誌で『明楽』のような話を描こうと思ったきっかけはなんだったのですか？

当時、友人とよく飲みに行っていた店がユニークだったんですよ。シュッとした髭面の店長が入り口のガラス窓に張り付いて「お客さん、来ないかなー」なんて言っていたり、注文のために呼ぶと「何、何〜？」とうれしそうに来たり、とにかく挙動が可愛くて（笑）。ほかの店員さんも個性豊かで、面白くて通っているうちに妄想が膨らみました。こういう人たちがわちゃわちゃしている日常の群像劇が描きたいなって。

『くいもの処 明楽』

——恋愛はなしで？

いえ、その中の一つの要素として恋愛も入っている感じで。がっつりラブストーリーというよりは、じゃれあいみたいな描写をいっぱい描きたいと思っていました。

——同人誌版（『くいもの処 明楽 豚トロモヤシチャンプルー品切れの巻』）は現在電子書籍として購読できますが、まさにその通りの空気感があります。

描きたいように描けたし、何より明楽が着ているTシャツの柄を一生懸命描いていますのでそこを見てほしい（笑）。当時の私が好きだったカルチャーの空気を詰め込んでいます。

主軸の恋愛と各回のテーマ

——お話を聞いていると、ラブ満載なＢＬを描きたいという気持ちが先立っていた感じではありませんね。

そうですね。私のときめき的に、風景の中に恋愛があるのが好きなんです。メイン、サブを問わず登場する人たちの生活とか家族のこととか日常の断片を年齢性別問わず描きたくて、そのごちゃごちゃの中に恋愛も入っているのがいい。周りはみんな気づいていないけれど、実はこの二人は付き合っていて的な要素とかが好きなので、そういうのが描きたいと思って。

——なるほど。そういうことをやるにはエピソードの積み重ねが必要になってくるからこその一冊めだったと。

そうです。同人誌をシリーズとしてそのまま刊行し続けていたとしたら、全員サービスの小冊子用に描いたおまけ漫画みたいな感じで積み重なっていったんじゃないかと。

——『ヤマシタトモコのおまけ本』に収録された「hi,bye again」ですね。商業版の『明楽』は恋愛部分を主軸にという要望があったそうですが、ほかに何か求められたことはありますか？

掲載誌がアンソロジーで毎回テーマが設けられるものだったので、各回をそれに合わせてほしいという無理難題を（笑）。

——単発の読切ではなく、連載で各回を個別のテーマに寄せるのはとても難しそうです。

簡単ではないとは思いますが、話を考えるときに私はわりと縛りプレイが好きなので、お題があって考えるというのは特別苦しくて嫌なことではなかったです。なんか考えつくでしょう、というあまりよろしくない楽観的姿勢で毎回考えていました（笑）。

——同人誌で描こうと考えていたときには思いもよらない縛りばかりだったのでは？

だからもう同人誌版とは違う話ですよね。全部ゼロから作り直しているし、ドラマのパイロット版とレギュラー版みたいな感じ。作る側のスタンスとしては変わりないんですが、自主製作版とは変更点が多々ありますと。

——同人誌版との大きな違いの一つとして、コマの使い方があると思うのですが、大きさやメリハリのつけ方が明らかに違いますよね。

自分の好みとしては同人誌版のようにごちゃごちゃとした情報量が多い、単調なコマ割りなんですよ。当時、『アフタヌーン』などに投稿した原稿も似た感じになっているんじゃないかと思います。講談社やリブレ（出版）で担当さんがついたあとくらいに、どちらでだったか、コマ割りについてもうちょっとがんばってみてと言われたことがあって、それでメリハリをつけてドラマチックに割ってみることを意識するようになったんだと思います。

——連載を始めるにあたって、恋愛の要素を増やすこと自体に難しさや抵抗はありましたか？

いいえ、そんなことはなかったです。同人誌でやろうと思っていたことを結果的に描けなかったのは残念ではありましたが、最後まで楽しく描けました。しかも、自分が楽しく描いたものを思いがけないほど多くの方が好きだと言ってくださって、いまだに驚き続けています。自分なりに面白いものを描けたとは思っていますが、なんでこんなに好評をいただけているのかが謎で。だって、こういうものがメインストリームになることはなかったし、読みたいのにないから私は私のために描いたところがあって、そうしたら「私も好き」と言ってくれる人たちがたくさんいて、じゃあなんでこれまでなかったの⁉って（笑）。

——提供されるまで「こういうのが読みたかった」と気づかないものなんですよ。

今でも『明楽』が一番好きだと言ってくださる方も少なくなくて、ありがたいと思いつつ、なんでだ？という疑問を持ち続けています（笑）。

男らしさが崩れていく瞬間

——今でこそ年上のおじさん受けはめずらしくないですが、当時はまだまだ多いとは言えない状況でしたし、『明楽』での男子同士の雑な感じのやりとりや年相応を感じさせる空気に惹かれた読者は少なくないと思います。

私が好きなものを描いただけなんですけどね。髭受けとか、か弱くない年上受けとか（笑）。

——明楽が鳥原に押されて困惑するあたり、自分よりも年下である鳥原の若さに対する怯えや年を重ねている自分への諦観めいたものを感じます。描いているときのヤマシタさんはまだ若くて、年齢的に近いのは鳥原ですよね？

そうなんですけど、フォーカスは明楽に合わせてますね。私は男っぽい人が押しに押されて地盤が崩れていく様とかが本当に好きなので、年下のイケメンから迫られたときにどう明楽が崩れていくか描きたかったんだと思います。あとね、牧が「三〇過ぎると怪我の治りが遅くなる」とか言っているんですが、本当に怪我の治りが遅くなるのは四〇からであることをそのとき二〇代の私は知る由もなかったのであった……（笑）。

——知りようがないですね（笑）。

これを描いていたときのことはほとんど記憶にないんですが、読み返してみると鳥原のことをすごく可愛いと思って描いていますね。明楽はカッコいいと思っている。

——明楽は可愛いではなく？

『くいもの処 明楽』

可愛いところもあるけれど、カッコいいと思って描いていると思います。私は基本的に、受けはカッコよく、攻めは可愛くなので。それ以外も『明楽』は萌えを燃料に描いている気がしますね。こういう人がこういう格好をしてこういうことを言っていたら超ときめく！という私の思いが詰まっているんじゃないかな（笑）。

——『明楽』に限った話ではありませんが、特に『明楽』ではセックスシーンでも会話がやまずにロマンティックになりすぎない雰囲気になっていたりと、あの二人の関係がそのまま濡れ場にも表れている印象です。

そのあたりは強く意識されていたのでしょうか。

おっしゃっていただいたように、私はずっとそういう雰囲気でラブシーンを描いているんですが、それってセックスがコミュニケーションの一つであり、そこでどんな風に相手に触って、どんな言葉を交わして、どんな風に相手を見るか、そういうことがすべて物語を構築する要素として大事だと思っているからなんです。どんな二人なのか表現するのにとても大事。『明楽』だと、たとえば鳥原が明楽の半袖の袖口から指を差し込んで明楽に触れるシーンがあるんですが、それはそういう描写に私がときめくからというのもあるし、何よりこの二人だから描いたシーンです。恋愛ものって、そのキャラ二人でしか成り立たないエピソードだったりシーンだったりがあるのが醍醐味だとも思うので、ラブシーンもその二人ならではの代替の利かないものとして描いています。

『くいもの処 明楽』

――各話のプロットなどは事前にきっちり決めていたのですか？

当時は今と違ってスラスラとネームができていたので、頭の中で決めておくという感じではなかったんですよね。流れだけなんとなく頭にあれば、プロットもメモ書きも必要なくて三二ページくらいのネームは三時間もあればできたんです。なので毎回なんとなく勢いで（笑）。

——それは頭の中の映像を紙に落とし込んでいく感じだったのですか？

いいえ、映像だと漫画にするときにコマとコマの間を省かなきゃいけなくなってアウトプットが面倒なので、初めから漫画として考えます。絵コンテというか静画みたいな感じで瞬間ずつを記憶しておいて、そのシーンの尺を広げたり縮めたりしながらコマに変換する感じです。コマとして思い浮かぶ場合もありますが。

——たとえば『明楽』の場合でしたら、頭の中で記憶しておくのは出来事そのものなのですか？　それともそこでの感情の動きのようなもの？

私は出来事を出来事として考えるのが本当に苦手なんです。感情しか描けないので、そのとき感情がどう動いてどう着地するかみたいなことを物語作りのベースとして考えますね。『明楽』を描くときに何を考えていたかは昔のことすぎて朧気なんですが（笑）、明楽と鳥原が戯れているのが楽しいみたいな話なので、二人のやりとりの中でどんな感情が生まれて動いていくかを考えていたんじゃないかなと思います。

閉じた世界は美しくない

——コミックス化の際に描き下ろされた「BASEBALL:AM7」は、どんな感情がもとにあったのか覚えていますか？

それはコミックスにするのに長めの描き下ろしがほしいと言われて描いたものなんですが、私はいつも機会があれば草野球をさせたい気持ちが強くて。あとお風呂に一緒に入らせたい。

カップルそれぞれの性格が見えるシチュエーションとしていいと思うんですよね。それで、本編が明楽目線だったので鳥原メインにしようと思ったのと、やっぱり付き合ったあとの後日譚はみなさんときめくでしょう?と（笑）。

——本編後を描いた描き下ろしはボーナストラックですものね。

そうなんですよ。なので、ときめきの提供を意識したんだと思います。私はこういうしょうもない草野球デートとかする人たちにものすごくときめくので。本当になんてことのない日常をシェアするっていうことがラブじゃないですか。それを覗き見るのがとても楽しい。私自身が何かを好きになると、そういう目線になるんですよね。芸能人を好きになったら、その人たちが子犬のように戯れるところを永遠に見ていたいので、BLで描き下ろしをするときは、そういうものを描きたくなっちゃうんです。私が好きなものはみんなも見たいでしょ?という傲慢な気持ちで描きます（笑）。

——なんてことのない会話から透ける日常とかいいですよね。

スーパーで一緒に買い物してるときの会話とかね、もう友達同士でも萌える。「氷買う?」「氷うちにあるから」とかやり取りしてると、氷あるんですね!てわけもなくテンションが上がります（笑）。

——すごくわかります（笑）。『明楽』でも彼らの日常が何気ない会話やシーンから垣間見えるところが多々ありますが、それもあって彼らが決して〝Just the two of us（二人きり）〟ではなく、ほかの人たちともきちんと関わり合っているのがわかる。それが魅力の一つだと思うんです。

それは恋愛を描くにあたって、二人だけの閉じた世界でいることが全然美しくないと私が考えているからだと思います。相手のことが好きすぎて仕事が手に付かないとか、周りが目に入らなくなるとか、周囲の人にしてみたら普通に迷惑だと思うんですよね（笑）。その恋がとても大切で、でも大変なものであると描写するのに、ほかのことが疎かになる以外の描きようがあるんじゃないかなって私は思っちゃうほうなので。恋がすべてを解決しないでほしい。恋愛は生活の一部で、かけがえがなかったり、絶望に叩き込まれるようなものであったりしても、それでも生活があるという部分に惹かれるんです。『明楽』だったら、二人とも一〇代の子供ではないですし、世界が狭い人たちでもないので、もし恋愛に夢中になっても「なんでこの歳になってもお前は恋愛のことしか考えられないんだ！」とツッコまれるとか、そんな描き方をしたんじゃないかと思います。恋愛だけを描くより、恋愛している人たちが外界と関わっているほうが恋愛の面白さみたいなものがより映える気がするんですよね。

モノローグとぽっちゃり受け

――描き終えた作品についてはあまり覚えていないといろいろなところでお話しされているのを承知で今後もお聞きしていきたいのですが（笑）、『明楽』のコミックスに収録されている短編「フォギー・シーン」や「リバーサイド・ムーンライト」を描かれたときのことを覚えていますか？

……あまり（笑）。「リバーサイド・ムーンライト」は名前を思い出せないけれど確か芸人の方をモデルに妄想が膨らんで、「フォギー・シーン」は某芸能人の方々をモデルに思い浮かんだ話だった気がします。

――「フォギー・シーン」では、その後の読切作品でよく見られるようになる、ポエティックなモノローグが印象的です。

モノローグを入れるのはもともと好きなのですが、たぶん当時はエモーショナルな感じで入れるのが楽しかったんだと思います。漫画を描くときに私はとにかくテンポを重視するのですが、モノローグはテンポを作るための道具としてとても有能なんですよね。

――BLではオープンにゲイな人たちのことが描かれる作品も多くありますが、この作品をはじめヤマシタさんの初期作品は特にゲイであることを周囲に隠しているキャラクターも多く登場しますよね。

そうですね。クローズドな人が周囲の人や好きな相手とどう関係を築いていくのかとか、ゲイのキャラクターが社会の中でどういう立ち位置でやっていけばいいのかとか、アウティング[*6]されることとか含めて、読切をたくさん描いていた時期にわりと触れているように思います。

「フォギー・シーン」

――それは自覚的にですか？

どうだったかなあ……。

――覚えていない？

思い出せないです（笑）。ただ、周囲の人との関わりのある中での話を描くのが好きだったので、BLでゲイのキャラクターを出す以上、そういう部分を描くのは自然だったのかもしれないとは思います。

――「リバーサイド・ムーンライト」は描き下ろしのショートストーリーですが、なんとも可愛らしいチャームの高い一編だと思います。

ありがとうございます。この作品もなんでだか好きだと言ってくださる方が多いのですが、ありがたい限りです。ほらやっぱりみんな、ぽっちゃり受け好きなんじゃんって思っています。

――この作品を読んで、萌えに気づかされた人もいるかもしれませんよ。（笑）

『タッチ・ミー・アゲイン』

乱暴なコミュニケーション

――『タッチ・ミー・アゲイン』はコミックスの刊行順的には『明楽』の後なのですが、収録作、特に表題作のシリーズはほぼ『明楽』の連載と同時期（二〇〇六年から二〇〇七年まで）に発表されていますよね。

そうです。このあたりは同時期にいろいろなことが動いていたんですよね。ビブロスに投稿して努力賞をいただいたあとに、何かの機会に代原の話が来て、それで預けたのが『タッチ・ミー・アゲイン』の一話めです。代原一回で終わるつもりはなくて、続きが読みたくなるように仕込みました（笑）。

――見事、その後に連載となるわけですね。その『タッチ・ミー・アゲイン』は、学生時代からの友人で、実は七年前に一度だけ関係を持ったことがある二人が描かれる連作のショートストーリーです。何をきっかけにこの話が浮かんだのか覚えていますか？

これは、某二人組のお笑い芸人さんの関係性が好きすぎて浮かんだものです。めちゃくちゃ暴力的な人と、それより遥かに強いのに反撃しない人みたいなイメージがあって、私の好きな二人のパラレル二次創作みたいな感じで考えました。暴力要素をもう少し減らせないかと編集部に言われたんですが、そこが描きたい話なんだよなと思ったのを覚えています。

――作中、すぐ殴ったり手が出るクセのある遠田が「殴るよりもっとひどいことがしたいんだ」と言いますが、告白の言葉としてはものすごいパンチラインですよね。

私は男性同士の関係において、いかつい受けが好きなんですが、そういうタフな男が窮地に追い詰められたり弱ったりしている様を見るのが好きで。暴力を推奨したいわけではもちろんないのですが、乱暴なコミュニケーションがこの当時は特に好きだったんですよね。恋とか友情とかが混ざり合う中に暴力的なものも要素として入っているのがいいなって。それがもろに出ている作品だと思います。

――七年前に一度だけ体を繋げたことに触れないままそれぞれが思いを抱え、友人関係を持続しているというところが、毎回八ページというショートストーリーでありながら、物語の襞がものすごくあるように感じさせるのかなと思います。

腐れ縁のように長く友人関係を続けている人たちがかつて一度セックスしたことがあるって、なんかすごくときめく……！というのが発端でもあるので、あまり難しいことは考えていなかったです……きっと（笑）。ときめきを大事に描いた結果だと思います。

『タッチ・ミー・アゲイン』

――八ページのショートストーリーという形式はいかがでしたか？

ページ内に情報をどれくらい入れてどれくらい省くか、その匙加減がある種の縛りプレイみたいで、描いていて楽しかったです。どう端的に関係性を見せて、ときめいてもらうか工夫のしがいがあるところなので。

――ページが短い分、入れるべ

き要素の取捨選択は難しくはないですか？

枠が狭い分、物語で描かない部分は考えない私みたいなタイプには、初めからいっぱい考えなくていいので楽でした。感覚としては、見せ場だけで構成できる感じで。二人の関係性の前提を説明したら、あとは感情を描いていけばよかったのでそう難しくは捉えていなかったと思います。

――各話で視点人物を交互に変えたのは……。

そのほうが描いていて楽しいし、読んでも楽しいんじゃないかなって思ったような気がします。実際、描くのがとても楽しかったです。

――では『タッチ・ミー・アゲイン』の思い出としては。

とても楽しかったです、というまとめになります（笑）。

コミュニケーションが成立しないというロマン

――ここからは全作お伺いしたいところなのですが、作品数も多いため特に気になる作品をいくつか挙げつつお話を聞かせていただけたらと思います。まず『BE・BOY GOLD』二〇〇七年一〇月号・一二月号に掲載された『息をとめて、』ですが、これは紙問屋に勤める佐方（さかた）と、睡眠障害を抱えたデザイナーで佐方を好きな芥（あくた）、芥のファンであり佐方に弟のように可愛がられている立見（たてみ）という、成立していない不思議な関係を描いた作品ですが、作品の着想の源はなんだったのですか？

これは某音楽グループですね。彼らの関係性をモデルみたいな感じにして、恋愛以外の大切な関係を含めて恋愛を描きたいなと思って考えた気がします。別に依頼をいただいていたわけではないんですが、思いついてまとまったので「載せたらいいと思いませんか？」くらいのノリで、前後編すべてのネームを担当さんに送りつけました。「突然でびっくりしました」って言われましたが（笑）、描かせてもらえることになりまして。

『息をとめて、』

――芥の職業をエディトリアルデザイナーにしたのは、大学でデザインを学ばれていたりと身近だったからでしょうか。

　というより、おしゃれで、スーパーわがままで、どうしようもないんだけど、その人を仕事から省けないポジションの人が描きたかったんです。だとすると、自由業のほうが勝手がよくて、会社員とも絡む人ということでデザイナーになりました。佐方が着ている白シャツをどんなものにするかがこの作品ならではの私的なお楽しみでしたが、それだけではなくこの作品も終始楽しく描いていたように思います。実在する人、特にユニットやグループに魅力を感じると、関係性やそれまでの軌跡だとかを自分なりに再構築してみたくなるんですよね。

――次に、自分に不釣り合いな名前を嫌う檸檬と、高校時代からの友人でゲイの英介を描いた『BE・BOY GOLD』二〇〇七年八月号掲載の「Candied Lemon Peel」ですが、これも〝いかつい〟キャラが受けというある意味、趣味が表れている作品ですね。

これもめちゃくちゃ楽しく描いた、お気に入りの作品です。女装攻めも好きだし、この二人は私が描いてきたカップルの中でも、未来永劫仲良しのままだと確信を持って言える二人というのもあって、楽しかったんじゃないかと。

――ほかのカップルは確信を持てませんか?

ハッピーエンドを迎えているんだけど、その先のことは考えていないから、正直わからないんですよね。まあ、仲良くやるでしょうくらいには思えるのですが、この二人に関しては、かなりめずらしくずっと一緒にいて幸せだろうと容易に想像できるんですよね。

――英介が異性装キャラというのもめずらしいですね。

彼の場合は勤め先の都合もあって女装していますが、本人も女装好きだし、格好がどんなものであれ、魅力ある人はやっぱりいいですね。異性装、好きなので楽しく描けました。

「Candied Lemon Peel」

――めずらしいという点では、学生時代の友人の幽霊と過ごした数日を描いた『BE・BOY GOLD』二〇〇七年六月号に掲載された「スターズ☆スピカ☆スペクトル」も一風変わったテイストの作品です。

これは某お笑いコンビからイメージした作品ですね。それと、幽霊ものが好きというのもあって、これも楽しく描けました。あと、ギミックが上手く使えているなと。

「スターズ☆スピカ☆スペクトル」

――光と音の関係のように、声が遅れて届くというのがなんとも切なかったです。

そのせいで通じ合えないのですが、それもまた私が好きなものなので。コミュニケーションが成立しないというのは、私が描きたいロマンの一つなんですよね。この話では最終的には片方が相手の気持ちを知るけれど、一方的に知るかたちで双方向のコミュニケーションではなくて、でもそれも一つのコミュニケーションだと思うんですよ。それが上手いことギミックを通して表現できた気がします。

それと、途中に出てくる「レーザービームの眼差し」というモノローグを使いたかったんですよ。それで描いたようなところがある一作です。あるときふと気づいた、特に好意を感じていなかった相手が自分を見る眼差しがずっと忘れられないというシチュエーションも好きなんだと思います。

——この作品を含め、こんなにお笑い芸人の方たちがイメージのもとになっているとは予想していませんでした。

当時はお笑いをよく見ていたので自然とそうなった気がしますね。ちなみに「うしめし」は某バンドからイメージを膨らませたものです。

——このコミックスは音楽とお笑いに身を捧げた人たちのイメージから花を咲かせたものだったんですね。

(笑)

『恋の心に黒い羽』

女の子を邪魔者扱いしないＢＬ

——『恋の心に黒い羽』は、二〇〇七年に東京漫画社刊行のアンソロジーに掲載された作品を収録した作品集ですが、並行して他社でも描かれていたりと、この頃はとにかくもうたくさんＢＬを描いていた時期ですよね。

いっぱい描いていましたね。月に四本くらい読切を描いていたと思います。忙しすぎたのもあって、この頃のことをよく覚えていないんです。スケジュールは大変でしたが、漫画をいっぱい描きたいという気持ちが先立っていて、描くこと自体は楽しかったですね。

——常にゼロから立ち上げなくてはいけない読切を多産するのは大変ではなかったですか?

楽だったとは言いませんが、楽しいが根本にあったのでつらくはなかったです。

――読切で終えてしまうには惜しい味のあるキャラクターもたくさんいたと思いますが、続編を描きたいと思うことはありませんでした？

それはないですね。読切でも連載でも、一度エンドマークがついたものはもう描かないので。どれも全部描き切る気持ちで描いていますし、本編に入らなくてこぼれた話はもちろんあるけれど、それは考えて入れようがなかった部分なので仕方ないです。描いていた話のキャラクター用に考えたものなので、ほかで使い回せるようなことでもないですしね。その後の話が浮かぶことはありますが、商業作品として世に出せるものにまでは膨らまないので、そうなるとやっぱり続きは描きませんということになります。コミックス用に描き下ろしを描き終えたら、どれだけ続きを望んでくださる方がいたとしても続きはないんです。

――なるほど。では、まず収録作の中から「ベイビー，ハートに釘（以下、ベイビー）」について聞かせてください。この作品は同級生に恋をしている弟を見守る姉の視点で描かれた一作ですが、女性視点で描かれるＢＬはジャンル内ではあまりない印象です。あえて描こうと思ったのはなぜですか？

私はＢＬで女の子が邪魔者扱いされていたり、存在しない人たちや背景のようなモブとして扱われていたりするのがずっとすごく悲しかったんです。それにやっぱり閉じた世界の中での恋愛を描きたくなかったので、外界と関わるならいかにボーイズのラブであっても女の子はいるじゃないですか。それと、いつでも自分がときめく話を描きたくて、この場合はそれが女の子視点だった。単純に描きたいものを描いたらこうなったという感じですね。やっぱりＢＬは男性視点が主流なので恐る恐る描いたところもありますが、何より試したかったんですよね。

——何をですか？

BLの可能性というと大仰かもしれないんですが、自分がBLというジャンルで描けそうなことをいろいろ描いてみたかったんです。

——たとえば「ベイビー」のように、恋愛をしている当事者たちの視点以外で物語が語られるのもBLを描くうえで広がった可能性だと思います。

それは私の好みもあります（笑）。渦中にいない人が見つめている恋は面白いと私は考えているし、そんなにみんな恋ばっかりしないでしょと思っているのも大きいかな。基本的には風景として物語の中に含まれている恋愛が描きたいというのがあるんでしょうね。

——「ベイビー」のお姉さんだったり、ほかの女性キャラに読者が感情移入することを想定したりしますか？

しません。それは女性キャラに限ったことではなくて、私自身がキャラクターに感情移入して読むほうではないので、読む人にもそうさせようと思ったことはないです。仮託してくださ

「ベイビー，ハートに釘」

ることをどうこうは思わないですけどね。

若い女の子と歳のいった男という組み合わせ

――「ベイビー」は特にテーマが設けられていないアンソロジーに掲載されていましたが、次の収録作「イッツ マイ チョコレート！」は「兄弟」をテーマとしたアンソロジー掲載作です。兄弟というより家族ものな印象が強いのですが。

兄弟間での恋愛ものを想定されてのお題だと思うのですが、私は家族間で恋愛することに本当に忌避感があるのもあって、いかにお題に沿いながらもお題から逸れるかを楽しく考えました（笑）。

――家族ものな面もありつつ、主人公である長男の恋愛も日常の中でちゃんと描かれていて、お見事だなと思いました。

テーマをそのまま飲み込んで描くのがなんか癪で、そういうものをどストレートに描きたくない気持ちもあったし、自分が上手いこと外して描いたものを見てほしい気持ちもあって（笑）。テーマアンソロジーに描くときは毎回いかにほかの人が描かなそうものを描くかに力を入れていたように思います。なので、この作品もそういうことを考えつつ、結果としては日常の風景の中の恋愛が描けてとても楽しかったです。

――ヤクザの組長を父に持つ少女とその父を好きな男・唯川を描いた「悪党の歯」は、前の二作とガラッと変わった、哀惜（あいせき）の予感漂う一作です。

これも好きだと言ってくださる方が多い作品です。若い女の子と歳のいった男という組み合わせが我ながら本当に好きだな（笑）。こういう男が女の子を「お嬢さん」と呼ぶのがすごく好きなんですよね。

――卓球がモチーフとして出てきますが、これは何か理由が？

脈絡なく出てくる小道具が好きなので、卓球そのものに意味はないです。そういう関係ないものを作中に登場させたときに思わぬ効果が生じるときがあって、登場人物が手慰みにそれを使うことで雰囲気が出たり、心情とマッチして話が展開することがあるんです。ここでの卓球も、画面や人の気持ちを動かすための小道具ですね。深刻な話をしているときにちょっと間抜けな感じを出せたりするんですよ。

――普段はたんたんとしている唯川が見せる少女の父親に対する激しい恋情と、一方で現状を受け入れた何かを諦めたような表情がいいんですよね。

「俺の人生はもうめちゃくちゃだよ」と思いながら、めちゃくちゃになった元凶である愛しい

「悪党の歯」

存在の面影を目の前の少女に見てしまう。元凶は自分のいる世界から消えようとしている。人生のくだらなさというか呆気なさのようなものを描けたらとは思いました。まだ描きたいものがいっぱいある頃だったので、引き出しがぱんぱんに詰まっていたんでしょうね。

——では表題作「恋の心に黒い羽」ですが、バイト先の同僚でM気質なゲイの二神(ふたかみ)に告白される中頭(なかず)が主人公です。二神はあけすけに自分の嗜好を口にしますが、彼をどMキャラにしようと思ったのはなぜでしょう?

「恋の心に黒い羽」

SMという行為ではなく、その行為に没頭する人の心理に興味があったんですよね。肉体改造レベルのことをしていたり、ハードなプレイに熱中したり、私はあまり何事も度を越さないほうなので、どういう心理でそういったプレイをするに至ったのか、面白いと思っていました。とはいっても、この作品は別にSMプレイをしていたりするわけではないんですけど。

——二神の嗜好や、彼が望んでいることに理解がいかないながらもなんとか歩み寄ろうとする中頭と、性的嗜好はあからさまにしながらも傷つきやすい本心を隠す二神は、会話は交わすけれどわかりあえてはいないんですよね。

これもディスコミュニケーションですよね。中頭は理解できない相手に歩み寄ろうとする人ですが、だからって相手を理解できるとは限らない。恋愛ものではやっぱり、理解できない相手にどう歩みよるかの過程を見せるのが面白さを感じるポイントではあるのですが、私は理解に至らなくてもいいと思っていて。理解しがたい相手がいるときに、排除じゃなくて許容される感じがいいなと。二神がつい本心を交えて中頭に告白してしまったときに、好み通りに罵られて内面イメージで黒い翼が広がる場面がありますが、こんな感じでカジュアルにイレギュラーな変な人がいる感じが描きたかった。思い出して大後悔する言葉が口から洩れている二神にもう一人の同僚が「今日もバッキバキだなおまえ」って呟いているシーンがあるのですが、そんな風におかしな奴として許容されている感じが描けたのはよかったなと思っています。

――二神と中頭の恋の成就というかたちでは終わりませんが、不思議と読後感がいいのが魅力です。

同じように思って、好きだと言ってくださる方が多いのかもしれませんね。私には本当に理由が見当もつかないのですが。

――もう一作「FOOL 4 U」についてもあらためて確かめたいことがあるので聞かせてください。これは『ヤマシタトモコのおはなし本（以下、おはなし本）』の自作コミックスガイドなどで『明楽』の牧と松城（まつき）のIFストーリーであることを明かされていますね。

そうです。一種のパラレルですね。あの二人がカップルになるのは『明楽』の世界線ではありえないので別物として描いたのがこの作品です。同人誌版の『明楽』を描き続けていたら、いずれ描いたかもしれない話な気がします。

『イルミナシオン』

恋愛が上手くいかなくても世界は続く

――二〇〇七年にBLアンソロジー『メロメロ』（宙出版）で連載された『イルミナシオン』は、長年の付き合いのある幼馴染・小矢に恋心を抱き続けている幹田と、そんな幹田と一夜をともにしてから彼を口説き始める州戸（すど）、州戸の存在によって変化し始めた自分と幹田の距離感に困惑する小矢といった三人の関係を描いた物語で、ヤマシタ作品の中でも切なさ度合いで一、二を争うラブストーリーだと思っています。

我ながら、めっちゃ恋愛ものですね。ちなみにメインの幼馴染二人のモデルは某お笑いコンビです。

――これもお笑い芸人さんがモデルだった！　言われなければわかりませんね。『イルミナシオン』は三編から成る作品ですが、それぞれ視点人物が違います。これは初めから三編でという依頼だったのですか？

覚えていないんですが、視点を変えているので最初から三編描くつもりだったとは思います。

――恋愛をがっつり描こうと思った？

どうなんだろう……。それもよく覚えていないんですが、当時のテレビとかのみんな恋愛しなきゃいけないみたいな風潮が嫌だったんだと思います。それで、自分が描きたい恋愛ものを描こうと思ったのかな。自分なりに恋愛ものを描こうとしているような気がします。誰かを好きな気持ちによってデスパレート（絶望的）な感じになっちゃうところとか、変に捻らず真正面から描こうとしているなって。

——「恋の心に黒い羽」もそうでしたが、この作品も三人とも自分が最も望むかたちには至っていなくて、いわゆる両思い的な成就はないんですよね。なんなら思いが届かず失恋しているのですが、ネガティブな雰囲気がなくて。

　恋愛が上手くいかないことは、世界の終わりではないですからね。旧版（宙出版、二〇〇八年）でも新装版（祥伝社、二〇一八年）でもおまけ漫画が収録されているのですが、終わったはずなのに三人で顔合わせてますから。

——なんなら、州戸と小矢のほうが小競り合いして楽しげですからね。

「よく見たらメガネの八百屋じゃねーか」「よく見なくてもメガネの八百屋なんだよ」とか、こういうのを永遠に描いていたい（笑）。

——作中で何度も繰り返される「神様」というフレーズがすごく刺さって、これは祈りの物語なんだと思って読んでいました。自分の気持ちを手放してしまいたいのに、何かにすがるように手放せない人たちの祈りを描いている

神様
心も心を裏切る

『イルミナシオン』

んだなって。

『イルミナシオン』というタイトルは、暗い住宅街を幹田のアパートとかから見下ろしたときに、家の明かりがぽつぽつと灯っていて、そこに希望を見出すというイメージでつけたんです。おまけ漫画で描いたようなことは本編のシリアスさを茶化していたりする面もあるんだけど、あんな風に希望が繋がっていくこともあるよねと、そんな気持ちで描いてもいます。人生が続いていくことこそが楽しいのでは、と。

青春のきらめきと原風景

――確かに明かりのような作品だと思います。では次に「ラブとかいうらしい」のお話を。

これは歩いているときに「それはベランダなの？　なんなの？」という謎の場所を見かけて思いついたものです。場所発進の会話劇ですね。

――登場人物が言語化できていないことをすくい上げて描かれている印象です。

いろいろなところで何度もお話ししているのですが、自分の中にある感情を表現する術を持たないゆえの寂しさや腹立たしさやもどかしさのようなものにロマンを感じるので、その万感あふれる感じを描ければなと思いました。万感があるのに自分で気づけていないことすらありますからね。

――その感情の持ち主が知らない語彙は使わないようにしているということですか？

はい。言葉で提示しなくても、読んだ方がそれをすくい取ればいいことだと思うんです。読者は物語に介在できない存在だけれど、誰かの人生を物語として垣間見て、そこで起きている本人は気づかない感情だったり出来事だったり可能性だったりに気づくことはできます。それが物語の醍醐味の一つだと思うんですよね。

――「ばらといばらとばらばらのばらん（以下、ばらといばら）」はタイトルがユニークですが、これも女子視点の一作です。

　これは青春ものですね。そして一〇代の話だなと。こういった一〇代の子たちを描くときは、このあとこの二人は会ったり、連絡を取ったりして二度と交わることがないかもしれないと考えます。その可能性は大いにあるわけで、ここでの物語は青春の一瞬のきらめきのようなものなんですよね。そこに私はときめきを感じながら描くことが結構あって、一瞬だけ交差するからこそ輝くのかもしれないなって。ソウルメイトとして一生モノの友達になるかもしれませんけどね（笑）。

「ばらといばらとばらばらのばらん」

――主人公の女子学生・中久（なかひさ）は好きな男子を同じように見つめる恋敵である十亀（とかめ）の存在に気づきます。同じ思いのはずなのに、十亀は同性であるがゆえに揶揄の対象になる。複雑な思いを抱えながらも終盤に行動を起こした中久の姿に喝采した読者は少なくないと思います。

正義というと言葉が強いけれど、自分が信じたいもののために衝動的な行動を取る女の子というものが偶像崇拝レベルで好きなので（笑）、自分でもいいぞ、と思っていました。『違国日記』に登場する笠町が男性読者からリアリティがないみたいに言われることがあったのですが、それはやっぱり『違国日記』のメインターゲットは女性なので、そこに登場する男性はやはり女性に好感を持たれやすいキャラにするし、そこでリアルな男性像を描くのは違うと思うんですね。同じように、BLに登場する女の子もやっぱりリアルな女子とは違って、ちょっと偶像化された存在だと思うんです。なので中久も偶像化されているところはあると思いますが、それでも彼女を好きだと言ってくれる読者の方は多くて、それは素直にうれしいです。

——青春感満載な「ばらといばら」とはまた違う雰囲気の一作が「あの人のこと」です。複数の人の視点から七辺洋平という人間の存在が浮かび上がってくる、これまた一風変わった作品ですが、とても凝った構成ですよね。

気に入っています。こういうの描くのすごく好きなんですよね。それにしてもちょっと短いかな。

——こういった構成をこの短いページ数（一六ページ）でまとめるというのがすごいと思いました。これは主人公不在の物語を描こうという意図がまずあったのですか？

そうですね。みんなの話題の中心にいるけれど、一度も登場しなかったり、実像として読者は見ることができない構成の話がすごく好きなんですよね。それは一人の人がその人にとってはこういう人だったけれど、別の人から見たらまた違った顔があって、とかそういう多面性が浮かび上がってくるものを描くのも読むのも好きなので、何度かやっているし、また機会があればやりたいと思います。

――「悪党の歯」もある意味、主人公不在の物語ですよね。

あ、そうですね。そのつもりで描いたところもあるように思います。「あの人のこと」にはほかでも繰り返し描いていることが入っていて、それは教室の一シーンなんですけど。

――あの、シャーペンをカチカチやっているところですね。

はい。授業中に話を聞いているようで、まったく聞いていなくて。みんな教室に一緒にいるけれど、誰もしゃべっていなくて、窓の外からは音が聞こえてきたり、光が差し込んできたりだとか、そういう風景が自分の原風景みたいになっていて、美しさを感じるすごく好きな風景なので、機会があれば描いてしまうんだと思います。

「あの人のこと」

萌えが詰まったデビュー作

――最後に二〇〇五年五月刊行のアンソロジー『COMIC DANDAN』（メディアミックス）に掲載された「神の名は夜」について聞かせてください。ヤクザの幹部候補であるミカこと三ヶ島と、彼と一五年来の付き合いになる狂犬のような男・須賀を描いたこの短編が発表時期的にはデビュー作扱いになるかと思います。

もういつ描いたのかも忘れました（笑）。ただ、このふたりは私が好きな基本的なカップルですね。

——萌えが詰まっています？

はい。いかつい男が女の子みたいな名前で呼ばれるのも好きだし、生真面目で融通の利かない奴と、そんな人間につけこむ、いろいろと器用な奴の組み合わせも好きです。

——小説『ブルース』などが好きだったというヤマシタさんの好みがいろいろと繋がって浮かび上がってきた気がします。

「神の名は夜」

『アフタヌーン』に投稿したけれど何も引っかからなかった作品で、幽霊をすごく怖がっている霊感のあるヤクザの話があるんですが、それに近いものがあるんですよ。そのヤクザの話は原稿をどこかにやってしまったんですけど、その時期は精神的な弱さを抱えたヤクザを描きたい気持ちが強かったんですよね。アウトローで本人もすごく腕っぷしが強いんだけど、抑鬱状態なキャラクター。

——『タッチ・ミー・アゲイン』について伺っていたときに、タフな男が窮地に追い詰められたり弱ったりしている様を見るのが好きだとお話しされていましたね。

誰が見ても強くて、マスキュリンで、社会にも迎合できている男性が、自分の中に生じている崩壊寸前な綻びを必死に繋ぎ留めているところを、愛情だったり友情だったり妄執的な恋愛感情だったりといった外部からの圧倒的な力で崩されちゃうのがすごく好きなんです。男性性の崩壊の瞬間が好きというか。そこに萌えます。そういった一見ちゃんとしている人より、そんな相手を振り回してきたほうが実はずっと執着しているという組み合わせがまた好きなので、私が描くのは奔放な攻めと生真面目な受けみたいなカップルが多くなるんじゃないかと思いますね。

この作品を描いてからずっとあとになって、ユン・ジョンビンさんが卒業制作で作った『許されざるもの』[*7]を見たんですが、「私がずっと求めていたものが、ここにある」ってすごく思いました。男性性の崩壊の瞬間がめちゃめちゃ上手く表現されていて。私はそれを、ロマンスでもそうじゃないものでも見たいという欲求が強いんだと思います。

——ちなみに女性同士でもその萌える関係性は成り立つのですか？

またちょっと違う気はします。男性が自分の男性性による自身への抑圧を自覚するよりも、女性が社会からの女性に対する抑圧を自覚するほうが容易いですし、そういった抑圧からの解放は私が描かなくても、と思うところがあるので。それよりそういったことからすでに解放されている女性がめちゃくちゃなことをやるのが私は見たいし、描きたい。そこにサポーティブな男性が出てくることにより魅力を感じますね。

——なるほど。

歌手のテイラー・スウィフトがドキュメンタリー『ミス・アメリカーナ』の中で「ピンクの服を着て、グリッターをつけてフェミニズムについて語り合いたい。政治について語り合いたい」って言うのがめちゃくちゃ好きなんですが、そういう女性を描きたいけれど、男性でそのような話を想像することはまだできない。もっと構造が複雑だという気もします。

私は物語においては、女性が男性性を壊すよりも男性同士で壊すほうがより魅力的な気がするんです。そのときに沸き上がるキャラクターの感情もより大きくなるように思うから、自分を受け入れている攻めが受け入れきれない受けを根本からぐらんぐらん揺らしてほしい。

——そうお聞きすると、「神の名は夜」の須賀とミカの組み合わせはまさに、という感じですね。受け攻めの基本カップリングの嗜好がわかりやすく伝わってきた気がするので、これをもとにまた一からBLのヤマシタ作品を読み直してみたいです。

ブレないんだなと思ってください（笑）。

＊1　松本大洋……漫画家。一九八七年、『アフタヌーン』の四季賞に準入選した「STRAIGHT」でデビュー。独創的な絵で多くの読者を魅了しており、主な作品に『ZERO』『ピンポン』『東京ヒゴロ』などがある。

＊2　『鉄コン筋クリート』……一九九三年から一九九四年にかけて『ビッグコミックスピリッツ』（小学館）で連載された松本大洋の出世作。義理と人情の町・宝町で、盗みをして生活する少年クロとシロ。再

開発によって変化していく町と、その影響を受ける二人の少年の姿を描く。二〇〇六年にはアニメーション映画化された。

＊3　豊田利晃……映画監督。一九九一年、阪本順治監督『王手』の脚本に参加し、一九九八年、『ポルノスター』で監督デビュー。主な監督作に『ナイン・ソウルズ』『空中庭園』『クローズEXPLODE』がある。

＊4　『青い春』……二〇〇一年に製作された、松本大洋原作、豊田利晃監督の青春映画。不良高校に通う少年たちの閉塞感に満ちた日々が切り取られる。一〇代の松田龍平が主演を務めた。

＊5　『寄生獣』……一九八八年から一九九五年にかけて連載された岩明均の代表作。地球に飛来した人間に寄生し、捕食していく寄生生物と人間との対立と共生を描く。これまでに実写映画化やアニメ化が行なわれており、二〇二四年には韓国でドラマ化された。

＊6　アウティング……性的自認や性的指向を当事者の許可なく他者に伝えたり、ウェブ上で発信したりする行為を指す。当事者が自ら発言するカミングアウトと対照的な行為。

＊7　『許されざるもの』……俳優としても活動するユン・ジョンビンが、二〇〇五年に、大学の卒業制作として監督したハ・ジョンウの主演作。二年間の兵役期間の終わりを間近に控えるテジョンを主人公に、軍隊の不条理な世界が描かれる。

第3章

BLからこぼれ落ちるもの

『恋の話がしたい』

『薔薇の瞳は爆弾』

『ジュテーム、カフェ・ノワール』

『YES IT'S ME』

『恋の話がしたい』

一番好きなロマンスの形式

――『恋の話がしたい』は二〇〇八年に東京漫画社のアンソロジー『ＢＧＭ』に連載された表題作、それから同年に発表された短編三作を収録した作品集です。風景を切り取ったようなカバーイラストが素敵ですね。

ありがとうございます。私もとても気に入っている一枚です。

――これ、実在する場所なんですか？

渋谷のセルリアンタワーのあたりかな。渋谷区周辺の感じを描きたかったんだと思うんですよね。あのあたりって、〝渋谷〟という繁華街のイメージが先行しがちですが、もちろん普通に人の営みもあるじゃないですか。おしゃれな雰囲気があるけれど、昔からの住宅街もあって、古い町並みもあって、人が暮らす場所でもある。そういう感じを描きたくて。

――恋愛に臆病な美成（みなり）と、そんな彼に衝動的に告白されたことから付き合い始めた真川（しんかわ）のなんともじれったい関係を描いた表題作が持つ空気そのままですね。

この話は、物語終盤のモノローグも気に入っています。単語をただ羅列していくモノローグなんですが、その単語が表す風景が本編をリフレインしている感じになっていて、最後にぎゅっとまとめた感じが我ながら好きで。ここに私が一番好きなロマンスの形式があるんですよ。この日常風景の羅列によって二人の恋が浮かび上がってくるのと同時に、でもいつか別れるかもしれないという、ちょっとした諦念もそこにはあって、その空気がなんとも言えず好きなんです。

――ラストシーンで描かれるのが、なんてことのない二人の日常を切り取ったような情景で、向かい合って見つめ合う二人などではないのもグッときます。

『恋の話がしたい』

そう、そういうのが好きなんです（笑）。

――最後の最後に入れられているモノローグがタイトルそのものですが、これは最初から意図されていたのですか？

いえ、なんでそうしたのか思い返してみてもわからないので、たぶんここでタイトルを入れることで、自分の中で何かの辻褄が合ったんだと思います。

――タイトルも直球ですが、お話自

体もストレートなラブストーリーですよね。

読切ではなく連載でとお話をいただいたときに、編集部からラブロマンスに軸を置いて描いてほしいという要望があって。なので、最初から恋愛ものを描こうと意識して描き始めました。

——要望がなければ自分からはこういう話を描こうとは思わなかった？

どうでしょう。私はそれまでもずっとラブロマンスを描いてきたつもりだったんですけどね（笑）。まあ、私なりに美味い牛丼を作ってきたつもりが、ほかの人にとっては野菜が多めで味付けもスパイスが利いていたりして、それはそれで美味しいんだけど牛丼っぽい牛丼も作ってみてくれませんか、ということなのかなと思って、わかりましたと。牛丼を作るのはやぶさかではないですし、実際この話も本当に楽しく最後まで描けました。いまだに気に入っている作品の一つですし、気に入ってくださった読者の方も多くて、とてもうれしいです。

一〇メートルダッシュを五〇〇本

——四話から成るお話ですが、最初にまとめて構成を考えたのですか？

よく覚えていませんが、違うと思います。ちなみにこれは某バンドのメンバーがモデルになってできたお話です。この頃は本当に元気があったので、とにかくいっぱい描いていたし、でも描くのに苦労した覚えがないんですよね。

——読切をたくさん描いていたことから、結果的に漫画の基礎訓練をハードにこなしていたと思われる時期ですね。

（笑）。本当にそんな感じです。一〇メートルダッシュを五〇〇本やる、みたいな。その中でどう工夫していけるかに自分で楽しみを見出していた時期かな。なのでおそらく、『恋の話がしたい』は連載というかたちではありましたが、読切を四本描くような感覚だったんじゃないかと思います。ただ、連載だったおかげで普段読切を描くときだと省かざるをえない描写を入れられて、それも楽しかったですね。

――たとえば、それはどんな描写ですか?

具体的には、真川が煙草を吸うとかです。読切の中でそういうわかりやすい特徴を出すと、そのキャラクターをかたどるものの中での比率が高くなってしまうのですが、連載の中のワンシーンとして出す分には、その人が持つ側面の一つとして出すことができるというか、細かな描写として使えるので楽しいんですよね。そういう小さな描写を積み重ねて恋愛の描写をしようと思っていた話なので、そういうのが肝といえば肝なんですが。

――恋愛ものを描くにあたって、そういった小さな描写の積み重ねではなく、わかりやすく派手でドラマチックなエピソードを入れたコテコテのラブストーリーを考えてやってみるという選択肢はありましたか?

ないです。というか、そういうものがどんなものかがわからない。読み手側として波乱万丈な恋愛ものに食指が動かないのもありますが、そういう恋愛ドラマを見ても、劇的なエピソードが起こったからとてなんで相手のことを好きになるかがもうわからなくて、世に言う恋愛ものを楽しむ才能がないんだと思います(笑)。なんとなく切ないとか、相手のことが好きなんだねとかはわかるけど、なんでそんなに好きなのかとか、すごく丁寧に説明してもらわないとよくわからなくて。だから、自分が恋愛ものを描こうと思い立っても物語の中に激しい起伏をどう作るか、恋愛的なエピソードとして思いつかないんですよ。だって、相手が事故に遭って記憶喪失になったり、不治の病になったりしたとしたら、それは心配で仕方がなくなるだけで、なんで恋愛的に盛り上がるん……⁉って。ただただ深刻な描写になるだけでは、って思っちゃうんですよね。

――少女漫画のミーム的な、曲がり角で出合い頭にぶつかって、のちに再会というような非日常的な出会い方などもあまりピンとこない？

そういったちょっとしたドタバタ感だったり、日常の出来事の中で何か協力しながらお互いをどう理解していくかといった、私が子供の頃に読んでいた少女漫画の恋愛もののような、初々しい感じとかはわりと好きなんですよ。読んでいて楽しいし。可愛いなとか、ワクワクドキドキするシーンなんかもあるのですが、大人向けの恋愛ものになると途端にわけがわからないことが増えてくるんです。好きになるの、急すぎない⁉って（笑）。

固定カメラで切り取るような

――なるほど。先ほど小さな描写を積み重ねて恋愛を描写しようと思ったとお話しされていましたが、この作品はセリフ量のわりに全体的にモノローグが抑えられている印象です。だからこそラストシーンのモノローグにグッときたのですが、そういったことも意識されていたのですか？

自分としてはポエム芸人の真骨頂みたいな感じでモノローグも多用した気がしていましたが、言われてみればモノローグが少ないほうですね。私はいつもシーンを描くときに誰の視点なのかを結構気にしていて、同じようにモノローグも誰のものかはっきりわかるように、いろいろな人のモノローグを入れないように意識しているのですが、この話は美成の視点にすごく寄って描いているので、だからモノローグを絞れたのかもしれないです。登場人物の視線もすごく気にしています。どこを見ているのか、視線がずれたならきちんとずれたとわかるように描こうって。

——視線をずらしたことで気持ちを描写するということですか？

そういうのもあります。美成と真川が居酒屋で対面で飲んでいるシーンがあるのですが、同じようにコマを分割してそれぞれの顔を正面から描いているんですね。でも視点的には美成に寄っているので、美成の顔も描かれていますがそれは心理描写を担っていて、真川は美成が見ている真川なんです。なので真川が自分のほうを向いていないときに、美成の視線は真川を見ている。そういうのを描写するのが楽しくて。

『恋の話がしたい』

——居酒屋のシーンのように同じ構図を並べて描写するのは、ほかの作品でも時折見られる演出ですよね。

やっぱりそういうカメラ固定で見せるような演出が好きなんで。とはいえ、漫画の場合、そんなに頻繁に使えるものでもないのが残念なんですが。私は会話劇が好きなので、会話の中で表情が変わっていくところとか、お互いの位置や視線とか、そういうのを含めて描きたい気持ちが強くて、そうするとああいう同じ構図を並べて見せるのはとても便利なんです。しかも、連続するコマの中で時間が経過していることをスキップしながら見せられる。あれと同じ一連のシーンを普通に描こうと思ったら、五ページくらいは使っちゃうと思います。それをまどろっこしくなく見せながら、でも読んでいる方にはドキッとしてもらいたい。そういうときに使い勝手がいいやり方なんですよね。

――『恋の話がしたい』の居酒屋のシーンの場合だと、楽しく真川と会話しながらも美成の中で心境の変化があって、そこから立ち去るという行動に出てしまうまでが一ページの中に収まっていますものね。しかも彼の感情の流れまで見て取れる。

そうなんです。普通に描いたら、この中で大ゴマとか入れないといけなくなるんですよ。でも、真に大ゴマで見せたいのは手に触れている回想シーンで、そこに至るまで間に入る過去のトラウマの話だとかは静かに説明したいので、余計に居酒屋の場面はスッと見せておきたくて。要は物語の緩急の配分の問題なんですけどね。それと、居酒屋の場面に関しては、それまで楽しく飲んでいたのに美成みたいに途中で急に自分の気持ちが曇ってきてしまうんだけど、相手がそれに気づいていなくて、みたいな瞬間はわりと経験がある人もいるんじゃないかと思ったので。その感じがああいった描き方だとより描けるかなと思ったのもあります。

――この場面はそういう描き方をしようとネームを考えている段階から決めていたんですか？

それもよく覚えていないんですが、私はネームを頭から順にダーッと描いていくし、この話は各話どれも詰まらずにサクサクとネームを描けた気がするので、わりとイメージは固まっていたんじゃないでしょうか。

なんてことのないような愛の行為

——小さな描写の積み重ねというのをお聞きして二つ思い浮かんだことがあって、一つは携帯メールのメッセージや絵文字を使っての描写なんです。なんてことのないやりとりなんだけれど、長年付き合っている人たちとは違う空気がそこにあって、すごく初々しいものが感じられました。

メールだとかメッセージツールでの一方的な働きかけの感じだったり、言葉の足りなさみたいなのがどうにも好きなんですよね。実際に会ってポンポンと交わされる会話とはまた違って、メッセージを書くまでに時間を費やしたり、あれこれ推敲してみたりと送り手側に何かエピソードがあってもそれは受け取る側には測りようがない感じとかね。送る側の逡巡も受け取る側の動揺も、それぞれ互いにはわかりようがないけれど、物語として読む側には両方垣間見ることができる。物語の小道具としても好きです。

——もう一つ、彼らが付き合い出したのは一二月頭のことで、最終話（dialogue:last）で真川が年末の帰省のために美成の部屋から出るときに「行ってきまーす」「はい　気ーつけて」と言葉を交わし合うんですね。これまたなんてことのない日常のやりとりなのですが、二人の間に流れた時間や相手を思う気持ちが感じられて、ああ、いいなあって。

「行ってきます」「気をつけて」って、言うほうも言われるほうもさほど考えないで口にする言葉だと思うのですが、でもそれが言えること自体が愛だと思うんです。なんてことのないように思えるけど、愛の行為だなって。私はそういうなんでもないことの重要性みたいなものが好きで。アサリの砂抜きの光景とか。

――アサリですか？

ちょっと晴れた日中に、電気がついていない台所に日の光が入って綺麗な中で、台所にアサリの砂抜きをしているボウルがあって、みたいな光景が昔からすごく好きなんです。そんな話を母にしたときに「それは誰かのために用意されたもので、そこには愛があるからじゃない？」って言われたことがありまして。

――お母様の言葉も素敵ですね。

うちの母は同じ口で「日本語の〝愛〟というものは外来語だから、その概念が日本人には根本的に理解できないのではないか」とも言いますが（笑）。母が言うには、その言葉で言い表そうとするものは、日本語話者が考えるなら愛という外来的な概念ではなく、慈しみや労りと

『恋の話がしたい』

いった言葉のほうがよりしっくりくるのでは、ということなんですが、なるほどと。その言葉で言い表せる、取り立てて特別じゃない風景がやっぱり好きなんだと思います。

――二人とまったく同じことを経験していなくても、共感できたり胸にグッときたりするものがあるんですよね。どこか普遍的な恋の話なんだと思います。

二人みたいな経験がある人もない人も、なんとなく日常の中でちょっとドキドキした瞬間だとか、恋じゃなくても何かを綺麗だなと思ったり素敵だなと思ったりした瞬間を思い出したり、そういうことがなくても想像してもらえるといいなと思います。

寄り添う人がいてほしい

――では、このコミックスに収録された読切の中から一作、「Re:hello（レスポンス・トゥ・ハロー）」について聞かせてください。別れた同性の恋人に思いを残したままの叔父と、そんな叔父を見守る少女を描いた一作ですが、この話はこれまで伺ったことから考えると、わりと好きな要素が詰まっている印象を受けます。

好きなものだらけですね（笑）。

――わかりやすいところでは、年上の男性と少女という組み合わせ、それから携帯電話に残された未送信メールかなと。

趣味が爆発しています。読み返してみたら、やっぱり父親の存在が希薄ですね。母親はずっと働いている人として描写してる。

――ああ、確かに。

そして、おじいちゃんもよくない存在として描かれていて、当時の私にはまったく無自覚な抑圧を今となってみれば感じられます（笑）。でも、これも気に入っている一作です。

——これは「ライバル」をテーマにしたアンソロジーに掲載されたもので、テーマを知るとなるほどと思うところもあったりします。

お題を裏切る気満々で描いたんでしょうね。楽しく考えていたと思います。

——叔父さんの言動、たとえば主人公に言う「いいお嫁さんになるよね」という言葉だとか、今のヤマシタさんが描いたら違う表現になっているのかなと思いました。

そうですね。次のコマで否定したりはしていますが、今だったら違う描き方をしたかもしれません。とはいえ、この叔父さんは自分ができないとされていることに対してのコンプレックスが強いので、かえって規範的な物言いをしてしまっているんですね。自分ができないから、結婚はできるならしたほうがいいと言ったりだとか。

「Re:hello」

――なるほど、姪の前で規範的でありたいというのもあるかもしれないわけですね。

そうなんです。結婚を許されていなくて、それにものすごく傷ついているおじさんが「結婚はできるならしたほうが」と言っている。権利はあるのに行使しないのはって気持ちがあるんですよね。

――主人公の母親と叔父さんの関係は、「ベイビー，ハートに釘」の姉弟を思い出しました。

社会の偏見だとか法や規則の古さのせいで孤独や不便を強いられている人に、利害関係なしに理解者とか寄り添う人がいてほしいんです。「ベイビー」のお姉さんとか、この話の主人公の母親とかはそんな存在のつもりで描きました。主人公は、私が偶像崇拝レベルで好きな、衝動的に行動をする少女です（笑）。

――今の時代に描かれていても違和感がない作品のように思います。

そう言われてみると、これを描いたときから結構な時間が経っているのに、社会はさほど変わっていないんだと憤りが募りますね。今、この話の叔父さんと同じような境遇にある方がこの話を読んでどう思われるのか、私にはわからないんですが。

――ただ、『恋の話がしたい』というタイトルがダブルミーニングになっているようで、表題作と同じ一冊にこのお話も収録されているのはとても素晴らしいことだと思いました。誰も分け隔てられることなく恋の話ができる世の中であってほしいので。

ああ、なるほど。そうおっしゃっていただけるとうれしいですね。

『薔薇の瞳は爆弾』

収録順の大切さ

――『薔薇の瞳は爆弾』は『恋の話がしたい』と同じ二〇〇八年に、こちらはリブレ出版のＢＬ誌やアンソロジーに掲載されたものを収録した作品集です。

作品集はどれもそうなんですが、中でもこれは収録順をものすごく一生懸命考えた記憶があります。

――では掲載順にいくつかピックアップさせていただきつつお聞きしますね。一作め「the turquoise morning（ザ・ターコイズ・モーニング）」は、米国人のフォトグラファーと、彼が被写体とした中東の民間軍のリーダーの出会いと別れを描いた一作です。これは「アラブ特集」のアンソロジーに掲載されたものですね。

これは依頼をいただいて「なぜ私に⁉」とすごく驚いたのを覚えています（笑）。ＢＬにおいてアラブものがジャンルとして成り立っていて需要があるのは尊重するんですが、民族衣装を着て大富豪で、というある種のステレオタイプみたいなアラブものは全然ピンとこないし、描けない。担当さんにそうお伝えしたら、好きなものを描いてくださいと言ってくださったので、じゃあと自分なりのアラブものを描きました。今思えば、ちょっと題材を無責任に扱ってしまった気がするのですが、海外を舞台にしたり、さまざまな人種のキャラクターを描けたことは楽しかったです。それと、ラストに女鬼神（イフリータ）が出てくるのですが、絶対に持ち上げられないような重さのものを軽々と抱き上げている人間ではない存在らしさが私のときめきポイントです。

――そこがときめきポイントだとは予想できませんでした。本作の結末も一つのハッピーエンドな着地点だなと思いました。

そうなんですよ。暗いといえば暗いんですけど、ハッピーエンドです。

「the turquoise morning」

若いからこそ描けたもの

――幼さゆえの蒙昧（もうまい）で不幸な事態を招いてしまった少年が主人公の「さようならのお時間です。」も暗めの読後感です。

カバーイラストからは想像できないであろう暗めの作品がいきなり二本載ってますね。でも表題作の後に読むよりはと思って。最初にショックを受けてもらって、後で明るい気分で蘇生するから大丈夫ですよという気持ちで収録順を考えていました（笑）。

――冒頭の作品が大人の一編だったのに対し、こちらは痛々しいまでに子供を描いていると思います。

「Re:hello」もそうなんですが、大人になることが想像もつかない子供がすごく破滅的な行動に出たり、大人と自分の世界が別物だと思っていて大人に無遠慮だったり、とてもひどいことをする様を描きたいと思っていた気がします。この作品みたいに、一方の人が考えていることやしてしまったことをもう一人がまったく知らずに、お互いに前提が噛み合わないまま話をしているシチュエーションが好きなんですよね。話が終わった先のことをまったく考えないで描いた、どこか放り投げたような作品ですが、これもハッピーエンドだと思っています。

——メリーバッドエンド（開かれた結末）寄りかなと思っていました。

ハッピーですよ。だって彼の人生は続いていきますから。

——『おはなし本』の自作ガイドで、この話は「掲載誌の読者が若いので若い子向けに」と言われて描いたとコメントを寄せられていましたね。

そうです。一つ気合を入れて、釘バットで殴りにいった感もありますが（笑）。釘の頭は気持ち折り曲げておいたので、優しさのつもりで描きました。

——釘バットの是非はともかく（笑）、一〇代の人に読んでもらいたい脆さや頑なさがない交ぜになった一作だと思います。では次に「浮気者！」について聞かせてください。告白を受け入れて付き合っているはずなのに、女の子と遊びまくる彼氏に複雑な思いを抱えながらも強く出られない主人公ユキオが登場する作品ですが、扉からしてユニークでかっ飛ばしていますね。メインカップルと思しき二人の質疑応答がテキストで描かれているだけですが、屁理屈というかなんというか、妙に筋が通っている気になってしまって、どんな二人の話なのか期待が高まります。

バカみたいな扉だなと思うのですが、めちゃめちゃ楽しく描きました（笑）。

——女の子と遊びまくる治人（はると）のような、自分勝手なのに愛嬌のある人を描くのがとてもお上手だと思います。

ありがとうございます。治人はクズなんですけど、心底クズだとは断言できないし、みんななぜか好きになっちゃう。その好きになっちゃうところに説得力を持たせたいと思ったんです。絶対に治人みたいな人と関わりたくないけど、見ている分には絶対に面白いんですよ。

――対岸の火事だと思えば面白いし、魅力的だねで済むのですが、関わってくると確かに厄介ですね。こちらが正しいはずなのに「あれ？」って思わされそうだし、愛嬌というチャームを武器にどつき回される感じが。

そうそう（笑）。「本当にむかつく」って思った次の瞬間に、「うう、くそ、可愛い……」みたいなね。「また許してしまう……」って悔やみながら、同じことを繰り返す。この感情の波に飲まれる暴力性というか、黙らされてしまう感じを描きたかったんです。それと、ここから切なくなるのかなって読んだ人に思わせておいて、ならない演出をしたくて。絵だけ見たら切ない感じなんだけど、言っていることはアホなうえにクズでしかない。くだらなくて、でもちょっとキュンとできるところもあってというラブコメを描きたくて、力業でなんとかしてる感じも

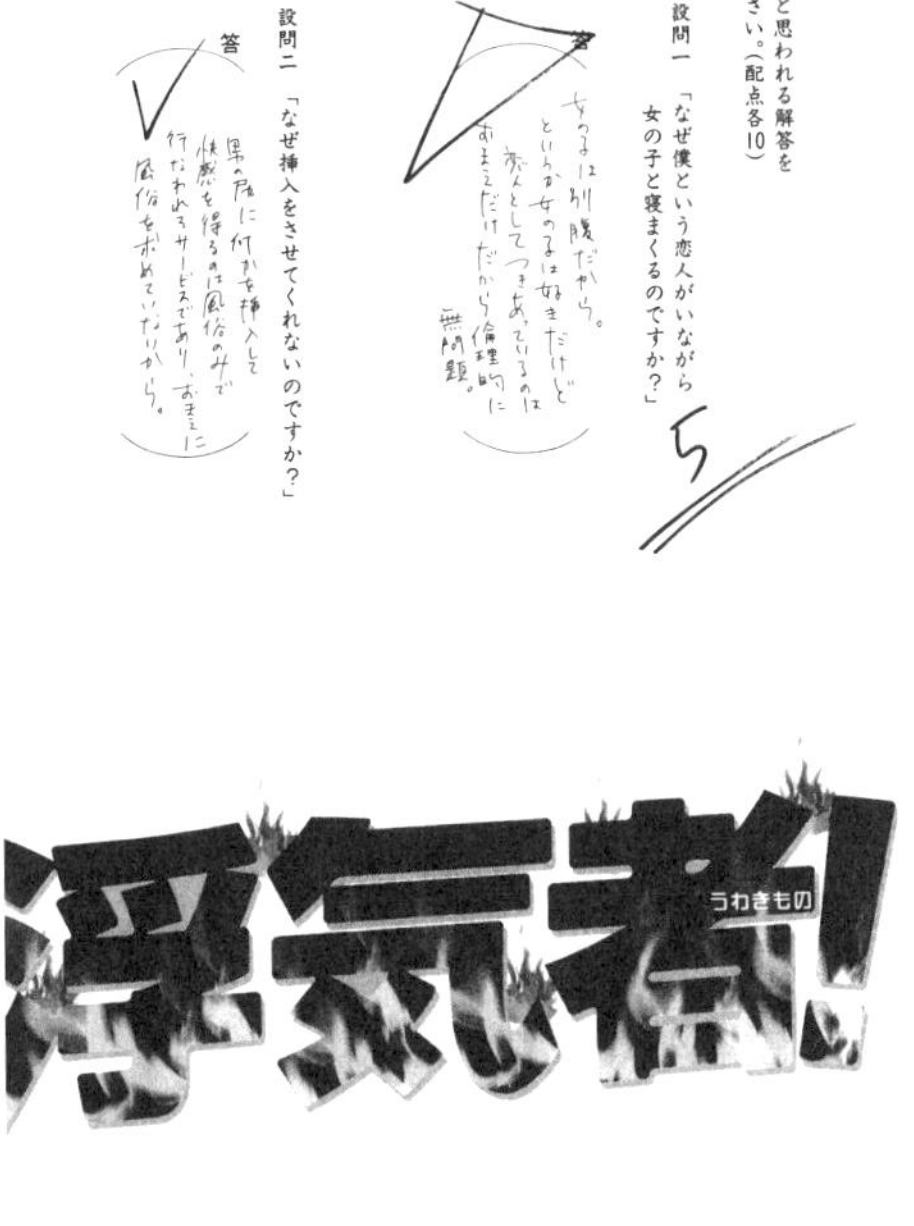

「浮気者！」

ありますね。若いから描けたんだろうなー。今の私には思いつけないことを描いていると思います。

衆人環視シチュエーションでの恋愛

――ラブコメ度でいうと、男の趣味が「よろしくない」ゲイの見津田が爽やかなイケメン王子様キャラの蓮水（はすみ）に告白される表題作「薔薇の瞳は爆弾」もそこのポイントは高いですよね。

これも楽しく描きました。カッコよすぎて公害みたいな、爆弾のような破壊力ある人を描きたかったたんですよね。

――容貌のカッコよさが見津田にはまったくポイントになっていないのがまたよくて。

もちろん、顔の綺麗さもある種の才能だと思うんですが、私自身がそこにあまり魅了されないタイプなもので、顔の興味値が低いんですよ。何かほかの要因で好意的に感じた人に対して、そういえば顔もいいと思うことはあっても、カッコいいがすべてを凌駕することはないので。

――ご自身が一目惚れする可能性はあまりないということですよね？

それが理解できないので、ないですね。その分、カッコいいということを誇張して思い切り描けたんじゃないかと思います。要は景色が綺麗というのと似たようなものなんですよね。ただ、同じ人間だからダイレクトに魅了されちゃうだけで。蓮水は老若男女問わず魅了しちゃうから、客がいる店のシーンでカップルの男性のほうも魅了されているのですが女性も別にそのことは気にしないいし、みんなでカッコいいよねって盛り上がっちゃう。カッコよさを受け取る側の貴賤のなさのようなものを意識して描いたところはあります。

――見津田には蓮水のカッコよさが通用しなくて、だからこそ素の自分を見てもらえた蓮水が見津田に惹かれるというのは、〝おもしれえ女〟の構図と似たものがありますよね。

その路線ですね。一般的に魅力とされるものが見津田には通用しなくて。なのでこれ、出てくる人がみんな異常なテンションだったりもしますが、意外と普通のロマンスしているんですよ（笑）。

――一見、DV被害者のように思える見津田も、そうではないですしね（笑）。

そう、彼もプレイとしてやっていただけなんで。今ぱらりと読み返してみたら、その見津田に蓮水がいいことを言っていましたね。「酒のんで浮気してギャンブルして　あげく開き直ってあなたを殴ったら好きになってくれるんですか　…そんなのおかしいですよ!!」って。

――正しいですね。でも、そんな常識人に思える蓮水も、見津田のためなら衆人環視でのチューを厭わないという。

「薔薇の瞳は爆弾」

私、衆人環視シチュエーションもわりと好きなんですよ。たとえば、この二人の場合はちょっと違いますが、実は付き合っていることを周りは知らないし、予想もできない中で「付き合ってたんだ！」ってバレる瞬間って、衆人環視の中で何か起きていることが多くて、それを覗き見る感じが私が風景の中の恋愛が好きというのと底のほうで繋がっている気がするんですよね。

——このシーンは、蓮水が落としたい相手のツボをちゃんと把握して、そこを攻めたというのが素晴らしいですね。ただのピュアピュアでやられっぱなしな王子様じゃない感じもして、いいキャラクターだとあらためて思いました。

蓮水みたいな、スーパーハイスペックでキラキラした感じが可愛いキャラも好きなので、描きたいように楽しく描きました。自分の心に強く残っている作品というのともまた違う気がするんですが、楽しく描いたし、自分で好きだと思える作品です。

わかってもらうことが救いじゃない

——では、アバンタイトル（プロローグ）が印象的な「絶望の庭」について聞かせてください。仲のよい恋人はいるものの、高校の同級生に気持ちを残したままの小説家・伊砂が主人公の一編です。作中で、誰もが同じ人間でない以上、人と決してわかりあえないことを伊砂が絶望の庭にいるとたとえるモノローグが刺さりました。

同じようなことをずっと擦っている気がします。このテーマを描き終えられないから、かたちを変えつつずっとやるかみたいな感じ。別に同じテーマのものを何回やったっていいと思っているので、擦っていること自体は特に気にならないし、開き直っているところもあるんですけど（笑）。こういう話を描こうと思った動機は思い出せないんですが、これだとか「薔薇の瞳は爆弾」を描いていた時期って、自分が暮らしたり出歩いたりした先の風景を結構描いているんですよね。この頃は私がわりと社交的だった時期で、知らない人たちとも結構いっぱい飲んだりして、それはそれで楽しかったし、得るものもたくさんあったのですが、それを続けるのは私には合わないと思ったので、知り合いは少数精鋭でいいやとぱたりとやめました。そういうことをしていた時期に、夜遅く歩いていて見た風景だとか、垣間見たものだとか、感じたことなんかがこの頃の作品には込められている気がします。自分の中に勝手に入ってくるものを描きたかった時期なのかもしれないです。

「絶望の庭」

あと、それまでBLで主人公がわりと優しくない人を好きになっていることが多いなと思って、優しい人を好きな相手として描きたかったように思います。優しい人と一緒にいるほうがいいよって提示をこの作品でもしているんですよね。

——人とわかりあえないという本作でもテーマになっ

ているとでいうと、伊砂を通して、自分が抱えているものを同じ温度や言語、理解度でわかってもらうことが救いじゃないんだと思ったんです。それと、わかりあえないと何度も繰り返す伊砂のモノローグには決して書かれていないけれど、「それでも」という『イルミナシオン』の光のようなものが隠れているんじゃないかなと思いました。

わかってもらうことが救いじゃないというのは描きたかったことの一つでした。

——私、個人的にこの作品が好きすぎて感想を述べているだけみたいになってしまうんですが。

(笑)。どうぞ、どうぞ。

——伊砂が高校時代から好きだった相手のパートナーと街中で出会って会話をしたあとに、どうしようもない感情を抱えて帰ってきて、ぐるぐるといろいろな言葉や思いが伊砂の中で駆け巡って、思わず泣いているときに付き合っている彼氏が部屋にやってくるじゃないですか。そこで「…なにひとりで泣いてるんだ!」って言う場面がすごく好きで。これ、ものすごい救済じゃない!?って読みながら泣きました。伊砂の繊細な気持ちをこの彼氏がわかることはないと思うのですが、そういうことじゃないのって。

私はわりとこういうカップルが好きなんです。考えすぎてしまう陰のタイプの人が自分の世界を陽のタイプの人にぶち壊される瞬間が見てですごく楽しいし、ラブロマンスはそういうことが起こるのが醍醐味じゃないかなと思って。伊砂は、モノローグで書かれているような、答えがないと思っていたことをずっと考えてきたんですよ。そのぐるぐる考えていたことがぱちんとぶち破られる瞬間を描きたかった。

——自分の世界を守ったり外界と交わったりするための精密機械を一生懸命研究して、きちんと作り上げたはずなのに思うようには上手く作動しなくて、ぐるぐるしているところに現れた人が拳でガンッと機械を叩いたら見事作動した、くらいの衝撃はあると思うんですよね。

そうそう（笑）。上手く作動するし、なんならやろうとしていたことまでできちゃったみたいなね。そういう、自分をなんとか御しようとしていた人が自分のコントロール下にない人によって新しい世界を開かれてしまうというのが好きだし、それもずっとやり続けているテーマだと思うんです。気づけば、この話は『違国日記』と同じことを結構描いているんですよね。このモノローグなんて最たるものです。「きみの前でことばは無力だ」

――槙生が朝の言動に感じていることと同じですね。

お互いに相互作用はありつつ、感情型の人が思考型の人に働きかけることになる構図が好きなんでしょうね。あと、愛の前で人が無力になる瞬間が好き。思考能力も高くて言葉もたくさん知っている人が感情型の拙い愛の言葉や行動に無力化されたりとか。私は人間というものに対してそんなに愛情深いほうではないのですが抱く感情はバカでかいので、ロマンスをロマンスとして描けているかはわからないけれど、愛を妄信して描いているところはあると思います。

――泣いていた伊砂が小さな声で「好きだよ」と言ったら彼氏が「知ってるよ」とかぶせぎみに言いますが、それがもうラブパワーあふれててまぶしくて。

知っててくれてるって、よかったねーって言いたくなる（笑）。こういう感じも『違国日記』と通ずるところありますね。わからない、わからないって言いながらお互い一緒にいる感じは近いものがある気がします。

――なるほど。このラストページでまたたまらないのは、決して二人の顔を見せてくれないところ。こんな可愛い会話をさせておいてキャラの表情を見せてくれないんですよ。そういえば『違国日記』のラストシーンも顔は見せませんでしたね。

そういうのが好きなんですよ（笑）。表情が見えないほうが想像してもらえることが広がるし、抱く感情も増す気がして。

――伊砂が帰ってくるところから彼氏が帰宅するまでの三ページもまったく伊砂の顔は描かれていなくて、表情はわかりません。

彼氏が帰ってきて、伊砂が泣いているとわかったときに、普通の慰め方をさせたくなかったんですよね。伊砂と彼氏に、一人でやろうとする人、一緒にやろうとする人の違いも出したかったので、あのセリフになりました。

――屈指のラブシーンだと思います。

陰と陽の違いがはっきり出ましたね（笑）。

『ジュテーム、カフェ・ノワール』

登場人物の陰陽と語彙

――二〇〇六年から二〇〇八年の間にBL誌やアンソロジーに描かれた作品を収録した『ジュテーム、カフェ・ノワール』ですが、旧版（フロンティアワークス、二〇〇九年）と新装版（祥伝社、二〇一五年）で掲載順が異なります。新装版のほうがヤマシタさんの意向に沿っているとのことなので、新装版の順番で聞かせてください。まずは、陽キャ男子とコミュ弱男子を描いた「ラ・カンパネラ」ですが、これも陰陽系で世界が壊されるタイプのお話かなと。

ただただ私の好きなパターンで描いていますね（笑）。こういう受け攻めの構図が好きすぎる。そしてキャラのモデルは某お笑いコンビです。

「ラ・カンパネラ」

——これまでモデルになってきたお笑いコンビやバンドはみんなそれぞれ違うんですよね。

どれも違います。この作品は、（旧版の）あとがきにも書いているんですけど、「すごくBLっぽい話」が描けたと思って自分でもびっくりしました。

——そのBLっぽさとはどんなものですか？

ちゃんとラブしているから、BLだーと思って。ラブがあって、陽の人が陰の人にずかずか踏み込んでいって、良く悪くも世界を壊すみたいな私の大好きな構図で。この話だと、互いに相手のちょっと奇異なところに惹かれている感じがさらに好きですね。これはもう単純にラブコメを描こうという気持ちで描いたような気がします。

――学生時代に好きだった相手からゲイであることを揶揄され、傷つけられた主人公が大人になって偶然その相手と再会する「サタデー，ボーイ，フェノミナン」は、「傷」がテーマのアンソロジーに掲載された一作です。

これも、昔好きだったのに傷つけられた相手という私の大好きな要素が入っていますね。あと、好きな要素としてUFOが。

――UFO、お好きなんですか？

好きです。UFOという概念とか、宇宙人がいるかもと考えるのも好きだし、どこかロマンを感じるんです。ただただ単純にUFOが好きなので出しました（笑）。

――過去に傷を抱えた主人公が世界の終わりだとか自分の消滅だとかを願うわけではなくて、ただUFOに攫われて記憶を消してほしいと思っているのがちょっと切ないです。

自分のどうしもようもない傷や、自分の語彙では言語化できないひどい状況だったりトラウマだったりをUFOに仮託することで軽減しているんですが、そのどこか拙い感じがすごく好きなんです。語彙の足りなさによる切実さの中に、共感や真に迫る感じが生まれるように思っていて。ものすごく深刻なものがUFOという存在に頼ることで、少しライトな感じになるというか、「ぼくをさらってくれUFO」というフレーズに万感の思いが込められているんだけれど、そのフレーズを使うことでテンポも出るし、ちょっとポップさも出る。その陰陽のようなものもとても好きで。そして、最後に繰り返されていたそのモノローグの意味が変わるという、これまた私の好きなパターンです（笑）。

——詰まっていますね。

はい。ノリとしては『ミラーボール・フラッシング・マジック』に近いかもしれません。ミラーボールも私の中ではＵＦＯと同じ引き出しに入っていて、なんか楽しさを感じる物体なんですよ。

——ミラーボールはキラキラしているからですか？

そうですね。見かけるとテンションが上がります（笑）。たとえば、キーホルダーだとか何かグッズを選ぶとなったときに、手に取りたくなる好みのモチーフってあるじゃないですか。透明感があるのがいいとか、色だとか、食べ物のモチーフがついているのがいいとかハート型がいいとか、そういう感じで好みとして好きなものとして、ＵＦＯとミラーボールがあるんですよ。なので、それが作品に出てくること自体に意味はたいしてないんだけど、私の内心としては登場させることができるだけで楽しくて上機嫌なんです。

——「こいのじゅもんは」は、ゲーム用語を駆使しながら、好きな相手に昨晩してしまったキスの弁明をする主人公が登場します。

これも自分の好きな組み合わせを描いたものですね。見た目は可愛くて、ちょっとオラオラ系の陽キャで超オタクというキャラが好きなんですよ。そして、オタクの語彙が通じない、小ネタもわからないスポーツ系の人が相手というのが好き。アニメのことも漫画と言っちゃったり、ゲームの操作法やルールがよくわからなかったりする、非オタク系な人の言動が新鮮で面白くて。

——まさに主人公が好きな相手は、主人公が口にするオタクネタがまったくわかっていない非オタク系です。

二人の間の通じなさがいいんですよ。

――パーカーのフードを被った姿を白魔導士と言うかエミネムと言うかは隔たりがありますよね。

でも、そういう通じなさをネタとして描くのもとても好きで、この話は単純なラブコメとして描きました。

――オタク用語をふんだんに交えながら話していた主人公の語彙が終盤に向けてどんどんシンプルになっていくのに惹きつけられました。ラストがまた可愛いですね。

ラブコメな感じしますよね（笑）。

関係が終わってもすべては消滅しない

――「食・喰・噛（cu,clau,come)」は、食事目当てに家にやってくる好きな相手にご飯を作り続ける男とその相手との会話をワンシチュエーションで描いた一作です。

これもすごく好きと言ってくださる方が多い作品ですね。私、この中で好きなことをまたやっていますね。相手がいない席を見つめたあと視線をずらす場面なんですが、そこだけで万感の思いを描こうとしてる。こういうのを描くのが好きなんですよね。

――この話は、料理を作り続ける彼も食べに来る彼も、この関係が未来永劫続くとは思っていないのがすごくよくて。

そうですね。あの時間をなんとか続けようという切迫したものは彼らにはなくて、だからこの結末を迎えた彼らにちょっと希望的な明るさが残っている気がするんです。食べに来る男の結婚は上手くいくだろうし、主人公にもまた新しく好きな相手が見つかるかもしれない。何年か時間が経ったあとに、またご飯を食べに来るような友人関係が発生するかもしれない。私の一番の萌えとしては、食べに来る男の妻になる人と主人公が仲良くなってほしくて。同じ男を愛した盟友的な間柄というか、そこに生まれる友情めいたものも大好きなんですよね。

——この物語は一つの恋の終わりが描かれてはいるのですが、今お話しされたみたいに希望的な明るさがあるのが読後感の不思議な爽やかさに繋がっていて、それで好きだと言う方が多いのかもしれません。私も大好きな一作です。

「食・喰・噛」

私自身、関係は終わるけれど、何か別のものにかたちを変えていく終わり方が好きで、関係が終わってもすべてが消滅するわけではないと思うんですよね。だから、視線をずらす描写だけでなくて、自分の好きなものがほかにもたくさん詰め込まれている気がします。ラストの「カレーが食べたかった」という相手の言葉に、「カレーは明日だ残念だったな」って返すこの言葉にも万感が詰まっていて、こういうなんてことのないセリフにそういうものを込めるのもやっぱり好きですから。

――そのカレーが、彼らが手に入れることのできなかった恋の象徴のように思えて、そのセリフでグッときてしまいました。「カレーが食べたかった」と言われたあとの主人公の表情がもう……もう……！

「お前はいつもカレーを食い逃す」って思いもあったろうし、「俺だって食べたい気持ちはあったよ」という思いもあったでしょうね。

――それが全部含まれたうえでの「カレーが食べたかった」「カレーは明日だ　残念だったな」だと思うと、もう何度だって噛み締められるセリフになっていると思います。

カレーという一見なんてことのないものを逃した思い出を一生忘れることができないかもしれない。そういう気持ちのこもった話を描けたのは楽しかったです。

――さて、表題作「ジュテーム、カフェ・ノワール」は、一軒のカフェを舞台に、二組と一人の客と二人の店員が織りなす群像劇です。群像劇が好きだとお聞きしました。

大好きです。関係がない別々の人たちの人生が交錯する物語が好きなもので。ここでも好きなものを描いていますね。

――女性も登場しますし？

はい。恋愛劇を繰り広げる男性二人の攻め側の顔も、可愛くてちょっと威圧的で好きなタイプです。

――二組と一人の客と店員、それぞれの物語が繰り広げられますが、構成を考えるのは大変ではなかったですか？

いいえ、おそらくこれが私史上最速でネームができた作品だと思います。一気に思いついて、本当にすごいスピードで作り終えた気がします。数時間しかかかってないんじゃないかな。

——当初は群像劇っぽい日常の話が描きたいと思っていたという同人誌版の『明楽』でも、いずれはこんな風に同時進行型の話を描きたいと考えていました？

いえ、『明楽』はもっといろいろなところにカメラが行くイメージでした。この話は、演劇的な感じというか。

「ジュテーム、カフェ・ノワール」

——確かに。スポットライトの切り替えで役者が話し出すように、描かれるキャラクターが切り替わりますね。

そういうことがやりたかったんですよね。あと、ちょっとした善意の話も好きなのでそれも描きたくて。

——「涙の止まるコーヒー」最高です。

（笑）。なので、これも楽しんで描いていますね。あらためて読むと、各キャラクターのデザインもすごく楽しんでやっている感じがします。

今は絶対に描けない少女像

——同性愛者で気のふれた男が住むと噂される家を訪れるようになる少女と当の男を描いた「魔法使いの弟子」

ですが、これは「無機物推奨擬人化特集」のアンソロジーに掲載されたものですね。

そうだったんですね。全然覚えていない（笑）。これまたね、すごく楽しく描いた記憶しかないんです。

――ここでも少女と年上の男性という組み合わせの二人を描かれています。

好きな組み合わせを描いちゃうんですよね。この子も偶像です。

――少女のキャラクターの女神度が一番高い印象です。明確に男を救う立場にあるというか。

そうですね。なので、今は絶対にこれは描けないと思います。というか、描かない。話としては気に入ってはいますが、女の子のキャラに仮託している役割が重すぎるし、もっと無責任でいいと今なら思うので。

――交わされる会話の雰囲気や夜に動き出す人形たちなど、児童文学の香りがあるように思いました。

児童文学の再解釈みたいなことが好きなんですよ。日常にファンタジーが食い込んできて、それが現実のことかどうか、嘘か本当かわからない瞬間みたいなものがとても好きなので、そ

「魔法使いの弟子」

れが描けてとても楽しかったです。ちなみに登場するねむの木は、そこ（ヤマシタ家のリビング）のねむの木です。もう一五年以上育てていることになりますね。

――少女が初めて男の家に入ったときに触るねむの木ですか？

はい。当時アシスタントに来てくれていた人が、あるときこのねむの木を葉をスッと触りに行ったので、「それはねむの木だから、葉っぱは閉じないいんだよね」と話したことがあって。葉っぱに触る様子が可愛くて印象に残っていたので描きました。

――「ワンス アポン ア タイム イン トーキョー」は、電車の車掌を務める男性がかつて好きだった相手と束の間の再会を果たす話です。これは「制服」がテーマのアンソロジーに描かれたものですね。

へー、そういうのはまったく覚えていないですね。これは言葉も交わせない一瞬の邂逅が好きで描いたものだと思います。これを描いた頃はわりと旅行に行っていたのかもしれません。電車で移動する感じが楽しかったのかも。

――あとがきでこの作品について触れられているところで、「東京育ちなので、東京の人は冷たいとか　東京の空は汚いとか言われると悲しい。」とあって、私も生まれも育ちも東京なのですごく頷いたのを覚えています。

私は東京から出たことがないんですが、いろいろな人と出会ううちに東京出身じゃないけれど東京に住んでいる人がたくさんいるんだなとあらためて感じたことがあって。そういう人から話を聞くのが面白かったんですよね。でも、東京出身というだけで気取っているとか悪口言われたり、「あー、東京出身ね」と含みのある感じで言われたりとかよくあることなので、なんだろなあと。

――めちゃくちゃわかります。「子供が生まれたら絶対に東京なんかで育てない」とか言われて、こちとらその東京で生まれて育ってますけど!?ってなることはよくありますね。

そうそう。ビル群見て過ごして、それに郷愁を感じとるわいって（笑）。

——東京の人は冷たい、優しくないと言われるたびに、その〝東京の人〟は地方から来て東京に住んでいる人じゃないの……？と心の中で思っています。

育った地域での密な繋がりが嫌で東京に来て、そういうのを絶って暮らしている人とかね。友達にもそういう人がいました。

——よく断罪される〝東京〟と、自分が生まれ育った東京が違いすぎてピンとこないんですよね。

わかります（笑）。もちろん、地方から東京に来て、東京はいいところだと言ってくれる人もたくさんいるんですけど。バイトをしている頃に知り合った人たちはわりとそういう人が多くて、その人たちから聞いた話のエッセンスがこの話には入っている気がします。

——この話には具体的な地名が出てきますが、ほかの特に舞台を明言していない作品でもイメージとしては東京の話なのですか？

そうですね。東京から出て暮らしたことがないので必然的に（笑）。それと、やっぱり東京が好きなんですよ、私。冒険することが苦手で、どこかに飛び出していきたいという気持ちがないのもありますが、東京が好きだからここに留まっていることに不満もないし。それもあって、自分が描いているものはどれも東京での話ですね。私が暮らして、見聞きしている場所での話。

『YES IT'S ME』

BLの中の女性

――『YES IT'S ME』は二〇〇八年から二〇〇九年に東京漫画社から刊行されたアンソロジーに掲載されたものを収録した作品集です。何作か取り上げつつお話を聞かせてください。「目蓋の裏にて恋は躍りき」は、美大を舞台にした美大生同士のお話ですね。

校舎の感じなんかは私の母校をイメージしています。講評のシーンも、私が通っていた学校ではあんな感じの講評をしていました。

――実際にあったエピソードなんかも入っているのですか？

そんなには。すごく清楚な感じの女の子がごつい春画の資料集を持っていたのは実話です(笑)。

――いつか美大を舞台にした話を描こうと考えていたのですか？

いえ、そんなこともなく、単なるタイミングで描いたんだと思います。メイン二人とも、特に天才肌で変人の馬原(まはら)みたいなキャラはあまり描いたことのないタイプだったのですが、すごく可愛く楽しく描けた気がします。

――この二人には誰かモデルがいたりしないのですか？

私の中で思い当たらないということはいないんだと思います。

――行方不明になっている少女の存在を軸に、同級生に思いを寄せる男子高校生の複雑な胸の内を描いた「彼女は行方不明」は、ＢＬ誌じゃない雑誌に載っていても違和感がなさそうな作品です。

そうですね。これは『ひばりの朝』に繋がります。性暴力を受けたと噂される少女の身に、本当にそんなひどいことが起きたかはわからないのですが、そんなひどい行為と同じかそれ以上に、何もしていないと自分で思っている周囲の言動が人を殺すこともあると描きたかった。確かに、ＢＬ誌に載ったとは思えない話ですよね。

――あえてＢＬ誌でこれを、という気持ちがあったのですか？

いえ、思いついたからというのが正直なところです。それと、話の骨組み自体は私の好きなパターンなんですよ。ロマンスと関係のないところで主軸として何かが起こっていて、その周辺にロマンスが垣間見えるというやつの雰囲気が暗めのバージョンというか。不機嫌な女の子が好きなので、それを描きたかったのもあるかも。ただ、それまでも多少感じていたのですが、

「彼女は行方不明」

このあたりからわりとわかりやすく編集部から「女の子はもういいです」という空気が漂っていましたね。本仁戻（もとにもどる）[*1]さんの『恋が僕等を許す範囲』[*2]とか、私が高校生のときに読んだBLには女性がたくさん出てくる作品もあったのに……。

「minun musiikki」

天才とナルシスト

——既婚者のチェリストと彼の言動に振り回されるピアニストを描いた「minun musiikki（ミヌン　ムジィッキ）」は、昏（くら）い恋愛の悦びとともに才能についても描かれているように思います。

そうですね。私、才能に呪われている人が好きなんです。すごい才能の持ち主なんだけれど、本人はこの才能がなければと思っているような人とか、傑出した才能の持ち主に周囲が振り回されている様子がとても好きです。特に、天才な人本人よりその天才に入れ込んでいる人が興味深くて好きです。

——モーツァルトに対するサリエリ[*3]みたいな人ですか？

サリエリのような人にも萌えますが、才能しか好きになれるようなところがない人のために人生を捧げたり、振り回されているのに離れられなかったり、ほかの人には見えない才能以外の魅力が唯一見える人とか。ドキュメンタリー映画（『帝王ヴァレンティノ　最後のランウェイ』）でのデザイナーのヴァレンティノとマネージャーがまさにそんな感じでした。私は他人に尽くすタイプの人の思考が理解できないので、何がほしくて、あるいは何が別にほしくなくてそんなことをしているんだろうという単純な疑問もあって。天才ゆえの人生の生きられなさなんかも好きなんですが、それをなんとか生きられるようにしてあげる人の献身の根底にあるものが本当に謎なんです。大概そういう人って超常識人なので、天才という大概超エキセントリックな人の横で、どうやって気持ちに折り合いをつけているのか、まったく想像ができないから興味深くてたまらないんです。話していて思いましたが、そういうポジションって、『違国日記』の笠町もですね（笑）。

——笠町の思わぬ出自が明らかになりましたね（笑）。

だから彼のこともわからないなと思いながら楽しく描けていたのかもしれません。

——この作品でいうと、天才に振り回されてしまうほうがピアニストの男性ですね。

当時、好きだった某ミュージシャンが見た目の印象はクマみたいなんですが、大人しくて可愛い感じがするしゃべり方をしていて、それがすごくツボだったんですよね。なので彼に関してはその人がモデルで。なんかひどい人を描きたかったような気がします。それがチェリストの彼ですね。ひどい人なのにその相手を好きな人も描きたくて、この話になったんじゃないかなあ。

——清々しいまでに自分のことが大好きなナルシストの東間（とうま）とその幼馴染・江城（えのき）を描いた表題作は、打って変わって明るい雰囲気です。この作品が好きだという方も多いですよね。

これはすごく多いです。全体のテンションがポジティブだし、ラブもある話だからですかね。これも私が好きなものがいっぱい入っていますって、こんなことばかり言っていますね。でもまあ、本当にそうだからな（笑）。

――ナルシストもお好きですか？

「YES IT'S ME」

面白いですよね。ぶっ飛んだ人を描きたかったのと、そういうちょっと常軌を逸した人を周りが普通に扱っている風景が好きなのでそれも描きたくて。あとは幼馴染かな。特に自覚はなかったのですが、幼馴染とか古馴染な関係をわりといっぱい描いているので好きなんだと思います。幼い頃から一緒にいすぎてもう家族のような距離感になっている人たちとかいいですよね。そういうのを描きたくて、入れていったらこの話になりました。

――東間と江城は幼馴染でありつつ、一緒に会社もやっていてバディ感もありますよね。

この人たちはロマンスオンリー、ロマンス優先でないのがいいところだと思います。幼馴染で共同経営者で恋人で友達で、ともういろいろなものをひっくるめたのがこの人たち。最高ですね（笑）。

――出会ったときからこの先もずっと一緒にいそうですものね。

そうなんです。この二人はこの先もほぼ安泰だと思える人たちですね。別れるとかない。このテンションのままで老いていくだろうし、自然に二人で家を買ったりして、すごく楽しい人生をこの人たちは送ると思います。

この社会で普通に存在している人を描きたい

――ゲイで美容部員の男性が主人公の「夢は夜ひらく」は、「自分の描いたBLのなかで一番よく描けたと思えるもの」だと『おはなし本』収録のインタビューで答えていました。

これは本当に気に入っている作品です。これを描いたときはトランスジェンダーという言葉はこんなに世の中に周知されていなかったし、私もまだ知らなくて、何か誤った認識で描いていなかったか自信がなかったのですが、少し前に確認したときに、トランスジェンダーに対して否定的に描いていなかったことにとても安心しました。

――この話を着想したきっかけは何かあったのですか？

これは、「ＢＬに女の子を登場させるのはもういいです」と言われた怒りに身を任せて描いたところがあります。当たり前に存在している女の子を描くとか、恋愛だけに焦点を当てるのではなく人生の一部の風景としてのロマンスを描くことに対して、「そういうものでなく」と言われることに、すごくムカついてしまって……。それで、いろいろな人を出そうと思いました。いろいろな属性の人に対する世の中の抑圧みたいなものが入れられたらなと。

――主人公の男性を美容部員にしたのは、メイクという題材を使いたかったところがありますか？

どうでしょう。そこまで覚えていないのですが、なりたい自分になる一つの手段として、メイクというものが好きなのは確かです。性別年齢問わず、新しい自分の実現としていいツールだと思います。変身願望は私にもあるし、物語を描くうえでもなりたい自分になりたいという気持ちの発露を助けるメイクという小道具は好きなアイテムですね。なので、すごくポジティブな気持ちでメイクを小道具として使っていると思います。

――この作品を機に一般誌での活動がメインとなりますが、この先しばらくはBLを描かないと決めていたのですか？

「夢は夜ひらく」

はい。そういう強い気持ちを持って描きました。そのとき、一般誌での仕事が決まっていたか覚えていないのですが、たとえその予定がなくても離れるつもりだったと思います。「そういうものでなく」と言われたら、私の描きたいものはもう描けないので、これは最後っ屁のようなつもりで（笑）。サブキャラやキーパーソン的なキャラでなくても、同じクラスの子や同じ会社の人など、その社会に普通に存在している人は大事に描きたい。ＢＬでの女の子はそういう存在で、もちろん思いついた話によっては女性キャラがまったく登場しないこともありますが、そういう話ではなく女性キャラを出そうと思ったときに、そこでもやもやした気持ちになりたくなかったんです。

——先ほどもお話しされていましたが、これを描かれた当時はトランジェンダーをはじめ、さまざまなマイノリティの方をめぐる意見や問題などが今ほど表出していませんでしたよね。

そうですね。そういうことに関する言葉や印象だけが一人歩きして広がった結果、バックラッシュが起きて今の状況は最悪だとも思うのですが、クィア批評やトラウマ研究を専攻されている研究者の岩川ありささん[*4]がこの話を描いたことに対して「ありがとうございます」と言ってくださったことがあって、誰かには届いたんだとすごく安心したのを覚えています。

——主人公の同僚である女性も生きづらさを抱えていますが、シスジェンダー[*5]やヘテロセクシャルな人にだって性別で縛られていることはあるよな、と。

いろいろな人にそれぞれ縛りつけられているものがあるんですよね。こういった題材を描くときに、その時点での情報や知識が足りなかったり、認識が誤っていたり、自分でも気づいていなかった偏見が出てしまうことはあると思うんです。世に出してしまった以上、取り返しがつかないことなのでそれはその先挽回していくしかないことだし、描いたときの自分が十分にいろいろなことに留意したつもりでも、時間が経ったあとに顧みないとは思います。この話に関しては、今読み返しても後悔するものになっていなくて本当によかったです。

——デビュー作には描き手のすべてが詰まっているなんて言われ方をすることがありますが、その意味ではこの作品はその後のヤマシタ作品に通底するものを感じる第二のデビュー作なんじゃないかと思います。

こういうことを描いていきたいと思うことがだんだんと明確になってきたときだったのかもしれません。

＊1　本仁戻……漫画家。一九九二年、『b-Boy』三号掲載の「桂」でデビュー。主な単行本に、『飼育係・理伙』『高速エンジェル・エンジン』『探偵青猫』などがある。

＊2　『恋が僕等を許す範囲』……一九九五年から一九九八年にかけて『BE・BOY GOLD』で連載された本仁戻によるBL漫画。ともに異性の恋人を持ちながらも惹かれ合う男性二人の関係を描く。

＊3　サリエリ……アントニオ・サリエリ。一八世紀から一九世紀にかけて活躍した音楽家。ウィーンで長く宮廷楽長の地位にあり、ベートーヴェン、シューベルト、リストなどを育てた。一九八四年製作、ミロス・フォアマン監督の『アマデウス』で、天才モーツァルトに嫉妬し、恐怖する姿が描かれた。

＊4　岩川ありさ……現代日本文学、フェミニズム、クィア批評、トラウマ研究を専攻する研究者。著書に『物語とトラウマ』がある。ヤマシタとは『現代思想』二〇二〇年三月臨時増刊号（青土社）でのインタビュー、二〇二三年のウェブメディア『CINRA』での対談などで関わりがある。

＊5　シスジェンダー……性自認と生まれ持った性別が一致している人を指す。性的な指向に関する意味は含まれない。

第4章

転んでも立ち上がる少女たち

『MO’SOME STING』

『ドントクライ、ガール♥』

『BUTTER!!!』

『サタニック・スイート』

『ひばりの朝』

『運命の女の子』

『MO'SOME STING』

生活感のある暴力

――訳あって裏社会の男たちに関わることになった女子高生を主人公に描いた『MO'SOME STING（モー・サム・スティング）』は、二〇〇八年から二〇〇九年にBL誌『BE・BOY GOLD』に連載された作品ですが、刊行元（リブレ）の特設サイトによると、女の子が主人公の連載はBL雑誌史上初だったそうです。

へー、そうなんですね。これはただ私の好きなビジュアルや設定のキャラクターを並べ、好きなものを入れて作った作品です。自分が描いた作品を読み返すのにあまり抵抗がないほうなんですが、どうしてだかこの作品だけはなんか恥ずかしくて読み返せないんですよね。

――何が恥ずかしいんでしょう?

わかりません（笑）。

――十和子（とわこ）という主人公はいますが、視点人物が各回で変わるなど群像劇っぽさも強いですよね。

そういうのがやりたかったんです。なんかカッコいいじゃないですかっていう気持ちがあって、今でもそのかたちは機会があればやりたいです。

――舞台として、裏社会の男たちが生きる世界を設定したのはなぜですか?

それも萌えです。そういうものが好きだから。そこを舞台に、これも私の好きなものの一つである、本当は誰よりも強いお姫様を、男たちが寄ってたかって守るけれど、やっぱりお姫様が一番強いという構図でやりたくて。要は、私の〝ナウシカ〟ですよね。『風の谷のナウシカ』が私の性癖に食い込みすぎている（笑）。

『MO'SOME STING』

――社会的な立場にしても、肉体的にも十和子が一番弱いけれど、確かに彼女は〝強い〟ですよね。日本国憲法を盾に自分の主張をはっきりとしたり、賢くて強いと思いました。

見た目が派手めな女の子が勉強ができるというのがまた私の萌えで。これは学生時代のカッコよかった同級生たちがそういうタイプだったというのが影響していると思います。

――男たちに関してはいかがですか？

好きなキャラを描いたという以外にないです（笑）。私の推しカプは、十和子の伯父である浅黄（サギ）と、ヤクザの息子である狐文（フーウェン）なんですが、この狐文が可愛くて横暴で暴力的な攻めで本当に好み。私の作品に可愛いキャラが出てきたら全員攻めだと思ってください（笑）。

――確かに好みが詰まっていますね（笑）。この作品では、彼らが生息しているのが裏社会ということもあって暴力も描かれていますが、派手に見せるための暴力ではないのが特徴的だなと思いました。

これぐらいの軽いコメディタッチで描かれる暴力が、表現としては好みなんです。暴力を見せることが目的だと引いちゃうというか、生活感のある暴力みたいなのが好きで。

――生活感のある暴力って結構なパワーワードですね。

暴力という行為自体が現象として描かれているといいというか……。私は黒沢清さん監督の『ＣＵＲＥ』という映画が好きなのですが、作中で誰かが人を殺すときにその行為がクローズアップにされることなく、すごく遠くから撮られていて、そんな映像を見ているときに受ける感じに近いです。『MO'SOME STING』というこの話の中でも、過剰に暴力を際立たせるんじゃなくて、その世界の中で当たり前にあるものとしてカジュアルに描きたかったんですよね。だって彼らが住む世界では普通のことだから。その中で、暴力を自覚的に振るっている人や暴

『MO'SOME STING』

力を恐れる人、暴力になんの自覚もない人がいる。このあたりは衝動的に描き分けているかもしれません。

——では逆に意識的に描いていたことはなんですか？

恥ずかしさを堪えて今見返して気づきましたが、男性に振るわれる暴力と女性に振るわれる暴力は、結構別物として描いていますね。それとテンポかな。登場人物が考えていることはひどいんだけどコメディタッチでやりたいと思っていたのと、暴力だとかそういうのも含めてスピード感があるといいなと意識していたように思います。設定やスピード感にこだわって描いた分、今振り返ると気恥ずかしさが先に立ってしまって読み返せないのかもと思いました（笑）。

『MO'SOME STING』

非日常じゃないヤクザもの

——確かにこの作品はスピード感があってテンポよく読めるのですが、同時にある種のポップさも感じられます。描かれていることからは遠いのですが、コメディタッチの日常もののような空気がある印象です。

あ、そこもそうしたくて意識したところかもしれません。こういうギャングものというかヤクザものをもうちょっと非日常じゃないところに下ろしてきてやりたかったんですよね。ヤクザが出てくるんだけど、それも風景の中のひとつとして特別にピンスポットを当てることなく描きたかったというか。

――それと、ここにも姪と伯父が。

だから好きなものを入れているんですって（笑）。十和子と浅黄の場面は描いていて楽しかったです。あとは狐文の父親が現れる終盤の一連の展開かな。とても楽しく描けましたし、なかでも狐文が十和子を父親から引きはがす場面は描けて本当によかったと思っています。あそこは狐文が強権的な父親への恐怖に打ち勝った瞬間だし、十和子が救われているようだけれど、狐文もあの場にいたほかの男たちも十和子に救われている。やっぱりそういう話が描きたかったんだとあらためて思いました。

――十和子もまた、これまでのヤマシタ作品でキーパーソン的に登場した女の子と同様に、偶像であり救いをもたらす人なんですね。

そうですね。彼女は女神であり、ゲームブレイカーであり、ゲームチェンジャーでもある人です。すべてを変えていく。

――十和子が怯えながら、泣きながらでも立ち上がっていくのに勇気づけられます。彼女の真っ当さに背筋が伸びる思いを何度もしました。

狐父の父親と対峙したときも、泣きながら恐怖に抗っていますが、彼女は強いです。十和子が射立（いたち）の車の中で「ただただただただ平凡に普通に暮らしたい人間の気持ちなんてわからないんだろ」と言うシーンがあるのですが、十和子はアウトローやそんな思考に反駁する役目のキャラでもありました。

――この話を今の自分がリメイクしたら、ずいぶん違ったものになると思います？

いや、そもそもリメイクできないと思います。いろいろなことを省みることなく奔放に描いているし、衝動的すぎます。今も衝動的なところはあるけれど、根源にあるのはこれを描いていたときとは違う衝動ですし、これはやっぱりあのときの自分にしか描けなかったものだと思うので、今の自分はノータッチでいきたいです（笑）。

『ドントクライ、ガール♥』

ギャグ漫画としての義務

――両親の不手際により父親の知人である升田の家に身を寄せることになった女子高生たえ子と、実は裸族で自宅では一切服を着ない升田の奇妙な同居生活を描いた『ドントクライ、ガール♥』は、二〇〇八年から二〇一〇年にかけて『クロフネZERO』（リブレ出版）に連載された作品です。もともとは読切のつもりだったとか。

そうです。雑誌が創刊されることになって、そこに読切をと依頼をいただいたのですが、好評だったとのことで続けることになりました。

――連載になればいいなと思っていました？

いえ、これに関してはありません。ギャグは精神的に疲れるので、最初から本当に単発のつもりでした。

――単発だからこそ、こういった特殊な設定を描こうと思った？

はい（笑）。最初は男女逆で、裸族の女性を描こうと思っていたのですが、創刊される雑誌はＢＬ誌から派生したものだったので、想定される読者層には向かないかもと思って裸族は男性にしました。

――それが升田ですね。室内では全裸の升田ですが、見事な構図のかずかずによりモザイクなしで升田の立ち居振る舞いが描かれており、それだけで笑ってしまいました。

一ページもしくは見開きにつき最低一つは笑いどころを入れようと決めていたもので、それをこなすのがとにかく大変でした。あまりに大変で精神的に疲れてしまって、ものすごく消耗することになっちゃったんです。それで、もう少し続ける話もいただいていたのですが、本当に疲れていたので、あそこで終わらせてもらいました。

――一ページか見開きに最低一つは笑いどころを入れるというのは挑戦の気持ちで？

いえ、ギャグ漫画として描くならそれくらいが義務だろうと自分に課した感じです。なんとかそれはクリアしようと決めていたら、想定外に連載として続けることになってしまって、結

『ドントクライ、ガール♥』

果として私にとってものすごく疲れた作品になりました。

――『このマンガがすごい！ 2011』[*1]のオンナ編で、女性たちの本音を描いたオムニバスシリーズ『HER』が一位を、この作品が二位を獲得しますが、受賞の感想としてはいかがでしたか？

『HER』はともかく、これが……？と正直驚きました。今読み返すと自分でも「おい、倫理観！」と言いたくなるところはあるのですが、このときはちょっともうどうかしていたと思います。思い出せることも話せることも本当になくて申し訳ないくらい。コミックスが発売されたあとのことならとても思い出深いことがありまして、東日本大震災のあとに東北で行われたサイン会に被災された方が来てくださったんです。その方は当時避難所で過ごしているときにコンビニでこのコミックスを見かけて、もともと私のBL作品を読んでくださっていたそうなんですが、これは知らない作品だからと買ってくださったとのことで。それを避難所でお姉さんと一緒に笑いながら読んで、ものすごく助けられましたと言ってくれて、思わず泣きそうになりました。この話がそんな風に誰かの助けになるなんてまったく思いもよらないことだったので、余計にうれしかったですね。

解決しない寂しさや孤独

――同時収録されている「3322」は、夏休みを千代子と瑤子という大人の女性二人と過ごすことになる少女・哉子（かなこ）が描かれたものですが、表題作とは一変してシリアスな短編です。

これ、気に入っている話です。読切を描かなきゃいけないのにネームに詰まっていて、それで気分転換がてら親と一緒に出かけたときに浮かんだものなんです。なので、風景は山梨県の小淵沢のものです。結果的にはその後何度も描く私が好きなもの、考えていることをいろいろ擦っている話だと思うのですが、それを描けたのはおそらくこれが初めてだったと思います。

――父子家庭で暮らす哉子の母親へ馳せる思いや、友人たちとの関係、周囲の大人たちへの葛藤など、抱えきれないものを持て余している哉子の姿は『違国日記』の朝と重なるものがあります。

そうなんですよ。全然アプローチは違うのですが、要は自分が抱える寂しさや孤独は誰かによって解決してもらえるものではないという話です。

――タイトルは、作中にもエピソードとして登場する一つの文字を二つの数字で表すポケベル変換に由来するものですが、なぜポケベルを題材に？

「3322」

世代的には学生の頃にポケベルを持っている子がちらほらいたのですが、今ではもう失われた文明のようになっているのが面白いなと思って。

——ああ、なるほど。一種のディスコミュニケーションの象徴でもあるわけですね。

当時当たり前のように機能していたものが暗号化しているというのがいいなと思ったんです。それと、哉子が瑤子から借りたiPodでそれまで知らなかった音楽に触れたみたいに、大人から新しい世界への入り口を得る体験って子供にとっては未知との遭遇のような刺激があると思うんですね。今だったら音楽サブスクで知らない人が作ったプレイリストの曲と出会う感じかな。そういう刺激は描いたときの私からしたらもうノスタルジーを感じるものになっているのですが、それも盛り込みました。

『BUTTER!!!』

初めての長期連載

——社交ダンス部を舞台に高校生たちの成長を描く『BUTTER!!!』は、二〇一〇年から二〇一三年まで連載された、初の長期連載作品です。漫画賞の受賞作品で初めて掲載された媒体である『アフタヌーン』での執筆でしたね。

投稿して担当編集の方がついてくださってから、何度かネームを描いては直接持っていって打ち合わせをしたりしていたのですが、あるとき私の心が折れてしまったんです。というのも、担当さんは真剣にアドバイスしてくださるいい方ではあったのですが、わりとぶっきらぼうな話し方をする中年男性で、威圧感を感じてしまい……。当時まだ若かった私が普段接していた中年の男の人なんてバイト先の店長くらいでしたから、どう接していいかもよくわからなかったし。とにかくいつも怖くて仕方なくて、ついには「もう無理です」って泣いちゃったんです。それ以来、こちらからは連絡もせずという不義理をしていたのですが、私がBLでコミックスを出し始めたあとに編集部に新しく入った方が、私の作品を読んでくださっていたそうで、担当したいと名乗り出てくださったんですね。前の担当さんが新しい担当に会ってみないかと言ってくれたのもあって、じゃあお会いしてみようかなと。ちょうど同じ時期くらいに『FEEL YOUNG』（祥伝社）を編集するシュークリームの方からもご連絡をいただいていて、BLを描くテンションが落ちかけていた時期でもあったので自然と一般誌で描くほうへ気持ちがシフトしたところはあります。

――『アフタヌーン』では何作か読切を経てなどではなく、いきなり連載のかたちでしたがそれは何か意向があったのですか？

担当さんとお会いして話をしていたときに、「これまで短距離走ばかりしてきたから、長距離を走れる体に変えていきませんか？」と言ってくださったんです。それで長期連載を目指して打ち合わせを重ねて、企画を編集部のコンペに出すことになりました。

――それが『BUTTER!!!』。

はい。青春群像劇のようなものを読んでみたいとリクエストをいただいたので、それでダンスを題材にすることにしました。

――なぜダンスを選んだのですか？

どんなジャンルのダンスでも見るのが好きなので、ある程度興味を持って描けそうだと思ったからですね。もともとジャンルものにはあまり食指が動かない性質なので、主軸はダンスではなく登場人物たちの思春期の話になると思っていました。

――ダンスの中でも社交ダンスにしたのはなぜですか？

社交ダンスは体が密着するからです。思春期に体が密着したらドキドキしちゃって大変なことになりますからね。協力したり距離を詰めたりしないとできなかったり、邪心が芽生えたりするのがいいなと思って。それで、学校の部活動としてありえて、下手でも出場できる大会があってなど、いろいろと考えた結果、社交ダンス部がいいなとなりました。

『BUTTER!!!』

――打ち合わせ段階で難航することはありませんでしたか？

そうですね。私はとりあ

えずネームを描いてみないことにはわからないところがあるので、まずネームを出してみて、リテイクをもらって何度も練り直して。

——最も指摘されたのはどんなことだったか覚えていますか？

大ゴマとかで見せ場を派手に作るということとテンポよくということだったと思います。

——そういったネーム作業をしているときに、物語の着地点のイメージはできあがっていたのですか？

具体的なエピソードまでは決めていませんでしたが、感情の着地点のようなものは見えていました。一年間の話で終わろうとは思っていて、先輩が卒業して一年生たちが自分たちだけでやらなきゃいけなくなって、主人公の端場（はば）くんが初恋だったかもしれないものの終わりを悟るみたいに、何かが終わると同時に何かが始まる瞬間を描きたかったんです。

集団活動のしんどさ

——それを描き切るにあたって、執筆時に何か意識していたことはありますか？

社交ダンスは密着するとさっきお話ししたのですが、この話では高校生のキャラクターたちを性的な眼差しで見られることのないように本当に気をつけました。キャラクターの一人に胸が大きい子（柘（つげ））がいるのですが、それでもそれを性的に見ない、見させないように意識していました。なので、高校生のキャラクターにはほぼ色気がなく、大人のキャラクターには色気が感じられるように心がけました。

——それは感じました。特に一年生の子たちのダンスは、肉体的接触があっても色気があるというよりは組体操的な感じで、湿度がないというか……。

そうなんです。キャラクターの性格的にも一年生たちはみんな、触れ合って踊っているときも遠慮がちだし、ずっとお互いをくん付けやさん付けで呼び合うちょっと大人しい子たちなので、遠慮し合う距離感で描いていました。例外は、上級生が二人で踊るシーン（＃28）でしょうか。あの場面ではときめいてもらいたいという気持ちのほうが強かったように思います。

『BUTTER!!!』

――上級生二人の関係は甘酸っぱかったです。

そういう甘酸っぱさを恋愛的なものに限らず、友情でもたくさん描けた気がするので、楽しかったです。

――演劇部に所属していたとお聞きしましたが、ご自身の部活での経験なども活かされているのですか？

私も部活は楽しくやっていましたが、協調性がなかったもので衝突したりもしました。なので、集団のしんどさみたいなものをむしろ描こうとしていたところはあったかもしれません。部活は楽しいけれど、楽しいだけではないよねと。私は役者になってもいいと思っていたくらい演劇が好きで、自分で脚本を書いたりもしていましたが、いざそれを演出しようとしてもほかの部員たちに私の思う通りには動いてもらえなくて、周囲と衝突もするし、やりたいこととやれることは違うということを痛感しました。それもあってこの話は、何もかもみんなでやることがいいことではないという考え方をする人間が描いた部活ものという感じがするんじゃないでしょうか。その分、いろいろなキャラクターを面白く描けた気もしています。自分が部活をしていたときは、自分ほどはやる気がない人がいたり、自分よりもやる気がありすぎる人がいたり、そういう凸凹があることにストレスを感じていたこともありましたが、今思えばそれも社会の面白さなんですよね。

──その凸凹が才能の差に限ったこととしてでなく描かれているのが、残酷でもあり、愛おしさに繋がったりもしたり、青春ものだなと感じました。

『違国日記』の朝もそうですが、私は普通の人、物語のその後も特別な人生を歩まない人が好きなんです。特に青春ものだとそれが強くて、たとえば部活で華やかな成績を収めたりはしないけれど、仲間のことを精一杯応援したことがのちのその人にとってすごく大事になったりする。そういう普通の人の、そのときだけすごく普通じゃなかった瞬間みたいなものを愛おしく感じます。大成はしないし、それなりにいいことも悪いこともあって、最終的にはたぶん幸せだったであろう人の人生の一幕を描きたい気持ちが強いんだと思います。

平凡であること

――この作品の大きな特徴としてモノローグがほぼ使われていないことがあると思うのですが、使わないと決めた理由はなんだったのでしょうか。

一つは、私のモノローグのルーツが少女漫画にあるからですね。青年誌に描くにあたって、ちょっと水が合わないかなと思ったのと、もう一つ、この話は群像劇なので視点を混乱させたくなかったのが大きいです。まあ、作品の雰囲気的にもセンチメンタルなシーンもさほどなく、私がよく入れたくなるモノローグがそんなに必要な感じではないし、会話で進めていこうと最初から決めていました。なのでセリフがめちゃくちゃ多いんですが（笑）。

『BUTTER!!!』

――ラストではモノローグを入れることも決めていたのですか？

はい。ラストだけ、しかも全然ポエティックでないものを入れようと思っていました。

――端場くんらしいモノローグでした。

そうなんです。そこで、この物語の主人公はずっと端場だったよということを見せたくて。

――なるほど。

最初に夏という女の子から物語が始まるから彼女が主人公だと思って読む人も多いと思うのですが、本当の主人公は端場で、彼がちょっと大人になりかける話なんです。

――モノローグがほぼないからか、キャラクターの表情や言動による感情表現というか、情報量がわかりやすく多かった印象があります。これも意識していたことですか？

そうですね。私なりに派手な演出をしようと思って描いていましたし、一〇代の子たちなので感情が素直に出る演出をしています。キャラクターの表情はどの子も楽しく描きました。

――主人公と思われがちな夏に関してはいかがですか？

夏は私の中では朝と同じような〝最大公約数〟みたいなポジションの子でした。なのですごく平凡ではあるのですが、その平凡ということ自体が主人公タイプだと私は思うんですね。卓越した能力はないけれど平均点はそこそこクリアしていけるような凹凸が少ないタイプで、語弊があるかもしれませんが、愛されることにも嫌われることにもそれが過剰にはならない。夏も朝も、このあとも本当に平凡な人生を送ると思います。でもそれこそが大事であり、主人公の人生とはそういうものだと思っています。

――「私、もうちょっと何かあってよくない？」と思いながら。

そうそう。たぶん一生そう思い続けます。でも、みんながやれているようで実はそうではない得難い経験をあなたはだいたいたい網羅できているんだよ、という感じ。平凡が悪いことではないんです。

悩みや気持ちの矮小化

――ダンス部の六人に限らず、端場をずっといじめていた村谷や、ダンス部の一人で高身長にコンプレックスがあった柘に気があるあまり言葉の暴力を浴びせていた秦(はた)などさまざまな高校生が登場します。一〇代の彼らを描くにあたって特に意識したことはありますか？

まだ若いということで、大人たちよりは言い合ったり、変にその場を丸く収めたりはしない感じで率直に描こうとは思いましたが、あえて差をつけるとかはなかったかもしれないです。ただたとえば、家族が嫌いという気持ちに「家族なんだから」と言われたり、胸が大きいという悩みに「えー、いいじゃん」とか言われてしまったりする。そういうその人が抱える悩みや気持ちを矮小化したり無視したりされがちなことを描きたい気持ちが私にはあるので、そういうことを描けるキャラクターとして高校生の子たちのキャラを考えていったところはあります。大人になってもそういったことはありますが、子供のときのほうが顕著だったりするし、一〇代の子たちのほうが率直な物言いをすることが多いと思ったので。柘の「死ねば　チビ」とかもそうですね。柘が秦にあの言葉をぶつけたことを描いた回（#11）は、アンケートの結果は悪かったらしいのですが女性読者からは本当に好評だったんです。なので、男性読者に本当に不評だったということなんですが、それでちょっとがっかりしたところはあります。届かないかーと思って。

――秦の言動を相手のことが好きでちょっとからかっただけじゃん、可愛い恋心じゃん、くらいに思っていた人は、相手から刃が飛んでくるとは思わなくてショックを受けたのかもしれませんね。もしくは「死ね」という強い言葉に拒否感を覚えたか。

秦にも可愛いところはあると思いますが、秦は許されない言動をしたので秦の恋は報われないし、この先も彼は同じことを繰り返していくのかもしれないし、もう二度とそういう態度を取らないよう気を付けるかもしれない。それはわかりません。

――ちなみに、描いていて特に楽しかったキャラクターはいますか？

それは二宮と高岡ですね。

――二年生コンビ。

はい。彼らが出場した大会のエピソードは山場として描きたいと思っていた場面でしたし、何より一〇代の恋、すごく初々しくて誠実で可愛くて、もしかしたら死ぬまで続くかもしれないキラキラした恋を描いてみたかったので、二人でそれが描けた気がして。

どうしても大人が出てきちゃう

『BUTTER!!!』

——この作品は高校生たちがメインで、彼らの物語でもあるのですが、子供だけの世界として描かれていないというか、大人もちゃんと登場しますよね。

自分の学校の先生たちを私が好きだったというのは大きいかもしれませんね。基本的には放任なんだけど、釘を刺すときは刺してくれる感じがすごく好きで。それもあって、子供たちのために作られている作品だとわかっていても、子供たちだけで完結してしまっている物語を見ると「危なーーい!!」って思ってしまうんです。とにかく私は危険が嫌いなもので（笑）、子供たちだけで危険なことをするんじゃない！って心配になっちゃう。子供の世界に冒険は付きものと言われても「大人は何をしているんだ！」と思うので、私が描くときはどうしても大人は出てきちゃうと思います。

『BUTTER!!!』

——社会に大人がいる以上、大人を排除はできないと。

できないです。子供がいくら「これは私たちだけの世界」と言い張っても、居住地があって、その居住地の良し悪しはともかく、そこがある社会は大人が作ったものである以上、子供だけの世界にはなり得ないよと。大人が実在しない世界として描くなら別ですけどね。

——『BUTTER!!!』は全六巻に及ぶ長期連載になりましたが、巻数表示がついた作品は初めてでしたよね。

はい。長かった分、大変ではあったのですが、キャラクターにもそれなりに愛着が湧いて、今読み返してもあの頃の自分が楽しくこの話を描いているのがわかります。キャラクターを好きだと思いながら描けたのがすごくよかったなと思います。

――連載中に入院されて休載されたこともありました。

あ、そうですね。仕事って休めるんだなーって思いました（笑）。入院自体が急遽という感じでアクシデントに近かったので、病院で各担当さんに連絡を取ったら、みなさんなんの逡巡もなく「必要なだけ休んでください」って。私の認識がおかしかったのですが、私は休めない前提で相談していたものですから、本当にびっくりしました。

――それで休めないってどんな過酷な労働環境なんですか。

強いられたことはなかったんですが、勝手にそう思い込んでいたんですよね（笑）。それで最初に検査入院をして家に帰ってきたときに、東日本大震災があったんです。

――退院した日にですか？

そうです。幸い、肉体的には怪我を負うようなことはなかったのですが、メンタル的には打撃を受けた部分があって、お休みをもらっていて本当によかったと思いました。そのときに描く内容にきっと少なからず影響が及ばずにはいられなかったと思うので。実際、当時恵贈いただいていた女性誌で、地震について描いていらっしゃる方が少なからずいました。私は漫画を描くことから離れていて、いい意味でクールダウンできたというか。本当にたまたま休みと重なったというだけなんですけどね。

――この作品を立ち上げるときに、担当さんから「長距離を走れる体に」というお話があったとのことでしたが、完結まで描き終えてその実感は得られましたか？

どうでしょう。一話ごとに山場を作ってオチや引きを作って、それを毎回続けていくという実戦を重ねられたのは確かです。これを描きつつ、短編もたくさん描いていたので、勉強の幅が広がったというか、まあ何を描いても得ることはあると思うので。でも、長距離を走り切ったなという実感はあります。

『サタニック・スイート』

オリジナル作品描きたての頃

――では次に二〇一二年に刊行された『サタニック・スイート』の話をお聞きしたいのですが、収録された全六作のうち四作は投稿作で、そのうち三作品は雑誌未発表作という異色の作品集です。残り三作はいずれも『アフタヌーン』に掲載されたものですね。「edge of her」と「イナズマ」の二作を一緒に投稿されたのだとか。

そうです。オリジナル作品を描きたての頃ですね。「edge of her」の前にこれの雛形みたいなネームを描き上げていたのですが、おそらくそれが生まれて初めて終わりまで描いたオリジナル作品だと思います。

――それまではネタを思いついても描き切ることができなかったわけですものね。

そうなんです。「edge of her」の冒頭一ページなんかは、高校生のときに考えて完成させられなかったものから、構図含めて全部持ってきていますね。

——自分の頭の中にあるものをなんとか出せるようになったというわけですね。夏休みの間、叔父の家に預けられる少女を描いた「edge of her」ですが、作中に挟まれる主人公の日記によって時間経過や状況の変化が補足されています。

シーンの羅列みたいなもので変化を見せるのがいまだに好きなんですが、天気とか服とかの変化で見せるには、この話は夏休みの間の話なので難しいのもあって、明確に時間が経って場面が切り替わったことを見せる意味も兼ねて、日付ありの日記を入れている気がします。

——この作品のエッセンスは、その後「3322」にも活かされているように思います。

その後もあまり変わらず、好きなものを詰め込んで、描きたいことを擦りながら描いているということですね（笑）。「イナズマ」がわかりやすくて、やせ型のインテリっぽいヤクザとか、

「edge of her」

堂々とした態度でツンとしている女子高生やウジウジしている男の子のキャラだったりとか、主人公不在の話だったり、もうこれでもかとばかりに好きなものだらけで描いています。

――「イナズマ」では怪我により選手としての未来を絶たれた高校生男子が物語の主役的立場ですが、電話の声で登場する以外は回想シーンや誰かの語りの中でしか出てきませんね。そういった主人公不在の形式も、その後のいろいろな作品で見られます。

周辺から語られたことが正確かどうかはわからず、こちらから見たものと別の角度から見たものではまた見え方が違ったりする、なんていうか「藪の中」[*2]のようなものが形式美として好きなんですよ。何が本当かは結局わからない感じが読み手としても好きで、描いていても楽しいんです。

家族を愛さない父親

――なるほど。父親に捨てられた少女が、特殊技能を持っていたことで借金取りの会社で働くことになる「サタニック・スイート」は、愛着があって強く固執したネタだそうですね。

そうなんです。最初のものはいろいろとネームを見てもらっていた時期に描いたもので、担当さんが変わってからそれを手直ししてみないかとご提案いただいて描き直したのですが、結局お蔵入りになりましてちょっと悔しかったんです。それを再度リメイクしたのが収録されている「サタニック・スイート」です。

――最初に描き上げたネームも次に手直ししてお蔵入りになったものも『ヤマシタトモコのおまけ本』に収録され

ていますが、主人公の父親の描写の分量が違いますね。

そうですね。特にお蔵入りになったものではその父親のことを掘り下げていたので、余計に残念でした。家族を愛さない父親というのは『さんかく窓の外側は夜』にも繋がるのですが、私が何回も擦っている要素なので。

——クリエーターの初期の作品には、そのクリエーターを形作るものが本当にいろいろ詰まっているとあらためて思います。

自分の中にあるものを調節できずに、ほぼほぼ強火で出しちゃうからなんですかね（笑）。衝動的に描きたいものを描いているからじゃないかなと思います。

——主人公が持つ特殊技能は魔法にたとえられますが、意志の力がものをいう印象で呪いに近いなと思いました。

あの作品での魔法はその通り意志の力で、能力を持っている人が強く願えばいい方向でも悪い方向でもやりたいことができると考えていました。

——この話では窮地に追い込まれた主人公が殺意を持って魔法を使おうとしますが、主人公を雇うことになるヤク

「サタニック・スイート」

ザがその行動は制しても、そうするに至った主人公の心情を否定することなく接しているのが印象的でした。

殺意を抱くこと自体は否定したくないというか。「人にそんなことを言っちゃダメ」と言われることがありますが、その気持ちがあるというそのことをないものにはできないでしょ、という思いが自分の中にあるからですかね。人を殺しちゃダメなのはわかる。でもその気持ちを持つことを微塵も許されないとしたら、それはなんでなんだろうって。この「なんで」が私にとっては厄介なところがあって、自分が理由を見つけられない行動をすることはものすごく自分に負荷がかかるんです。自分が意味がないと思うことはやりたくないし、やらなきゃいけなくなったらものすごく苦痛です。そのあたりを処しきるのが本当に難しい。できないことによっては、その理由を人に説明しても、常識がないとか情がないとか、だからダメなんだとか言われることがありますから。今は大人になって、昔ほどやりたくないことをやらなくて済むようになりましたが、それでも居場所がないなと感じるときはあります。もっと感じている人がいるだろうと思うので、漫画を描くときに気持ちは否定したくないと思っているのかもしれません。

男性が弱さを受け入れるとき

――人でないものの姿が見える男性が主人公の「ねこぜの夜明け前」は、二〇〇五年夏・四季賞受賞作で、ＢＬ誌以外で初めて掲載された作品ですね。

これは当時たくさん持っていっていたネームの一つで、急に「これを描いてみようか」と言われたように思います。弱い男性が好きなので、この主人公になったのかな？　「イナズマ」もですが弱い男性がその弱さを受け入れる話です。ただこの頃は、描きたいものと描けるものが一致していないし、客観視が足りていないですね。掲載時期はずいぶん違うんですが、一緒に収録されている「ビューティフルムービー」も「ねこぜの夜明け前」と一緒で、「描いてみようか」と言われてネームから原稿にしたやつですね。

——映画館に勤める女性が彼氏の浮気相手から彼氏を「ください」と言われる話ですね。

これ、当時のバイト先の先輩の実話なんです。

——映画館でバイトをしていたときの？

そうです。浮気相手から土下座されて「ください」とか言われたけれど、マジやってらんないよねって話をバイトの先輩から聞いて、それ漫画にしてもいいですかって許可をもらってネ

「ねこぜの夜明け前」

ームを作りました（笑）。

――そんなエピソードがあったとは思いもしませんでした。心象風景の描写が印象的な「ＭＵＤ」は塾の講師の性癖を知った女生徒と講師の関係を描いた一作ですが、これにも何か予想外のエピソードがあったりして？

ないです（笑）。「ＭＵＤ」は主人公の女の子の顔を描くのが楽しかったのと、演出も構成もすごく実験的に描けたので、全編通して楽しかったなという思い出しかないですね。これもある種の女神として見ているのかもしれないんですが、この話の主人公みたいなちょっと超越した女の子がとても好きなんです。「あたしの名前覚えておいでです？」なんて普通に話せる一〇代の女の子がいたらいいなって。しかも獰猛な性格だったらなおのことい い。

――シャーペンで射抜かれた先生の頭が破裂したり、下駄箱がドミノのように倒れていったり、ときめきのあまり心臓が外に飛び出したりといった表現が印象的です。

想像が現実を侵食してくる感じが好きで、それまではそういうものをあまり描いたことがなかったので、描いていて面白かったです。残酷な表現を綺麗に見せられたらいいなというのもあるんですが、それを連載通してずっとやるのは作画の体力的につら

「MUD」

いので、読切ならではのこととして自分で楽しめた感じでした。

『ひばりの朝』

主体性のない無自覚な暴力

——一話ごとに語り手を変えながら、手島日波里という一人の少女が置かれていた状況を浮かび上がらせていく『ひばりの朝』は、二〇一一年から二〇一三年に『FEEL YOUNG』で連載された作品です。これも主人公不在の物語ですね。

当時すでにネットリンチのようなものが行われていたり、クリエーターや作品に〝オワコン〟というようなレッテルを安易に張り付けたりしているのを見ていて、すごく腹立たしかったんです。遠いところから自分を集団だとみなしていない人たちによる集団の暴力みたいなことだとかにいろいろ思うことがあって、それで、直接的に何もしなくても人は死ぬということを主人公不在の話として描きたいなと思ったように記憶しています。これが不愉快な話だということは重々承知のうえで、でも漫画として面白いものを描くということはブレさせることなく描こうと思っていました。

——この作品は、日波里と同じ一〇代の子たちの物語である『BUTTER!!!』と同時期に連載されていましたが、『BUTTER!!!』では登場人物たちが性的な眼差しに晒されないよう意識していたとお話されていました。一方、この作品で不在の主人公・日波里は性的な視線に晒され続けた少女です。あえてこちらでは、という気持ちもあったのでしょうか。

対比のように描くつもりはありませんでした。フィクションで一〇代の子が登場する性的な描写のある作品も正直嫌いではありませんし、自分の中にはフィクションでもこれはダメでしょうと読むうえでのラインがあったりもするのですが、それはなんでなんだろうと考えていて。それでさっきお話ししたような話を描こうと思ったときに、痴漢とかそういう被害は現実に身

『ひばりの朝』

の回りであったし、ほかにも現実にあるであろう嫌なことを描いてみようかなと。子供を主人公にしたのは、大人でも深刻なことですから、子供にはより深刻だし、よりあってはならないこととして、そして大人よりもさらに逃げ場のない存在として子供がそんな状況から脱出するまでの話を描きたいと思ったからです。

――そういった話を主人公不在のかたちで描こうと思ったのはなぜで

しょうか。

学校や家の中において日波里の身に起きていた、加害者に主体性のないリンチみたいなことは、ある意味すごく被害者の存在が希薄だと思ったんです。加害している側も被害者のことをきちんと見ていないからそういうことが起きるのではと。自分と同じ〝人〟だと思っていたら、自分と同じような存在だと思っていたら、そんなことはできないわけだから。暴力を向けられる側が向ける人にとってどこまでも不在な感じだとか、その空虚さみたいなものが描きたいと思って。私は性悪説の人間ではないのですが、でも自分が誰かを傷つけうる、醜悪な行動を取りうる可能性は十二分にあると自覚していないと危険だと思っていまして、それもあって自分のことを無根拠に善人だと思っていたり、無自覚なままそう思っている、そう信じ込んでいる人が一番タチが悪いと思っているところがあるんです。その危うさを描きたいというのもありました。なので、日波里が主人公ではあるのですが、その周辺を描いていきたくて、自然と主人公不在のかたちとして考えました。

——これ、まだ創作ノートを作っていない時期の作品ですよね？

そうです。まだノートという文明の利器を知らない原始人時代ですね（笑）。

——頭の中でこの物語をすべて組み立てていたと思うと感嘆の声しか出ないのですが。

いや、でも各話に一人ずつを描いていくというかたちだったので、全体的にそんなに凝った構成ではありませんでしたし、何よりまだ記憶力がよかったから頭の中にあるものを描いていく感じでやれていましたね。

家族神話に握り潰されないように

――各話一人ずつ視点を変えて描かれていますが、それぞれの話を横断するように登場人物によっては別の視点にも関わってきます。そういったかたちで描くにあたって、特に描いていて面白かったり、描きがいのあったキャラクターがいたりしますか？

『ひばりの朝』

日波里のクラスメイトである安倍美知花は描いていて楽しい、描きがいのある子でした。読んでいた人の多くは彼女のことが嫌いだろうなとは思うのですが。この子もある意味、大人の思惑のようなものに巻き込まれて、そこに順応しなくちゃと思って生きている子なので、私はすごく彼女を気の毒に思って描いていたんです。

――彼女が一〇年後の自分に向けて書いた手紙では未来に希望なんか持っていませんでしたしね（talk.12）。

実は彼女が一番絶望して生きているように思います。それなりに頭がいいから達観していて、惰性で生きていけてしまえる。自分が死ねばみんな喜ぶんだろうなと考えるし、死んで復讐したいとも思っている。日波里は気が弱いところがあるので、死ぬことを突き詰めて考えられないけれど、美知花は気が強いのでそれができてしまう。そういうことを思いながら生きているから、絶望的なんですよね。もちろん彼女が他者を虐げているのは絶対ダメなんですけど。

——日波里を取り巻くピースを揃えるのは大変でしたか？

いえ、いろいろな種類の悪意や傍観を描こうと思って考えたら自然と。この話は作中で起こる不幸のレンジを広めに取っているので、考えるのはそれほど難しいことではありませんでした。それに、キャラクターの悪い行動の動機付けって容易なんですよ。現実でもいいことをするためには動機付けや胆力が本当に必要だけれど、悪意のあることって考えなしにできたりしますから。卒業式の日のシーン（final talk）とか、集団の中で誰か傷ついていた人がいても「みんな最高だったね」と言えてしまう。自覚なく無視する最悪な行動だったりするわけで、そういうそこかしこで起こっていることを想像するのは簡単でした。

『ひばりの朝』

――ああ、なるほど。無自覚に悪いことはしていないと思っているから、それの何が最悪な行動なのか、その人は気づかなかったりしますね。

この作品の感想で、日波里の父親は本当にそんなつもりはなくて心配しているだけ、みたいなものを目にしたことがあって、愕然としたことがあったんです。家族神話のようなものに握り潰されていることが本当に山ほどあるんだろうなと痛感しました。家族というものに素晴らしいシチュエーションがあるのはわかるし、そういうものを自分だって体験はしてきたけれど、だからといって自分が知らない人たちの家族というものを無根拠に信じることはしたくないし、そういう話は描きたくないとあらためて思いました。家族だからという言葉と、そのあとに続く言葉を何も知らず直結はできない。そんなことをしたら、家族という繋がりの中でひどい目に遭っている人のことを無視することになってしまう。その怒りはずっとあったけれど、この話を描いて余計に気持ちが強くなった気がします。鈍くならないよう自戒を込めて描いたのかもしれないです。

――読者の反応もさまざまでしたか？

そうですね。悪いことのレンジが広い分、嫌なこともたくさん描かれていると思うのですが、不思議とこの話をすごく好きだと言ってくださる方が多いのが意外でした。何度かいろいろなところでお話ししていることなんですが、サイン会のときに若い女性が泣きながら「これを描いてくださってありがとうございました」と言ってくれて、届くべき人に届けられた実感があって、ああ本当に描いてよかったと思いました。たとえその方だけがそう思ってくれたのだとしても、そんな風にこの作品を受け止めてくださった方がいるだけで、これは成功したと思いました。

吹き出しの演劇性

——この作品は顔を隠すように吹き出しが置かれたり、思考が連続するように吹き出しが繋がっていたりする画面がとても新鮮でした。

このあたりからそういう風に吹き出しを置くことを始めた気がします。自分の頭の中で思考が浮かび続けて絡められていくのが断続的に続くことがあるのですが、それを上手く吹き出しを繋げることでリズムよく表現できた気がして気に入っています。

——それと、日波里の吹き出しがわりとカクカクして自信がなさげなのに、モノローグはソリッドな印象だったりして、それもとても印象的でした。この作品に限らず、吹き出しの形や位置にもこだわりを持って描かれているのが感じられるのですが。

吹き出しの形って演劇的なところがあるというか、声音を表現できるように思うんです。たとえば輪郭をふにゃふにゃにして弱々しい声音を伝えることができると思うし、そんな風に声

『ひばりの朝』

音やテンポ、雰囲気も表現できると思っているので吹き出しはとても便利だなと思っています。吹き出しで文字を途中から隠してほしいとか、やりたいことがあるときは担当さんにお願いしてなんとかしてもらったり。

――なるほど、そこに注目して読み返すのも面白そうです。最終回（final talk）は真っ黒なベタの上に載せられた日波里のモノローグが印象的だったのですが、逃げ出すまで描くというのは最初から決めていたとお話しされていましたね。

はい。逃げ出して、彼女が自由になるまで描くと決めていました。私は彼女が誰にも言わずに一人で計画を立てて、耐えて耐えて計画通りに逃げ出すという話として描いたのですが、彼女が自殺したと思う人が結構多くて、悲観的に読まれてしまったんだなと、もう少し演出をどうにかできたかなとか考えたんですけど、たぶんあれ以外はできないんですよね。おそらく日波里はどこかの駅のロッカーに預けておいた荷物を取り出して、そのままどこかに行っています。最終回を読んだ友人が、このあと車で通りがかって好きなところまで送ってあげたいと言ってくれてグッときたんですよね。私は、いつでも生きることが一番大変だけど、生きてこそと思ってどの物語も描いているので、この作品も逃げ延びろよという気持ちで最後まで描きました。

『運命の女の子』

超越としてのサイコパス

――『運命の女の子』はいずれも二〇一四年に青年誌に発表された読切三作が収録された作品集です。タイトル通りどれも女の子が主人公ですね。

どの話でも〝運命の女の子〟を描いたので、どれか一つを表題作にするんじゃなくて、作品集としてのタイトルをつけましょうと提案させていただいてつけたんですが、最初に収録されている「無敵」という作品のタイトルが「運命の女の子」だと思っている方が少なくなくて、なんでだと。

――それだけ「無敵」の主人公である少女の印象が強いということかもしれません。

でもあの話のタイトルは「無敵」で、そして私はこのタイトルをとても気に入ってます。ちなみに「無敵」の主人公の女の子のモデルは某音楽ユニットの子です。

――「無敵」は連続殺人事件の被疑者である少女と彼女と対峙し事件のあらましを聞く女性刑事の会話から成る作品です。これはこの主人公のような女の子を描きたいという気持ちがまずあったのでしょうか?

そうですね。私はどんなかたちであれ超越した女の子が好きなので、ここではサイコパスの女の子が描きたいなと思って。

――超越の一つのかたちとしてのサイコパス。

はい。私は現実での暴力や殺人をもちろん絶対認めてはいませんが、フィクション上ならいいだろう……いいだろうというのも何かちょっと言い方がそぐわない気がしますが、エネルギッシュな行為だと思っているので描くのが楽しいんです。そして超越している女の子が好きで描いただけなので、特別に深い意味も持たせていないし、普通にサスペンスやホラーとして楽しんでもらえればと思います。主人公の彼女がよくない環境にいたことは確かですが、それは彼女の特性とは関係なくて、彼女はなりたい自分になっただけというサイコホラーです。

「無敵」

――彼女が本当に殺人を犯したかどうかは実はわからないですよね。殺害のシーンも回想なのか刑事の想像なのか、明示はされていません。

これも「藪の中」ですね。本当のことなのかどうかわかならい主観と客観が交錯する感じとか、現実と空想が入り乱れているようで楽しく描きました。

――主人公の少女が持つ空気がちょっと異様で、でもきっと学校では綺麗な女子生徒として認識されているのだろうなとか、そのギャップにも感覚が曖昧になるような眩暈を感じそうでした。

綺麗な主人公の子がひどい状況にいることとか、殺人の才能があることとかは、確かにギャップ萌えとして描いている感覚もありましたね。ほかの人から見て、綺麗だな、素敵だなと思われる人が想像もできないものをたくさん抱えているシチュエーションがすごく好きなんですよ。

――取り調べを受けている中で、少女が「……わたしみたいな子供に　女に　そんなに難しい　残酷で　怖いことが　……できるわけがないじゃないですか」と言うシーンがありますが、ここが後ろ姿なのがいいなと思いました。次のシーンでは顔は見えますが、この言葉を口にしている彼女がどんな表情なのかはわからない。

世間からはそういうバイアスをかけられて生きているわけなんですが、でも彼女は抑圧は感じていないんですよ。本当はなんでもできることを知っているから逆手に取っている。

――無敵だから。

そうなんです。自分が無敵であることを知っているから、バイアスの意味がない。そういうキャラクターを描けたのは本当に楽しかったです。

才能の美しさと残酷さ

――高校で同じ英語劇部に所属した三人を描いた「きみはスター」は、「星は落ちてこないから星なのだ　と」という冒頭にあるモノローグが終盤で意味を変えて再び使われるのが印象的でした。スターという存在にどんなイメージを持っていますか？

本人の意思に関係なく、いるだけでみんなが見ちゃう人とかかな。その〝見る〟にも良し悪しがあって、非凡なエネルギーがあるために学校とか狭い世界では異端視されちゃう人もいると思うんですね。そういう人は大人になって違うフィールドに立ったら輝き出したりする。もちろん、一〇代の頃にそのスター性が終わる人もいますし、タイミングが合わなかったり、フィールドを見つけられずに才能が花開かないこともあると思うんですけどね。あるべきものがあるべき場所にあって花開いている様子を見るのはすごく好きです。同時に、持って生まれたものに支配されるということの虚しさが美しいと思うこともあれば、それに抗おうとすることも美しいと思う。才能の残酷さのようなものも好きですね。

「きみはスター」

——才能とはなんだと思います?

なんだろう。あったらいいなと思うものでしょうか。才能というものがある人に憧れがあるので。何も華々しいものだけが才能ではないと思うんですよ。私はものすごく自分本位な人間なので、編集者だとかマネージャーだとか誰かを補佐する仕事はできないし、それができるのは才能だと思っています。同じように事務作業が本当に苦手でできないので経理ができる人はすごい才能の持ち主だと本当に思っています。自分が会社勤めできない性質なことにものすごいコンプレックスがあるから、毎日ちゃんと会社に行っている人をすごいと思うし、「ただの会社員だから」なんて卑下しないでほしいと本気で思っています。

――卒業式のシーンから始まるので、いずれ卒業が待っているとわかっていることもありますが、将来の夢をそれぞれが発表するシーンなど、未来への旅立ちとそれぞれに思う通りの未来が待っているわけではない切なさのようなものがあって一抹の寂しさを感じました。

　卒業式のあとに将来の夢を発表するというのは実際にあったことなんです。卒業式を終えたあとに同級生一〇人くらいだったかで焼き肉屋に行ったときに、一人ずつ進路と将来の夢を言っていったんですよ。その中で口にした職業に就いたのは、私と私がよくつるんでいた友人だけで、今は友人もその職を辞めてしまったので、あのとき発表したなりたい職業に就いているのは私だけで……それがすごく寂しかったんです。やりたかったことが変わった人も、やりたかったけど何かにその気持ちをへし折られた人もいたんだろうなと思うのですが、一八歳の頃にやりたかったことを叶えられたのが一人しかいない事実がものすごく寂しくて。そんな寂しかった気持ちを一心に詰め込んだのが、雪の道を歩く姿に誰かが言っていた将来の夢が流れるように書かれているシーンです。

意味なんてなくていい

――すべての人に何かしらの呪（スペル）が祝福のように与えられる世界で、呪を持たない希少な存在である少女を主人公に描かれる「不呪姫（のろわれずひめ）と檻の塔」ですが、これは三作の中で一番ボリュームがありますね。

　一〇〇ページくらいあるのかな。描いても描いても、「まだ描くことがある、まだ山場に辿り着かない」って、息切れしそうになりながらネームを描いていました。これは比喩じゃなくて、いくら描いてもこの話で積み重ねておかなきゃいけないことがあって、まだ描かなきゃ説明しておかなきゃってネームを描いているうちに、本当に酸素が足りなくなってきたんですよ。

——そのかいあってか、ものすごく読みごたえのあるファンタジーでした。

私の好きな日常が合わさっているファンタジーで、私が好きで何度もやっている〝トゥルーラブ　オールウェイズ　ファイナリーウィンズ〟をやっています（笑）。

「不呪姫と檻の塔」

——この作品について他のインタビューで「お伽話からの疎外感」と説明されていますね。

それこそ海外児童文学を読んでいた小さい頃から、お伽話というかフィクションからは疎外感を感じていました。それは、自分みたいなキャラクターがいないから。

——なるほど。主人公の女子高生と彼女を助けようとするクラスメイトの男子のコンビもよいのですが、いちおう敵役といっていいのか、呪を与えるスキルを持った男性が言う「生命に意味なんてないよ」というセリフが、ものすごい祝福の言葉だなと思いました。

あそこはすごく好きだと言ってくれる方が何人もいるのですが、その場面で描いたことを実は『違国日記』にも入れようと思って、でも具体的には入らなかったんですよ。何かができるとか、何かをするとか、そういうことに自分の価値を仮託しないでいいってことを描きたかったんですよね。あと、自分の苦しさに意味を持たせなくていいとか。

――呪の設定にもありますよね。克服すると一人前で、大変な呪ほど克服した人が大成すると。

苦しんだからには、と思う気持ちもわからなくはないんですけどね。この話もおとぎ話の形式を踏みつつ、描きたいことを描いたなー、楽しかったなーという感じです。

＊1　『このマンガがすごい！』……アンケートによるランキングを通して漫画を紹介する、宝島社が年に一度刊行するムック本。一九九六年に刊行された『別冊宝島257　このマンガがすごい！』が前身となっており、二〇〇五年より毎年刊行となる。ヤマシタは二〇一一年の『HER』と『ドントクライ、ガール♥』の一位、二位同時受賞のほか、『ミラーボール・フラッシング・マジック』が二〇一二年の九位、『ひばりの朝』が二〇一三年の四位、『違国日記』が二〇一九年の四位、二〇二〇年の一〇位、二〇二四年の五位に選ばれている（すべてオンナ編）。

＊2　「藪の中」……芥川龍之介が一九二二年に発表した短編小説。殺人と強姦という事件について、四人の目撃者と三人の当事者が証言していく様が描かれ、矛盾や錯綜により真実が不透明化していく。一九五〇年に製作された黒澤明監督の『羅生門』は本作を原作にしている。

第5章

女性を取り囲むもの

『Love,Hate,Love.』

『HER』

『ミラーボール・フラッシング・マジック』

『花井沢町公民館便り』

『WHITE NOTE PAD』

『Love,Hate,Love.』

無条件に優しい男は描けない

――バレエダンサーの道を諦めようとしている女性と、その隣人である中年の大学教授の恋が始まるまでを描いた『Love,Hate,Love.』は、二〇〇九年に『FEEL YOUNG』で連載されました。初の女性誌での連載作ですが、掲載誌は意識されました？

多少は。男女の恋愛で、私としてはめずらしく正面から恋愛を描こうと思って一生懸命描いたのですが、その分、読み返すと恥ずかしい思いがあります。

――その前年に同誌に読切「エボニー・オリーブ」を発表されています。この作品についてはのちほどあらためてお聞きできればと思いますが、それとはまた違った色のものをという意識はあったのでしょうか。

そうですね。「エボニー・オリーブ」には会社員の女性たちが登場するので、ちょっと違う職業の人を描きたいという気持ちはあったかと思います。それと、ちょうどその頃、近所のバレエ教室でヨガを習っていたもので、それでバレエ教室を描こうかなと思ったのもありますね。実際にバレリーナを諦めた先生がいたかどうかはわからないのですが、バレエ教室で先生をやっている人の人生はどういうものかを勝手に想像したりしていたので。

――主人公・貴和子の隣人である縫原は、五二歳の大学教授で二八歳の貴和子とは結構な年齢差がありますよね。

この頃、もともと恋愛感情のあるなしにかかわらず年齢差のある組み合わせが好きだったので、それの恋愛があるバージョンをやってみたという感じです（笑）。あとは、おそらくこれを描いていたときは上手く言語化できていなかったと思うのですが、対抗意識や攻撃性のない

『Love,Hate,Love.』

男性にしたいというところで、年上にしようと思ったんじゃないかな。優しい男の人と設定するには何か条件が必要だったんですよね。

――それで縫原のような枯れている印象のある男性になったわけですか。

そうです。無条件に優しい男の人を出すと、「こんな人いない」になってしまうし、いるとして描くなら何かしらのバックボーンが必要になる気がしたんですよ。たとえば『違国日記』の笠町も「こんな男はいない」とよく言われるんですが、いてほしいじゃないですか。でも出すには、笠町みたいに自分が一度打ちのめされているからとか、それなりに満たされていて劣等感を抱く必要がないからとか、裏付けがないと架空の存在すぎるかなと。あまり夢物語すぎないロマンスを描くときに、ただただ無条件

に優しい男性を説得力を持って描けるかといわれると、それはとても難しいことのように感じたんです。それが難しいと思ってしまうことがちょっと悲しいのですが。

――深く掘り下げる余地があればまた別だけど？

そうですね。ロマンスに主眼をおいて描こうとしているときにはそぐわないいんじゃないかとは思いました。とはいっても、この世にはそういう男性も実際にいるかもしれませんよ。ただ、私の周りにいる優しい人は、わりと本人が傷つきやすかったり、恋愛に興味がなかったり、ロマンスものの主人公の相手としては出しにくい感じの人ばかりだったので、モデルにはならなくて。

『Love,Hate,Love.』

――貴和子の兄は攻撃性を持った男性として描かれています。貴和子の同僚で幼馴染のような関係でもある男性・寿（ひさし）も自覚なく上から物を言ってしまうタイプでした。

貴和子の兄には、私の兄への恨みがにじみ出ていますね（笑）。抑圧された状態を望んでくる感じは、『違国日記』の実里に繋がっています。寿に関しては、ああいうことを言う人はいるよねと。「世界が狭い」と人に言うとは何様だ⁉と思いますが、ああいうタイプはどちらもロマンスの相手にはできないなと。

――縫原にときめいた人は少なくないと思いますよ。

そう言ってくださる人が多くてありがたいです。なんだかんだ言っても縫原も十分偶像キャラなんですが、そこはロマンスに振っているということで。

――意識的にダイヤルをロマンスに合わせてたということですよね？

はい。自分の中でめちゃくちゃロマンスにダイヤルを回しています。これと『恋の話がしたい』は本当に意識的にロマンスを注ぎ込むという感じで描いていたのですが、もうこんな風には描けないですね。体力が持たない（笑）。

恋愛礼賛的な風潮に馴染めない

――貴和子と縫原は隣り合ったベランダで会話を交わしますが、日常の中の非日常が感じられて、これから始まるロマンスへの期待が高まりました。ベランダというのがまたいいですね。

私は近所の人の気配を感じるのは結構苦手なんですが（笑）、ないだろうけれどありえそうな日常っぽいかなと。

――窓を開けたら隣の家の幼馴染と話せる、みたいな昔の少女漫画や少年漫画を思い出しました。

あれ、ドキドキしますよね。ただまあ、実際に見知らぬ男性とベランダで話すのって恐怖も感じると思うので、あそこは完全にラブファンタジーですね。ロマンスを描こうと思うとどうしたってファンタジーになるという例です。

——主人公である貴和子は、縫原に惹かれるまで恋愛にさほど関心のない女性として描かれています。恋愛への興味が希薄な女性を主人公にしようと思ったのはなぜですか?

世の中でどうして恋愛をしていることが当たり前のような空気が流れているのか疑問だったからです。恋愛をしていないと何か問題があるくらいの風潮じゃないですか。私自身、恋愛をしてみようとしても疲弊するだけだったうえに、恋愛礼賛的な世の中の空気に馴染めなくて、違和感を持て余していて。それで、男女のロマンスを描くなら恋愛に関心の薄い人を描きたいなと思ったんです。そもそも、恋愛をたくさんする人の仕組みがわからないというのも大きいんですよね。

——仕組みとは?

たとえば性行為って、相手が自分に危害を及ぼさないという信用がないと難しいじゃないですか。性行為しなくても、相手が自分を嘲笑しないとかをどうやって信用するのか、わからない。恋愛をたくさんする人はどうしてそんなに人を何度もたくさん信用することができるのか、その仕組みです。誰もちゃんとは説明してくれなくて、納得ができないから不思議なままです。ロマンスは話としては好きだし、自分でも描くけれど、なんで恋愛するのが当たり前になっているのかがどうしてもわからないんですよね。私がそう思うように、多数派にはいられない人もいると思うし、恋愛に関してだけじゃなくて、ありとあらゆることにおいて、なるべくいろいろな人を描きたいという思いはあります。モブやメインキャラクター問わず、人種や体形、性的指向やその他もろもろ含めて。

好き、嫌い、好き

——タイトルに"Hate"が入っているのも印象的ですね。作中、さまざまなものが好きと嫌いで羅列されたモノローグも登場します。

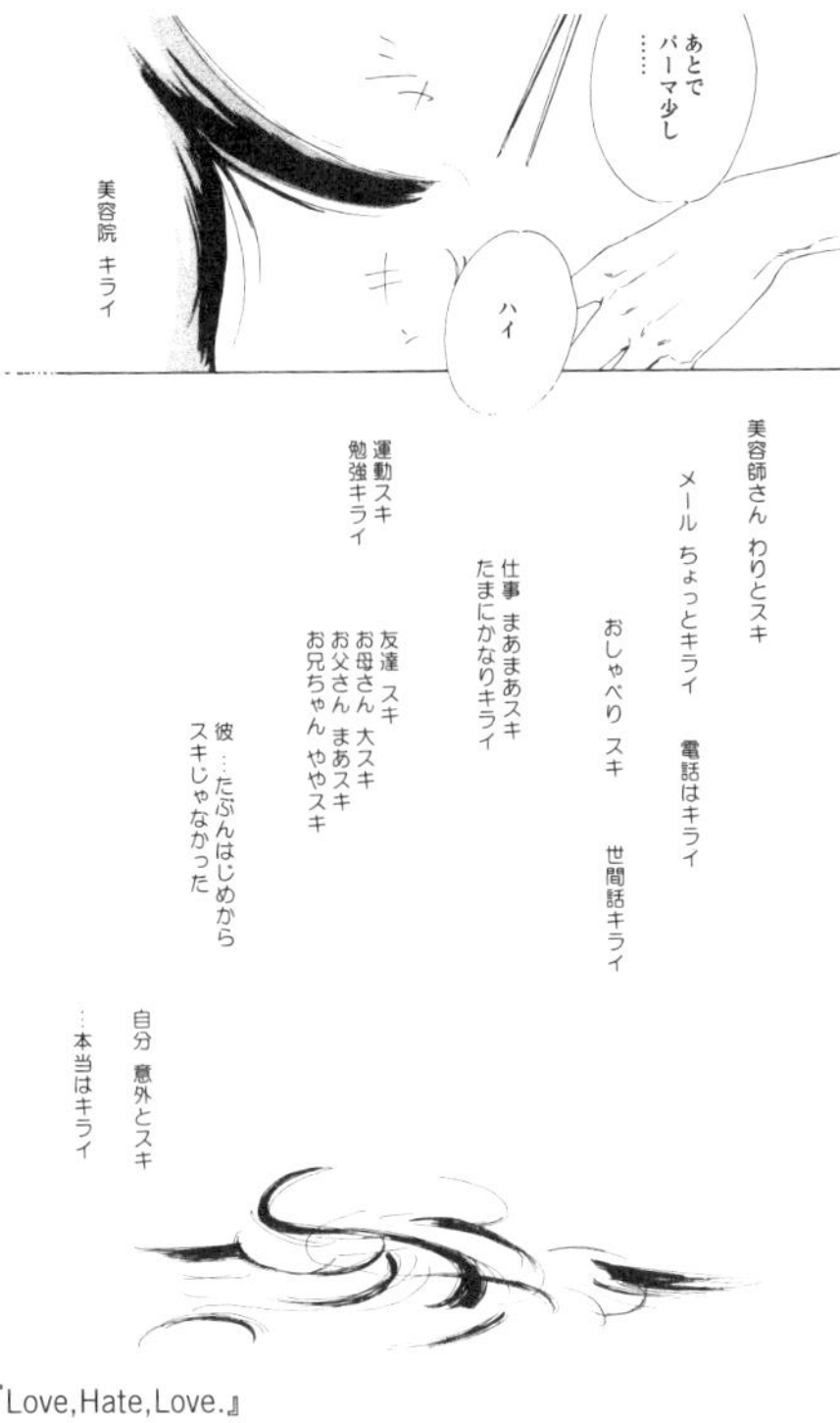

『Love,Hate,Love.』

タイトルもそうですね。好きなものと嫌いなものの羅列からなのと、この話を描いていたときにRIP SLYMEの「love&hate」[*1]という曲をよく聞いていまして、その曲みたいな雰囲気の話にしたいなって思ったからです。もう一度"LOVE"が来るのは語呂ですね。

——貴和子と縫原の恋だけではなく、貴和子とバレエとの関係にも、自分と自分が好きだけれど上手くいかない何かとを重ねた読者も多そうです。

それはそれでありがたいですね。私は自分で描いておきながら、主人公に共感するところがないので。

——それは、好きなものを嫌いになるとか、嫌いになりそうなほど挫折するということに実感が湧かないからですか？

なんて言うんでしょう……語弊があるかもしれないんですが、私にとって漫画って最悪のパートナーなんですよね。漫画くん、私のことをさんざん殴るけど、生活費だけはちゃんとくれるの、みたいな最悪の。私にすごく優しくしてくれる瞬間はあるにはあるけど、基本的に私は殴られて痣だらけで、でも漫画くんのことは嫌いになれない。

——貴和子のように好きだけど離れるという選択肢はない？

絶対にないです。漫画くんの本命はもっと天才な人たちだってわかっているけど、私が漫画くんのこと好きだからいいんだ……って気持ちでもう二〇年近く付き合っています（笑）。でも、ほんのちょっとは漫画くんも私のことを好きでいてくれていると思うんですよね。私は漫画くんのことを無条件で愛しているので、別に好きじゃないもん！って思うときがあっても、結局漫画くんのところに帰ってきちゃう。何か別のことをしていても漫画くんのことを考えてしまうので、もうずっとこのままだと思います。最悪だ。

『HER』

いろいろな女の子を描きたかった

——『HER』は二〇〇九年から二〇一〇年に『FEEL YOUNG』に掲載された六編から成るオムニバスシリーズです。最終話を除く五話は年齢から見た目、性格までさまざまな女性を語り手としていますが、初めから女性を主人公にした短編連作にする予定だったのですか？

『HER』

だと思います。いろいろな子を描きたいなという気持ちがあって。実際とても楽しく描いたように覚えています。もともとオムニバスという形式が好きなのもあって、それに加えて、一つの話に登場したキャラがほかの話やシーンにも関わってくるというのがたぶんやりたかったんだと思います。

——六話それぞれによって思い入れがある読者が異なりそうです。

　そうなんですかね。三話（CASE．3）がとにかく人気ありますね。好きだと言ってくださる方が本当にたくさんいて、私としてはあの話のどこがみなさんの琴線に触れるのかがよくわかっていないんですが。

――「フッー」でいなくてはいけないと思いつつ、窮屈さも感じている女子高生・こずえが老齢のレズビアンの女性・武山と知り合う話ですね。

武山が「永遠に孤独だけど孤独なのは自分だけじゃないし繋がらずに生きてはゆけない」と話すシーンがあるのですが、そこが好きだという方はいっぱいいますね。

――武山のキャラに惹かれている人も多いと思います。カッコいい高齢の女性が描かれる作品にそう出会えるものでもないので。

私がカッコいいばあさんが好きなんですよね。彼女はカッコよすぎると思うので、夢のばあさんではありますが（笑）。ある意味、武山も私にとって女神ですね。女神というか魔女かな。

――武山以外で特に読者から反響があったキャラクターはいますか？

一話（CASE.1）の井出は好評でしたね。

――おしゃれ好きで靴にこだわりを持つ女性ですね。世界中の男に選ばれたい、そのうえで一人を選びたいという彼女の願望は、傷つかずに人を好きになりたいという葛藤が同居していて印象的でした。

キャラクターのデザインラフの時点で「すべての男に愛されたいのだ」と書いてありますね（笑）。井出が履いている靴を自分も履きたいから一生懸命似た靴を探していると言ってくれた方がいて、とてもうれしかったです。

――各話の主人公が抱えている思いなどは、常日頃から感じていたことを反映しているのですか？

いえ、見聞きしたものが主だと思います。人づてに聞いた話から膨らませたものとか、こんな人が世の中にいるんじゃないかなと考えたものとかですね。花河（はなかわ）まみみたいな女の子は、実際にいたんですよ。

――五話（CASE.5）の主人公ですね。「将来の夢はずっとおよめさん」で、なのに彼氏からはプロポーズの気配もなく、女が嫌いだと自認している女性です。彼氏の友人である本美（ほんみ）という、自分とは何から何まで違う女性に苛立ちを抱えていますが、それは好意の裏返しでもありました。

『HER』

この話は百合回だと思ってもらって構いません。ただ、花河まみは本美のことがとても好きなんだけど、彼女自身へテロ規範がものすごく強いので、二人が恋愛に発展するかはわからないんですけどね。愛憎あって、愛のほうがちょっと勝っている話です。

――最終話（CASE.6）はとあるカップルの男性側から描かれた話です。最後の回を男性視点にしたのはなぜですか？

男性視点というか、恋をしている人の視点から見たという感じです。扉絵もそうですが、彼から見た彼女なんですよ。自分の好きな女の子のことを本当に可愛いと思って見ていて、だからほかの人からの視点じゃそういう表情としては描けない。恋の眼差しを通して、より女の子が素敵に見えているという風に描きたかったんです。

――なるほど、だからカップルの女性側からの話ではないわけですね。

そうですね。彼女も彼のことが好きで、お互いの好意があるからより魅力的に見えているんですけど。

思いがけない高評価

――この作品は『ドントクライ、ガール♥』が二位を獲得した、『このマンガがすごい！ 2011』のオンナ編で一位を獲得していますが、大きな反響を得ている実感はありましたか？

正直、よくわかりませんでした。どんな作品でも反応はいただくし、そもそもどんな話も私としては毎回面白いものが描けた！と思っているんです。もちろんどの話にも反省点はあるのですが、基本的には描いたものを見てほしい人なので、どの話も「描けたよ！」って見せているだけみたいなものなので（笑）。でも、売上の数字的に作品によっては差が出るわけで、そ

『HER』

の違いが実はよくわからないんですよね。ウケてもウケなくてもわからない。ただ、数字的に多くの方に楽しんでもらえるものって、普段漫画をあまり読まない人にも届きやすいものなのかなと思うので、そういう意味でこの作品や『ドントクライ、ガール♥』は、私の作品の中でも読みやすい部類だったんじゃないかなと思います。あとは、高評価をいただいてもなるべく気持ちが揺れないようにと思っていたところはあります。

――揺れないようにというのは？

賞だとかに私はすごくびびっちゃうんです。注目されることで単純に目に触れる母数が増えるから、その分悪いことが起きる可能性も高くなると思うし、その不安のあまり自分が委縮するのも嫌なので、いいことでもわざと喜びを感じないようセーブしているところがありまして。それは自分を安定させるためなんですが、この作品のように思いがけない高評価をいただいたときに、すごくうれしくて浮かれる気持ちもありつつ、同じくらい怖い気持ちもあって、祝福してくださる方たちにいいリアクションを返せないのも申し訳ないし、総合するとこういうのは苦手だなになっちゃうんですよ。ただ、『ドントクライ、ガール♥』の話をしたときにも言ったかと思うんですが、サイン会に来てくださった方が読んで元気が出たと言ってくれたのを聞いて、こんな風に誰かのところに届きやすくなるなら、やっぱり苦手ではあるけれど、高評価をいただいて、それによって人の目に触れる機会が増えるのはよかったなって思える気がしました。

――確かに、望む望まないはともかく二作品がワンツーを獲得したことで一気に注目度は高まったところはあると思います。

私が幸いだったのは、『FEEL YOUNG』の担当さんが次に描くものとして『HER』と同じようなものをとは絶対に言わないでいてくれたことですね。数字的にはそれを望まれるのが一般的なのかもしれないけれど、私は同じようなものを二回描きたくない気持ちがすごく強いし、エンドマークをつけたものは続きを描きたくないので、もしそう言われたら私はとても傷ついたと思うんです。そういうことを言う担当さんじゃなくてよかったなって、あらためて思います。

置き去っていきましょう

——エポックメイキングな作品にはなった？

どうなんでしょう。私の中ではほかの作品と変わらないんですが、広く知っていただいた作品になったかなとは思います。ただ、今の私にこういうものをと求められてもすごく困りますし、自分で読み返しても描かれていることが古くて居たたまれないんですよ。気になって仕方のないところばかりで……。

——気になるのは表現の仕方や言葉の選び方などですか？

根本は、これを描いたときの私がフェミニズムを知らなかったことにあると思います。言葉は知っていたけれど、全然理解していないどころか、フェミニズムに対して抵抗感があって、ミソジニー（女性嫌悪）を内面化していた時期なんじゃないかな。だからこの作品にはそういう自分の内面化されたミソジニーや自分の凝り固まった社会規範のようなものがすごく表れていて、今読むとしんどくてたまらないです。自分がそこから逃がしてもらえない社会規範のようなものを当たり前のように描いていて、たぶんこの時期の私はとてもつらかったんだと思うのですが、表し方が幼稚すぎてタチが悪いなって。このときは女の子たちのいろいろな心の内を描こうとしているせいで、よけいにそれが出ているというか、女子はこうあらねば、みたいな像にすごく引きずられているように思います。だから、いまだにこの作品がすごく好きだと言ってくださる方も多くて、ありがたい反面、これはもう置き去っていきましょうよという気持ちも正直あります。

――置き去りたい、と。

はい。この頃の私が自覚できていなかった呪縛的なものに今囚われている人には響くものがあるのかもしれないと思いつつ、でも私にとってこの作品は全然〝今〟ではないんですよね。女性同士攻撃し合うようなシーンとか、今だったら絶対に描かないと思います。なぜなら、私がそういうものを読みたくないから。私の考えも当時とは変わっているし、この作品を今に照らし合わせたくないし、してほしくないんです。

――この一〇年だけを切り取ってみても、フェミニズムやジェンダーに関わる社会事情や認識は大きく変化があったように思いますし、この作品が一〇年以上前に描かれたことを考えると過渡期の一作といえるかもしれませんね。

え、そんな前になります？

――なりますね。

それならなおのこと、過去の失言や誤った認識で描いたものをいちいち訂正しては回れませんが、フェミニズムを知らない私が描いたものだということはあらためて言葉にしておきたいですね。

『ミラーボール・フラッシング・マジック』

不機嫌な女性とミラーボール

――『ミラーボール・フラッシング・マジック』には二〇〇八年から二〇一一年にかけてさまざまな雑誌に掲載された作品が収録されています。収録順にお話を聞かせてください。一作め、男子高に通う主人公が素っ気ない女性の美術教師にあれやこれやと妄想を膨らませる「うつくしい森」は、二〇一一年に『FEEL YOUNG』に掲載された短編です。

これは、変なことをやる短編という私にとって楽しいジャンルの一作ですね（笑）。

――主人公の高校生は、BLで描かれてきた男性とは印象が違います。

BLはやっぱりロマンスなので、ある程度偶像化した感じで、ちょっとロマンチックに描くんですけど、この作品はそうじゃないので。もう少し生々しい感じで描いていますね。

――美術教師に腋毛を生やしてみたり、脇や舌に棘があったりと、男子高校生の妄想がユニークです。

これは腋毛のあるグラビアアイドルだかの写真を見て浮かんだ話だっけかな。ちょっと変な演出をいろいろやれて楽しかったです。しかも不機嫌な女の人が描けたのもよかった。不機嫌な女の人はこの世で一番最高と思っているので（笑）。この話は本当に女性キャラが我ながら魅力的に描けたと思うし、妄想や変なモノローグとか私の好きな描き方をできてよかったです。

――不機嫌な女性が最高だと思っているのには何か理由が？

単純に最高だと思っているんですが、女の人だからって不機嫌さを表に出さずに、変なことを言われてもニコニコと笑ってやり過ごしたり、気を利かせることを暗黙に要求したりするなよという思いがあるのと、やっぱり女の人がどんな見た目であれ、どんな性格であれ、ただの人間としての不機嫌さを露わにして、周囲へのご機嫌取りをすることなど必要とされずにそのままの姿を見せているのが魅力的だと思っているからですかね。何より不敵な女性が好きだから。

「うつくしい森」

――この教師は、まさに不敵な表情がカッコいいです。

悪い女が描きたかったんですよね、きっと。あとは妄想（笑）。

――妄想は本当に楽しんで描かれていそうです。

楽しかったです。特に教師の体に生えたトゲトゲ。それにしても、私の描く話には妄想でどうにかなっている人が結構登場しますね（笑）。

——表題作は二〇一〇年の終盤に『FEEL YOUNG』にて連載された八ページの連作シリーズです。飛来するミラーボールを軸にと言っていいかわかりませんが、それぞれの話が微妙に重なり、繋がり、個々の話が一つの話にまとまっていく、これまたお好きなタイプの作品ではないかと。

さぞかし楽しく描いていたかと思います（笑）。

——ミラーボール好きだっておっしゃってましたものね。

『ミラーボール・フラッシング・マジック』

作画の段階になって、私の画力でミラーボールを描けるのか不安になっていた気がします。ちっちゃいミラーボールを資料用に買ったんだっけかな。それすら覚えていませんが、同じシーンを別の角度から見るという大好物をやっているので、楽しかったであろうことだけは容易に想像できますね。

——わかったうえで読み直すと、ミラーボールの軌跡が推察できてさらに面白かったです。

ミラーボールが激突した音はすべて同じ擬音で入れているのですが、話によって音の大きさを変えつつ、でも音としては同じにしてあります。そういうのとか、本当に楽しんで描いていますね、これ（笑）。

——一夜のお話ということで、全体的に暗いトーンが基調となっているのに話の雰囲気が明るいので画面にも暗さを感じない不思議な印象でした。

電気を点けない部屋の中よりも街灯で外のほうがほんのり明るい感じとか好きなんですよね。今読み返してみると、そういう雰囲気もそうだし、キャラの表情もノリノリで全体的にテンションン高く描いていたと思います。

新しい女性雑誌での掲載

——では次、「don't TRUST over TEEN」は二〇〇九年に『月刊flowers』（小学館）に、「blue」は同年『ＹＯＵ』（集英社）に掲載されました。「don't TRUST over TEEN」は「アイとかコイとか」を信じない女子高生・万子（かずこ）が、「blue」はワケあって顔と若さだけが取り柄のような青年としばし同居生活を営むことになった三七歳の女性が主人公です。どちらも読者の年齢層が高めな女性誌に発表されましたが、掲載誌は意識されましたか？

女性誌という点と、二誌ともほかでは描けないようなものも描けるかなと感じさせてくれる雑誌だったこともあって、そこは意識していたかもしれません。自分の作風を変えるようなことはできませんが、テーマアンソロジーのテーマをいかに裏切るかに注力していたのと同じ感じで、その雑誌の従来の読者層やほかに掲載されている作品の隙間をいかに面白く狙えるかを考えていた気がしますね。

――「don't TRUST over TEEN」では『ドントクライ、ガール♥』の主人公たえ子とその友人たちを彷彿とさせるような女子高生三人組が、一方の「blue」では日々に少し倦んでいるような管理職の女性が描かれていて、それぞれ作品の雰囲気もまた少し違いますね。

「don't TRUST over TEEN」は本当に覚えていないんですよね。なので、上手く描けたという手ごたえもないんだと思います。事前に詳細なプロットを求められて、私の漫画はきっちりプロットを立てられるようなものではないので、いつもプロットではなく初めからネームを見てもらうことが大半なんですが、どうしてもプロットをと望まれて、切り終えたネームからプロットのようなものを書き起こした記憶があるくらいで。

――主人公の友人で在日韓国人の少女が設定上の役目をなんら負わされることなくさらりと登場しているのが、さまざまな人を登場させたいとお話しされていた通りで、とても〝らしい〟なと思いました。

普通に日常で隣にいる人として描けたのはよかったですね。世の中に当たり前にいる人を出していきたいというのは今も変わらず思っています。

――「blue」の主人公がモデル体型ではないのもすごくいいなと思いました。こういう女性はいるなとスッと入り込んできたというか。

彼女は少し肉がついている体つきの魅力的な人を描きたいと思って描いたのですが、もう少しふくよかに描ければよかったですね。そこは私の画力が足りてない。鬱屈したところのある話ではありますが、彼女のような体形の女性を描けたのは楽しかったです。

今まで描いてこなかったもの

——「いつかあなたの不思議のおっぱい」と「カレン」は二〇一〇年に、「エボニー・オリーブ」は二〇〇八年に、いずれも『FEEL YOUNG』に掲載された短編です。「いつかあなたの不思議のおっぱい」は、ずっと好きなのに思いが届かない女性のおっぱいに思考をめぐらせる男性が主人公ですが、なんとも読み心地が不思議な感覚です。

変な話ですよね（笑）。でも、めちゃくちゃ気に入っている作品です。

「いつかあなたの不思議のおっぱい」

——これはどんなことから着想したのですか？

ちょうどこの話のネームに取り掛かったときに、なかなか進まないまま、くるりのライブに行ったんです。終盤のトークでメンバーについて「こんな顔をしてド悪人だから」と談笑するくだりがあって、そのときにピーンとインスピレーションが湧いて。そのあとに演奏されたのが「すけべな女の子[*2]」という楽曲だったのですが、それを聞いてこの話の風景がバーッと浮かんできたんです。

——モノローグの流れが音楽的なのも頷けます。

テンポはすごく意識しました。私の中では、ここであのフレーズが鳴っていて、という曲に合わせたテンポがあるんです。ああ、でも本当に楽しく描いていますね。

——お話を伺っている中で「楽しく描いている」という言葉が幾度も出てきていますが、自分の絵のどのあたりからそれが感じられるのですか？

線の描き方ですね。あとは表情とか。それと、この話は特にイメージショットで構成されているところがあるので、そういうところも描いていて楽しかったんだなと我ながら思えるところだと思います。こういうの好きだわーって今でも思うから（笑）。

——なるほど。次に、学生時代に好きな男の子からカレンというあだ名をつけられた女性が主人公の「カレン」はどこか切ない失恋の物語です。

これは実は担当さんから聞いた、かつて好きだった人の結婚式に行ったという話を勝手にめちゃくちゃ膨らませて描いたものなんです。現在進行形の恋愛話だとまた別ですが、ご本人の中でもう消化された失恋の話だと興味津々で聞いてしまうんですが、すごくドラマチックなことが起きているわけでなくても、こういうことがあったとか、それに対してどう思ったとか、私の人生では起こらないストーリーを聞けるのがめちゃくちゃ面白くて。なので、人の失恋話や別れ話が大好物なんですよね（笑）。これもすごくテンションが高く、楽しく描けている線になっています。

——結婚式に来ていく服を探す試着のシーンなんかもテンポがよくて。

この話は描いている間、私の頭の中でずっとダンスミュージックが流れていました。切ない話と言っていただいたんですが、私の中ではどちらかというと「やったるぜ、おらぁ！」というちょっと前がかった感じの話なんですよね。主人公がわーってタンバリンを叩きながら踊り狂っているイメージというかテンションです（笑）。

――そうだったんですね（笑）。

担当さんから話を聞いた次の日にはこの話のネームを送ったような気がするので、話が相当面白かったんだと思います。刺激されたんでしょうね。

――最後に収録された女性三人のガールズトークを描いた「エボニー・オリーブ」は、初めて女性向け一般誌に描かれた作品です。時期的にはＢＬ量産時代の終盤に差し掛かった頃ですが、一般誌に描くことになった経緯を伺っても？

ＢＬをたくさん描いていた頃も、実はいろいろなところからお声がけはいただいていたんですが、『FEEL YOUNG』に描くことになった直接のきっかけは、『恋の心に黒い羽』のサイン会に担当さんが客として並んでくれて、そこで名刺をいただいたことですね。担当さんは自分の行動を振り返って、今の自分が当時の担当編集者だったら他社の編集者にそんなことをされたら怒り散らすと思うって言うんですけど（笑）。そのときに他の出版社の方たちも数人同じようにいらして名刺をいただいていたんです。それで、当時出版社に勤めていた友人に名刺を見せて相談したところ、「『FEEL YOUNG』はすごくいい雑誌だと思うから、描いてみたら」と背中を押してくれたのもあって、連絡させていただきました。同じような時期に『アフタヌーン』のほうでも担当を変えてみたらとご連絡いただいたんだっけかな。女の子を登場させることに色よい反応がなかったり、ハッピーエンドだと自分が考えていたものがそうではないと言われたり、当時のＢＬ誌では自分の描きたいものは描けないのかもしれないと思い始めていた頃だったので、タイミングよく新しい道が開けた感じでした。それで、どちらの担当さんにもお会いしたりしながら、スケジュールを調整して、このあたりからやりましょうとか相談してたように思います。なので、新しい場所で今まで自分が描いたことのなかったものを描きたいなと、楽しく取り組んでいた気がしますし、実際この話も楽しく描きました。

――それまでにたくさん作品を発表していたＢＬ誌ではない雑誌に描くということで、気合が入ったりしました？

そういうものはなかったんじゃないでしょうか（笑）。どこで描くことになっても、アンソロジーで設けられたテーマの隙間を狙うみたいな気持ちは持ち続けるし、不遜な言い方かもし

「エボニー・オリーブ」

れないのですが、結局どこで描かせていただくかということより、どんな編集者の方とお仕事させていただけるかなので。

――『FEEL YOUNG』の担当、同誌を手掛けるプロダクションであるシュークリームの編集者の方とは「エボニー・オリーブ」を描くにあたってどんなことをお話しされたのですか？

こういうものを、という要望はなくて、ご自由にという感じでした。それで『FEEL YOUNG』という雑誌におしゃれで華々しいイメージがあったので、登場する女子のファッションに気を付けつつ、自分の周囲で見聞きする女性たちのリアル感を楽しく描けたらと思っていました。編集部の方からお話を聞いたエピソードも使わせてもらっていますね。ワンナイトラブがあると思った相手に「しますか？」と聞かれて「しません」と答えて帰ったという。

――三人のうちの一人、地味な見た目ながらモテる津々木のエピソードですね。

いい話だと思って（笑）。そういう周囲の人のエピソードがちょこちょこ入っています。

――それもあってか、三人のうちの誰かしら、もしくは全員の言動に共感する読者も多いと思います。

いまだにこの作品が好きだと言ってくださる方が結構いるのはうれしいです。作中に登場する「すごく好きな人としかつき合う気がしないのにすごく好きな人ができる気がしないよ」というセリフをピックアップしてくれる人がとても多い印象があるんですよね。自分なりに二〇代の女の子の迷走を詰め込めたんじゃないかと思います。あと、女性の集団がわちゃわちゃしているところを描くのは、この頃も今も楽しくて仕方ないです。そういうものを目にするのも好き。なのでやっぱり、終始楽しく描いていたと思います。

『花井沢町公民館便り』

女性の性欲を肯定する

――二〇一四年から二〇一六年に『アフタヌーン』にて連載された『花井沢町公民館便り』は、シェルター技術の開発事故をきっかけに、生物を通さない見えない膜によって外界と隔離された近未来の小さな町・花井沢町を舞台に、約二〇〇年にわたる〝日常〟を描いた物語です。

これは第一話（第1号）を描いた時点で、担当さんに「この先大丈夫なんですか?」と心配されたんですよね。

――第一話というと、花井沢町最後の生き残りとなった少女・希が描かれた回ですね。心配されたというのは?

地味だし、どんな話になるのかわからないと。でも、私にはこの話で描きたいことややりたいことがあったので、最終話（最終号）のネームを描いて見てもらったんです。雑誌の意向には合わないかもしれないけれど、派手な展開の話にすると全部崩れてしまうのと、ここに辿り着きたいから描き続けたいですってことを伝えて、そのまま最後まで描かせてもらったのですが、数字的には期待に沿えるものにはならなかったので、悲しくて残念でした。ただ、今でも読んでくださる方はじわじわと増えている感じで、それはとてもうれしいです。

――では物語を立ち上げたときから明確な結末のビジョンがあったのですね。

ありました。最終話は最初に見てもらったネームほぼそのままですね。最後まで描きたいように描けた手ごたえはありつつ、それが数字には反映されなかったことやそのことに対する担当さんの距離感とかがとても悲しかったんですよね。もちろん私が描いたものなので私のせいだけど、そのあと二、三年くらい落ち込んでいました。二年くらいずっと泣きながら漫画を描いてて。ただ、数字として結果は出ているし、わかりにくく描いてしまったところが多くて、描きたいことが先立ってか読者の方に優しくなかったと反省するところもあったので、そういうところは、その後の作品に活かせたんじゃないかと思います。

——ご自身としては気に入っている作品の一つですか？

そうですね。テーマやオムニバスな形式だとか、〝悪意なき悪意〟を描こうとしているところとか、いまだにすごく気に入っています。

リプロダクティブ・ライツ

——そもそもこういった特殊な設定の物語を着想したきっかけはなんだったのでしょうか。

『WHITE NOTE PAD』や『違国日記』でも描いていますが、

『花井沢町公民館便り』

女性の性欲の肯定をロマンスとして切なく描きたいというのがあったんです。「きみにさわりたい」と泣くほど、でも触れないという絶望にあった気がします。あとは、とにかく絶望ですよね。突然訪れるものもあるけれど、すごく緩やかな絶望もあると思っていて、それが存在する風景を描きたいと思ったんじゃないかなと。それと、リプロダクティブ・ライツ。[*3]それらがぐるぐると混ざったものを考えて、この話になったんだと思います。

——この物語では、外界と隔たることになったきっかけの日から時間をシャッフルしながらさまざまな住民たちの話が描かれています。全二〇話の内、特にご自身の中で残っている住民の話はなんでしょうか？

女の子同士で付き合っている二人が出てくるのですが、彼女たちが大人になったあとで、片方の子が「おかあさんになってみたい」[*4]と言うエピソード（第9号）があって、それは自分の中で残っていますね。「Remember me」というくるりの曲があって、「ママになってみたいな」

25
『花井沢町公民館便り』

という歌詞が出てくるのですが、これはそれのスーパー絶望バージョンなんです。

——一方で、物語の軸的存在である希の母親は、レイプされたことで望みもしなかった妊娠をすることになり、環境や状況的に堕胎の選択肢もないままに希を出産し、のちに自ら命を絶ちます（第10号）。まさにリプロダクティブ・ライツなエピソードですね。

そうですね。それと、出産ってなんなんだろうというか……その頃私の周りで子供を産んだ人が何人かいて、おめでたいことなんだけれど、おめでたいだけではないことが垣間見える瞬間があったのと、一番はあれかな。以前に見たドキュメンタリー番組で、震災で両親を亡くした子供同士で若くして結婚して出産する姿を追ったものがあって、その中で女の子が分娩室で「嫌だ、怖い、お母さん！」って泣いている場面があったんです。お互いに親を亡くして傷ついた状況の中で、支え合って、恋をして結婚して、子供を産むとなったときに、今はいない母親を呼ぶってどんな気持ちだったんだろうかと。そのインパクトがものすごく強くて、ずっと自分の中で残っていたんだと思います。希が母親の日記を燃やしながら「おかあさーんッ」と叫ぶ場面（第18号）は、そのことを思い出して描きました。

——その場面で希は母親の日記と一緒に、町で暮らしていた小説家の女性が集めていた町に住む人たちの記録をあわせて燃やすのが印象的でした。

あれは小説家の女性がこの町で生きた人の足跡を残そうと思って、大切に集めて保管した記録だったのですが、それを最後に残る希が燃やしてしまう。あそこは描けてとてもよかった。自分でも気に入っている場面です。

——もう一つ作品を通して印象的だったのが、この特殊な状況を引き起こした事故についてまったく描かれないことです。事故が起きた当日を舞台にした話（第19号）はありますが、花井沢町で暮らす女の子が町から離れた繁華街で友達と過ごしている一日を描いたもので、そこからもこのお話の根幹は〝日常〟にあるのだなと思いました。

この間、久しぶりに漫画家の友人たちと会ったときに、その日に弟が誕生日を迎えるという人がいたんですよ。それで私が言い出しっぺというか冗談で、みんなでその弟さんにビデオレターを送ろうかなんて笑ってて。

——まさにこの回のエピソードじゃないですか。

こういうの何かの漫画で読んだなと思ってはいたんですが、家に帰ってからようやく自分が描いた漫画じゃん！って思い出しました（笑）。自分が面白いと思うことをそのまま描いていたし、それが何年経っても変わっていないことに気づきましたね。

——数字的な結果はともかく、楽しく描いていたと。

はい。悲惨な回でも楽しく好きなことを描いていました。

絶望の中で普通に生きる

『花井沢町公民館便り』

――全体的に悲惨な物語ではあるのですが、陰々滅々とはせずどこか明るさがあります。

絶望がある明るさなんですよね。たとえば希は妙な明るさを持っている子ですが、あれは彼女の絶望の表れで、自分が絶望の中で生きることを受け入れざるを得ないまま生きている人の明るさだと思います。最悪ではあるんですけどね。

――有機物以外は通す膜なため、外界からは悪ふざけのように石が投げ込まれたりもしますし、狭い町の中でも差別や犯罪が起こります。倫理観を試されるというか、内外どちらの立場でも同じ状況に置かれたときに、自分だったらどうするか思うところはありました。

こういう状況になったら、ものすごく悪意があるつもりはなく、石を投げこんだりする人はいると思ったんですよね。被災地に記念写真を撮りにいくような感じというか。自分としては、東日本大震災の影響を強く受けている意識はないんです。でも、強制的に自分が望まないひどい状況に追い込まれることはあり得るという感覚が、現実離れした感じでなく自分の中にあるというのは、何かしらの影響はやっぱりあるのかもしれません。もともと絶望の中でも普通に生きるしかないというのが好きなテーマの一つではあるんですけどね。どんなひどいことが起こっても、飯食ってクソしなきゃいけないのって馬鹿馬鹿しいけれど、それが人の営みだよねって。その馬鹿馬鹿しさを描きたい気持ちがあります。悲劇を悲劇として終わらせるかたちで描きたくないというか。

――文字通り閉鎖的な空間の中で暮らす人たちが補助金があることもあり働く意味を見出せなくなっている様や、生きる意味を見出せなくなっている様子は現代に通じるものも感じました。

私は働くことがわりと好きな部類の人間なので、働きたくても働けないとか、働く意味が発生しない場所にいるのは、それも一つの絶望だなと思ったんですよね。それと、そのことを描いたパンを焼く女性が登場する回（第11号）では、ちょっと役割を担ってもらってはいるのですが車いすを使っている人が出てきていて、障害のある人やマイノリティな立場にいるけれど普通に働いて暮らしている人を当たり前の風景として描きたい気持ちがありました。

――この作品を描いていた当時も創作ノートを作っていなかったのですよね？

文明開化前ですね（笑）。簡単なメモがあるくらいでしたが、オムニバスなので時間軸を精密に気にしなくてよかったし、好きなように描いていました。前回は暗めだったので今回は少し変えようとか、話のテイストのバランスは気にしていたと思います。

――登場人物が絶妙に重なって繫がっていくので、全体図のようなものを用意されているのかと思っていました。

そういうものはないですね。あと、私だけがわかっていればいいと思って描いているところもたくさんあります。実は、この人とこの人が希の先祖なんだよとか。

『花井沢町公民館便り』

文化的なものが人を生かす

——読み進めることで血縁関係が見えてくる側面はあります。

ファミリーヒストリーを描くつもりがあったわけではないし、あんな状況でも繁殖してしまう人間の不思議というか、それが持つ最悪な面とかに思うところもあるんですけどね。でも、町の人に映画を見せている女性が登場する回（第13号）とか、一見馬鹿みたいな話なんだけど、そういう文化的なものが人間を生かすと思う気持ちが詰まっている気がします。

——小説家の女性が登場する回（第12号）では、多くの回のモノローグで花井沢町という世界を小さいと表しているのに、彼女が「わたしたちの住む世界は広く」と言っているのが心に残りました。

文化的なものが人を生かすと信じています。それがときに暗闇の中の光になるというか。

——なるほど。

あとはね、これを描いていたときもやっぱり怒っているんですよね。希の母親の回とか、なんで経口中絶薬[*5]が認可されないのか怒っているときでした。今でこそ認可はされましたが、どうしていまだに経口中絶薬が特定の医療機関のみでしか処方されないのか。なんでだ！という当時の怒りがよみがえってきますね。でも、ああいった性暴力を糾弾する回を描くと、目に見えて雑誌の読者の反応が悪いのが残念でした。

——見たくないものを突き付けられるような気になってしまうんでしょうか。

犯罪者と自分を重ね合わせる必要はなくて、切り分けて弱者の味方をしてくれたらいいのにとは正直思います。男性に生まれたからといって女性に暴力をふるうわけではないし、暴力をふるう女性だっているわけです。

——この作品では、女性からのストーカー被害、そこから発展しての暴力も描かれていますよね（第6号）。

　被害者の性別にかかわらず、ある種閉ざされた空間では性犯罪は十二分に起こり得ると思っているのですが、被害を表に出せない状況とか、弱者が守られない環境はどうなのと。女性からのストーカー被害を受ける回で被害者の少年のことを周囲が「おれらで守りますよ」とか言っているけれど、それは根本的な解決には繋がらないんですよね。『ひばりの朝』に通じるところがある回だと思います。この作品で描きたいと思っていたことはわりと全部描けている気がしますね。表現の仕方が正解だったのかはわかりませんが、今読んでもこういう物語にする以外の描き方はなかったように思います。

『花井沢町公民館便り』

——先ほどお話にあった文化的なものが人を生かすという気持ちは、読者の方からの声などでより強く感じられているのですか？

いえ、そういうわけではないです。単なる私の仕事上のやりがいに通じているところが大きいと思います。基本的には、やりがいなんてないんですけどね。

――ないですか?

よくこういった取材などでも聞かれることがあるのですが、漫画を描くやりがいってなんですか?（笑）漫画を描くのは楽しいけれど、つらかったり苦しかったりすることのほうが量でいったら多い気がします。でも九五つらくても、楽しいが五あれば描きたくなっちゃうし、描いちゃうし、そういうタイプの人間が漫画を描いて暮らしているのかなとも思います。でも、ときどき自分の伝えたかったことが届けたかったところに届いたことがわかったり、思いもよらないかたちで想像もしないところに伝わったりすると、そういう九五を凌駕するくらいうれしくて。そこを目指して描いているわけではないからやりがいとはちょっと違う気もするんですが、自分の支えにはなっているかもと思います。私自身がフィクションに救われたことがあるからこそ、自分の作品が誰かの一助になれるとはそんなこと容易くは思えないのですが、結果的にそうなっているなら本当にうれしいし、結果的にやってよかった、描いてよかったに通じるという感じです。

――創作する際の悪意のレンジをどれくらいで設けるか考えると伺っていますが、登場人物が外界とどれくらい接するか、その度合いも考えたりするのですか?

考えますね。この作品は空間が物理的に閉ざされているシチュエーションですが、学校や家庭も一つの閉ざされた空間だと思うので、そこにいる人をどれくらい外の人たちと関わらせるかはやっぱり考えます。友達が多いのかとか、ロマンスを描くにしても恋愛関係以外の繋がりを誰かと築いているのかとか。それが最初に設ける悪意のレンジと密接に関連してくるわけではないのですが、物語を考えるうえでは大事な要素な気がします。

『WHITE NOTE PAD』

ヤマシタ版入れ替わりもの

――ある日突然、心と体が入れ替わってしまった一七歳の女子高生・葉菜と三八歳の自動車工の男性・木根を描いた『WHITE NOTE PAD』は二〇一五年から二〇一六年にかけて『FEEL YOUNG』で連載された作品です。これは何をきっかけに?

ベタなシチュエーション好きな私版の「私たち、入れ替わってる!?」です(笑)。

――かつてなら『転校生』、より若い世代には『君の名は。』でおなじみの。

はい。あれを自分がやったらどうなるかなと思って、まず想像してみたんです。入れ替わったら、それまで築いてきた社会的なものや経験や知識がリセットされるわけで、それはメリットが少なすぎるし、そもそもロスト・アイデンティティだろうと。それに性別や体まで前と異なるなら、最初は手足を動かすのも苦労しそうだし、実感として知らない性に急に変わると思ったら怖さしかないと思ったんです。その怖さをいいところどりだけで描くんじゃなくて、でも面白く描けないかなと考えていきました。

——いくら「私は私」と強く思っても、ガワが違うというのは相当なストレスだと思います。

そうですね。私はこうじゃないのにと思い続けなくてはいけない身体違和の耐え難さは想像に余りあるなと。そういうことを出発点にわりとするすると全体ができあがったように思います。

——入れ替わりものはわりと同年代の相手と中身が変わるものが多い印象ですが、この作品では年齢差があるのが特長ですね。

『WHITE NOTE PAD』

同年代の見目よろしい男女であったとしても、それまで自分が培ってきた人間関係だとかが一気に失われて、知らない環境に放り出されるのってものすごくつらいと思うんです。会えたとしても、前の自分としては会話できない。それは泣いてしまうことだと思ったし、ましてやいきなり社会人として働いていた中年の人と入れ替わったら、それまでその人が生きてきた術を問題なく継げるわけないし、なおのこと混乱するし、悲しいよなと。若い人と入れ替わって、木根のように「強くてニューゲーム」のように思ったとしても、見ないふりしているだけで、やっぱり失ったものは多いんですよ。同年代で入れ替わるよりは、自分の中で年齢差があるこの二人のほうがしっくりきたんですよね。

ロスト・アイデンティティと連帯

——この作品は各話六〇ページくらいと、かなりのボリュームがあります。

そうですね。でもその長さがあるおかげで、見せ場で思い切り大ゴマを使うことができるので、その見せ場に向かって毎回やっていく感じでした。

——設定こそファンタジーですが、ものすごく現実を生きる話だと思います。

そうなんですよ。この二人にたった一回起きたファンタジーは、もう二度と起きません。それを二人ともわかっているというか、端からそんな可能性にかけていなくて、もうこのままやっていくしかないとある意味諦めているんですよね。現実を見据えている。

——入れ替わった直後ではなく、ある程度それぞれなりに歩き出したあとから始まるのが上手いなと思いました。

自分でも上手く言語化できないのですが、入れ替わったあとのそれぞれが自分なりに相手の知らない時間を過ごしたうえで、お互い混ざり合ったことを許容しあって生きていこうとする感じだとか、もう二度と自分としては手に入れらないものへ感じる気持ちだとかを描くのが楽しかったですね。ロスト・アイデンティティというテーマも気に入っています。

——大人だった木根のほうが経験も知識もあって一見上手くやっていけそうなのに、実は足元がおぼつかない感じも身につまされるものがありました。大人の体に入ってしまった葉菜のほうが分別がついているというか、木根としての生活に柔軟に対処できている印象です。

年若い体と子供という社会的な立場を得てしまった木根のほうが、自分が失ってしまったもののの空虚さを抱えているかもしれません。かつての自分より若い体を得たからといって、すべてがニューゲームとはいかないですしね。二度と戻ってこないものに対する寂寥(せきりょう)は、木根の心のほうがより感じているような気がします。でも、葉菜の心には葉菜なりの葛藤がもちろんあって、そんな二人は互いに唯一の経験を分け合う同士で、相手の力になりたい気持ちもある。木根の心が入った葉菜が「あんたのなりたかったあんたになってやりたい」「おまえが大事だ」と言う、あのシーン（第4話）を描けてよかったと思

『WHITE NOTE PAD』

います。

——二人の間にはものすごく連帯を感じます。

そうなんです。これ、連帯の話でもあるんです。

——お互いかつての自分に関する情報が書かれた本を心に持っているけれど、それを相手には渡せないし、たぶん理解してもらうこともできなくて、でも一緒にいるよって。

使うことがないなと思いながら、その本を二人とも捨てることはできないでしょうね。この先に関する参考書も持っているんだけど、その文字を二人とも読むことができなくて、二人でこれはこう読むのかなあって言いながら、生きていくように思います。そういうちょっと不思議な連帯も描きたかったんです。どういう関わりなのか、関係性に名前はつけられないけれど、離れているようで近くにいるようで、関わっているのかいないのかわからないような間柄で、死ぬまで一緒にいるような連帯です。二人とも、きっといろいろなことを忘れていくし、関係性も微妙に変わっていくと思うけれど、変わらずずっと同じことが素晴らしいわけではないと思うし、変わったり忘れていったりすることにも希望はあるんじゃないかなと思って。

些細なことで人は変わる

——この二人はこういう関係ですと説明できない、まさに名前のつけられない関係ですね。

そういう二人が描けてよかったです。あと、あらためて思ったのは、登場する彼らの周りにいる人たち、優しいですよね。

――優しい人が多いですね。そして、優しいお話だとも思います。

そうなんですかね。二人とも望まないままに置かれた状況の中で、自分なりに変わろうともしていくし、周囲の人から少しずつ何かをもらって、それが支えになったり、同じように誰かを助けたいと思ったり……。私は誰かにしてもらった本当に些細なことで人がいい方向に変わっていく様がすごく美しいと思うので、そういう気持ちも結構この作品には詰め込んだように思います。この二人を描くのがとても楽しかったのですが、それは今思うと、二人のジェンダー・アイデンティティが結果的にすごく曖昧だったからなのかなと思いました。もともとの性自認はあるけれど、入れ替わった体に引きずられたり、心にひっぱられたりして、すごく流動的で、そこに描きがいもあったし、それがキャラクターとしてすごく自然な姿のように思えたんですよね。この人たちを私はすごく可愛いと思って描いていたし、この人たちに何かいいことがあってほしいとさえ思っていました。

『WHITE NOTE PAD』

――ラストシーンは希望を感じました。ストーリーの前半はベタも多いですが、最終話は光に満ちたような画面が印象的です。

キラキラしていますね（笑）。二人で灯台に向かって歩きながら未来のことを話しているシーンが好きなのですが、あそこは確かに希望の表れかもしれませんね。「子供とおまえふたりだけで動物園とか行ってもらうから」って。

――いつか来るかもしれない未来のお話。

そうです。もうどの話も大概この言葉で締めて申し訳ないですが、とても楽しく描けた作品でした。

＊1　「love&hate」……二〇〇九年に発表されたヒップホップグループRIP SLYMEのアルバム『JOURNEY』収録曲。菅野美穂が出演するファッションブランド・23区のコマーシャルソングに採用された。

＊2　「すけべな女の子」……ロックバンド・くるりが二〇〇三年に発表したシングル「HOW TO GO」のカップリング曲。ボーカル・ギターの岸田繁が作詞作曲している。

＊3　リプロダクティブ・ライツ……「生殖」に関するすべての事柄を当事者が決められる権利のこと。妊娠、出産、中絶についての情報を十分に得られることも含む。

＊4　「Remember me」……ロックバンド・くるりによるバラード。NHKのドキュメンタリー番組『ファミリーヒストリー』のテーマソングとして書き下ろされた楽曲で、二〇一三年にシングルとして発売される。

＊5　経口中絶薬……外科的な方法ではなく、投与によって人工妊娠中絶を行う薬。日本では二〇二三年四月に承認された。二〇二四年五月現在、入院が可能な医療機関や診療所のみで処方が可能。

第6章

エッセイ漫画の難しさとBLでの挑戦

『裸で外には出られない』
『くうのむところにたべるとこ』
『ストロボスコープ』
『スニップ, スネイル&ドッグテイル』

『裸で外には出られない』

ファッションとカレー

――『裸で外には出られない』は、表題のエッセイ漫画のほか、少女漫画誌に掲載された短編三作を収録した作品集です。表題作は二〇一〇年から二〇一二年に『コーラス』（集英社、のちに誌名を『Cocohana』に変更）にて連載されましたが、これは最初からファッションをテーマにしたエッセイをという依頼だったのでしょうか。

そうですね。私がファッション好きだからと依頼してくださったのですが、私のファッション好きはただ好きなだけで、詳しいわけでもないし、何かポリシーがあるわけでもないので、引き受けたもののどうしようかなと思っていました。扉絵を描くのが毎回楽しかったのですが、要は私のファッション好きというのは、そういう扉絵でキャラにいろいろな洋服を着せるのが好きなだけだったという。でも、普段あまり漫画を読まない方にはこういったエッセイのほうがとっつきやすいということをこれで知りました。ほかは……お話できることがないです（笑）。

――エッセイの内容については読者の方には実際に読んでいただくとして（笑）、では収録されている短編について聞かせてください。二〇一一年に『コーラス』五月号の付録『はらぺここーラス』に掲載された「あなたカレー」は、恋人の浮気現場に遭遇した女性がカレーを作り、彼氏を捨てるまでの話です。

これは、もしカレーをお題にショートストーリーを描くことになったら、どんな話を描くかなと妄想したことからできたものです。

――実際にそういうテーマを設けられていたわけではないんですね。

はい（笑）。勝手に妄想したらいいネームができたので、これを描こうと。短い話ですが、これを好きだといまだに言ってくれる方も多くて、自分でも楽しく描けたものです。

――「食・喰・噛」でもカレーが登場していましたよね。ご自身の中で物語に使いやすいモチーフだったりします？

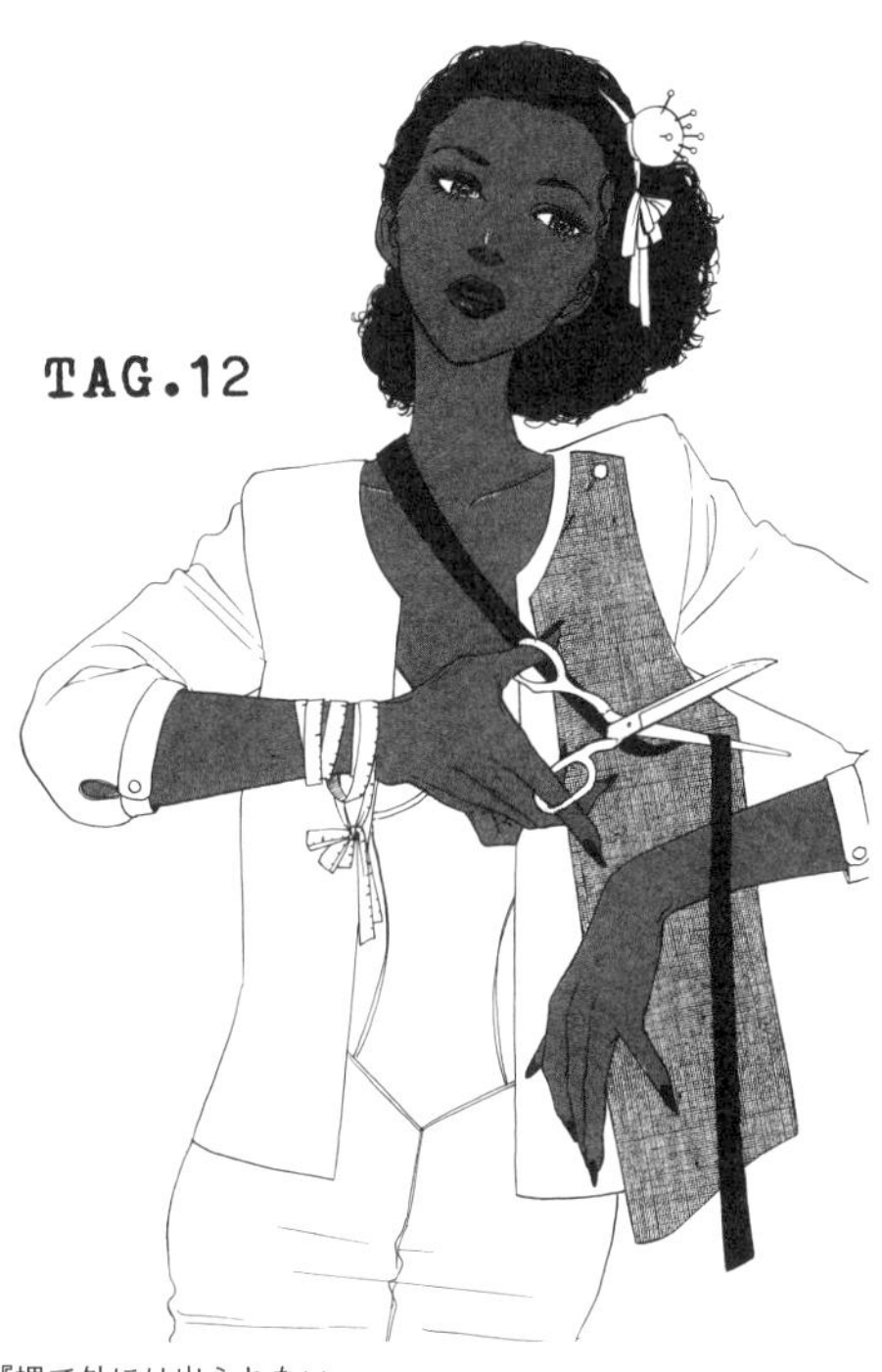

『裸で外には出られない』

言われてみれば、という感じで特に意識はしていないと思いますが、カレーが私にとってご馳走だからかもしれないです。基本的に人がカレーを作ってくれるときとか、自分が誰かにカレーを作ってあげるときって、超ハッピーな気がするんですよね。私がカレー好きというのが大きいとは思うのですが、「何入れる？」とかで盛り上がったりして（笑）。簡単に作れるものから手間がかかるものまでカレーもさまざまですが、みんなに馴染みがある食べ物だし、私は大好きだしということで、私にとってスーパーハッピーミールだからだと思います。

——幸せや楽しい時間の象徴なわけですね。

そうですね。カレーっていいよねって気持ちが常に私の中にあります（笑）。「食・喰・噛」だとかこの話のように、ご飯を作ってあげる／食べるという関係性の中で、明日はカレーだよって言われたらテンション上がると思うんですよね。

——「食・喰・噛」では食べられなかったカレーですが、この話では浮気の断罪のようにカレーを食べさせられる彼氏が「こんなときにも　なんでカレーは旨いんだと思って……」と言いますが、あの場面がなんとも可笑しみとも悲しさがあって秀逸でした。

あそこには私のカレーに対する信仰がよく表れていますね。カレーはいつだって美味しい。ラストのモノローグでも言ってますけど（笑）。

障子と三段腹

——葬式に参列している女子学生が大人の男たちを翻弄する様が印象的な「『美青年』」は、二〇一一年に『コーラス』がリニューアルされ、誌名を変更した『Cocohana』創刊号に掲載された一作です。

これも気に入っている作品です。絵的にも描いていて楽しかったんですよね。

——それはどのあたりが特に？

このときは障子のある家を描きたくて、障子が活きるようなことをしたいなと考えていた気がします。みんな喪服だから黒い服だし、ちょっと絵的に面白いことができるかなと思って、楽しく描いていますね。障子とそこから入る光の感じだとか、わりとビジュアルから入って考えた話だと思います。出てくる登場人物も描きがいのある顔にしようと思っていたんじゃないかな。

——主人公の佐和は、美人な母親に似たところのない地味な雰囲気を漂わせる少女ですが、独特の間合いを持っているというか……ファムファタール（運命の女）的ですよね。

「「美青年」」

すごく美人なわけではないのに目を引く人が好きだから描きたくて。彼女も私が好きな世界を滅ぼす系の女の子ですね。

——女神的な。

女神ですね。彼女は自分が生まれ持ったものへの不満によって、世界を道連れにしようと思っていて、もう私の好みど真ん中でした（笑）。

——二〇一二年に『Cocohana』に掲載された「縞々」は、同じ会社で働く女性・安原の三段腹が気になって仕方がない主人公・細野を描いた短編です。

　私はいろいろな体形の人を描くのが好きで、失礼だなと思いつつ普段からじっと観察してしまいがちなのですが、これを描いたのは太めの人の体の肉がどこにどんな風についているか気になっていた時期だと思います。可愛いなと思っていたんですよね。

「縞々々」

――「いつかあなたの不思議のおっぱい」や「うつくしい森」のように、妄想と性欲とが絡み合った不思議な味わいを感じます。

　楽しく描きました。細野が安原のお腹の感触を思い出したときに、胸を触っていた彼氏に「すげー乳首立ってるよ」と言われて、「それはおまえの手柄じゃない」と思っているモノローグとか、特に気に入っています。我ながら、変な妄想やモノローグをすごく楽しんで描いていますね。

――何かテーマを自分で考えていたのですか？

これは単純に百合ものを描こうと思っていました。ラブストーリーですね。百合ものを描こうと思っていたのに、なぜこんな話になったのかはわかりません（笑）。物語として女性同士の恋愛ものも好きなのですが、男同士のほうがより好きなのもあって、普段自然と浮かぶのは男性同士の物語のほうなんですよ。百合ものだと、パク・チャヌク監督[*1]の『お嬢さん』[*2]っていう〝完璧〟がありますし。それと、私が子供の頃、危ないことが大嫌いだったのもあって、子供だけの冒険ものを描くのが私には難しいのと同じ感じで、女性の話を描こうと思うと、どうしても現実の話を描こうとしちゃうところがあるんです。気になることがいっぱい目について描かなきゃと思うことも増えるからだと思うのですが、男性だけの話だと自分が部外者な立場なのもあってか、いろいろなことを度外視している気はします。なので、このとき思い浮かんだものがたまたまこういう話だったというのが正直なところだと思います。

『くうのむところにたべるとこ』

「美味しい」という表情を描けない

――『くうのむところにたべるとこ』は、二〇一二年から二〇一四年に『Cocohana』で連載された、恋と食をテーマとしたオムニバスなショートシリーズです。これはもともと短めのものをという依頼だったのでしょうか。

そうですね。テーマも合わせて依頼されたかはちょっと記憶がおぼろげなのですが、私は食べるところを描くのが好きだし、短めの話はちょっと変なこともやりやすいから好きで、つまりこれもとても楽しく描きました（笑）。

――一つの話でサブ的な位置で出てきた人がまた別の話ではメインだったり、これまたお好きなかたちですよね。

はい。描いていてすごく楽しかったです。ちょっと間抜けなところがあって可愛い人たちをいっぱい描けたなという実感があります。それと、カジュアルなグロテスクなシーンを描くのも好きなので、つい人肉を食べるネタを入れちゃってますね。

――このシリーズの中では、食べる、作る、それを見るなど多様になかたちで〝食〟が描かれているのですが、どれを描くのが実は一番好きだったりするのですか？

どれだろう。どれも楽しんでいると思うのですが、以前に漫画家のねむようこさん[*3]に「食べて、ああ美味しいって表情を描かないよね」と指摘されたことがあるんです。言われてみたら、

『くうのむところにたべるとこ』

そういうのをちゃんと描いたことなかったんですよね。恥ずかしいから。

――描くのが恥ずかしいんですか？

そうなんです。友達とご飯を食べていて、美味しいものを口にして「ああ、美味しい！　幸せー！」ってリアクションを取ることは普通にあるんですよ。誰かがそういうリアクションを取っていることに別に思うこととかもないんですが、いざ漫画でとなると、そういう演出がどこか気恥ずかしくてできないんですよね。この間、私の推しアイドルグループの動画を見ているときに、一人の子のことをほかのメンバーが「彼はラーメンを食べているときが一番幸せそうで、食べた瞬間に漫画やアニメみたいに周りにパーッと光が差すのが見える」と話していて、それ自体はなんて可愛い話なんでしょうと思ったのですが（笑）、私にはその光は見えそうにないなとふと思ったんです。上手く言えないんですけど、私の目には人間がそうは映らないというか、だからその私の目を通して漫画を描くと、何かを食べて「美味しいー！」ってリアクションを取るシーンは切り取れないんだろうなと思いました。そう見えていないのに描くと無理してがんばって描いたみたいになっちゃうから気恥ずかしいのかもしれないなって。

――食事のシーンがイベントとしてというより当たり前の営みとして描かれている印象があって、毎日の食事すべてに大げさにリアクションを取る人のほうが少ないということなんじゃないかなと勝手に思いました。

ありがとうございます（笑）。どうなんだろう、そのあたりを自分のことだけどあまりよくわかっていないのですが、食べることを描くのは好きなんですよね。何を食べるとか、どう誰と食べるかって大事だよなって思うし、そこに関係性が表れると思うんです。好ましく思っている人との食事は楽しいし、食べることが好きじゃない人との食事は上手くいかない気がするし、接待だとか裏の目的を秘めた食事もあるし、食事って象徴にしやすいというか、すごくいろいろなことに使いやすいんですよね。

ご飯はご飯

――このシリーズには作る立場にある人が主人公の話もありますよね。

料理人はアーティストでありアスリートであり、すごい人たちだと思います。そのうえで、私が個人的に知っている料理人の方たちはみなさんどこかユニークでおかしな人が多かったので（笑）、そういう人たちを描きたいというのもありました。なので、本当に好きなもの、描きたいものを全部詰め込んだシリーズですね。

――全一四編、食べたり食べなかったり、作っていたり作らなかったりとさまざまな話が描かれている中で、最終話はまずいラーメンにまつわる思い出話ですが、最後に〝まずい〟ものの話を持ってきたのは何か理由が？

特にはないです。世の中にはまずい食事も山のようにありますし、まずい料理を作っちゃう

『くうのむところにたべるとこ』

こともあるし。私はまずい食事が大嫌いで、一口たりとも私の中に入ってきてほしくないと思うので、どんなに好ましい人からの食事の誘いでも誘われたお店の料理が美味しくなさそうな気配を漂わせていたらガンガン断るのですが（笑）、だからといってご飯を神聖視しているわけではないんですよ。美味しいものは素晴らしいけど、食には暗い面、汚い面もたくさんあるし。だから、自分の漫画でもご飯がすごくいいもの、善なる象徴のようにとだけ描くつもりはないんですよね。ご飯はご飯だから。私がご飯のシーンやご飯にまつわることを描くのが好きというだけです。そして、オムニバス最高。

――いろいろな人が描けますものね。

はい。やっぱりオムニバスのかたちでいろいろな人を描けるのが楽しいですね。同じテーマでまたやりたいとは思いませんが、また何か別のかたちで、ワンテーマでオムニバスなものを描けたら楽しいなと思います。

『ストロボスコープ』

頑なさが崩れる瞬間

――二〇一二年に刊行された『ストロボスコープ』は、表題作含め四編の読切と未収録だった萌えに関するエッセイがまとめられたものです。ＢＬコミックスとしては三年ぶりの刊行となりました。喫茶店を営むゲイの男性とそこに転がり込んできた若い男性を描いた表題作は、二〇一二年に「泣ける」をテーマにしたアンソロジー『泣けるBL』（リブレ出版）に掲載されました。

これは若い編集者さんたちが、こういうアンソロジーを作りたいので筆頭として描いてほしいと直談判にいらしたんです。そんなテーマを提示されたアンソロジーに「これ泣けますよね」と話を載せるのってすごくしんどい気がするとは正直にお伝えしたのですが、どうしてもと言ってくださって。若い方ががんばって企画を立ててやりたい、描いてくださいと言ってくれている状況に、じゃあちょっと一肌脱ぎますと描いたものですね。

――この作品は終盤にカラーページが入るのがめずらしいですよね。

カラーページありでお引き受けして、このネームができあがったときに頭にカラーを持ってくるのは演出としてよくないと思ったんです。だったら、自分として一番盛り上がるであろうシーンをカラーにしたいと思ったので、そうできないかと相談したらやりますと。とても情熱のある編集者さんたちでした。

――ストレートに「泣ける」をテーマに考えていったのですか？

あえて捻ってやろうとは思わなかったかもしれないけれど、私は人の頑なだったところが崩れる瞬間が泣けるだろうと思っているので、そういうものを描こうと自然な感じで考えた気がしますね。

――主人公であるゲイの男性の頑なさが解ける瞬間がまさに盛り上がりの山場だったわけですが、それまで男性は狭い地域でのアウティングにさらされています。舞台を片田舎としたのはその設定も影響していますか？

そうですね。私は東京で生まれ育った人間なので、よく耳にする田舎の筒抜けの人間関係とか過干渉ぎみなところとかについてはファンタジックな感覚があるのですが、地方出身の友人たちから具体的にいろいろとこういうところが嫌だったというのを話としては聞いていたんですね。もちろん、そういう環境ならではのいいところもたくさんあると思うのですが、もしも都会だったら特に噂されることもなく紛れることができた人が、そういう環境に置かれていることでつらい扱いを受けることはあるだろうなと。

「ストロボスコープ」

――男性がそれに全力で抗うでなく、諦めて受け入れている様に胸がぎゅっとなったので、その日常を壊してくれる攻めの青年はスーパーヒーローのように思えました。

実際、彼はいわゆるスーパー攻め様ですよね。彼は可哀そうな人に惹かれるというか、そういう人に愛を与えるのが好きなので……やっぱりスーパー攻め様ですね（笑）。これは「泣ける」というテーマそのものより、ロマンスを正面から描こうと意識して描いたように思います。

――青年に手を取られた男性が涙する場面はロマンスを存分に感じましたし、泣けました。タイトルの由来をお聞きしてもいいですか？

実は仮タイトルだったんです。これはハナレグミの「SPARK」[*4]という曲を聞きながら描いていて、私はその曲に目の前が真っ白になるような光がチカッチカッと瞬くイメージを持っていたので、それをそのままつけていて。結局、タイトルに困ってそのまま正式タイトルとなりました。

短編の楽しさ

——二〇一一年に『onBLUE』vol.4（祥伝社）に掲載された「good morning,bad day」は、同級生の同居人と付き合っているわけではないけれど密接な関係を続けている大学生の話です。流れるようなモノローグが特長的ですよね。

めちゃくちゃ楽しく描いていますね、これ。一見、馬鹿みたいな言葉があふれているモノローグに実は切実なものがあるというのが好きなパターンなので、モノローグも楽しく考えていただろうなあ。このモノローグの中で「金玉がすうすうする」と書いたら、男性の読者さんからその感覚がめちゃくちゃわかると言ってもらえて、ものすごくうれしかったのを覚えています。何せ私にはない器官なので、完全なロールプレイングとしてこんな感じなんじゃない？と想像して描いた感覚が実感としてあると言ってもらえて、もうガッツポーズせんばかりにうれしかったですね（笑）。

——エピソードそのものではなくてテンポのいいモノローグで展開していくのが読んでいて心地いいです。

モノローグ馬鹿なので（笑）。自分でもそういう形式は楽しいですし、綿々と続くモノローグで違う話をしているようで、実はずっと一つの話をしているというのは得意技なんです。

——見事にやられました（笑）。トイレに行きたい友人を足で留め置いて行けなくさせる顛末を描いた「chain gang」は二〇一二年に『b-BOYキチク　おもらし特集』（リブレ出版）に掲載されたものです。アンソロジータイトルも特集タイトルも二度見しそうですが。

特集テーマを聞いたときは笑うしかなかったです（笑）。お題の外しがいがありました。

——いちゃいちゃラブリーなものが来るとは思いませんでした。

ラブに至るの？　至らないの？　完全にライン越えているけど至ってないの？　みたいな（笑）。そういうのが好きなんですよね。実はこの話は描いたことも忘れていたんですが、あらためて見てみると私の好きなコマ割りをやっているし、作画も楽しそう。やっぱり短い話を描くのは楽しいんだな。

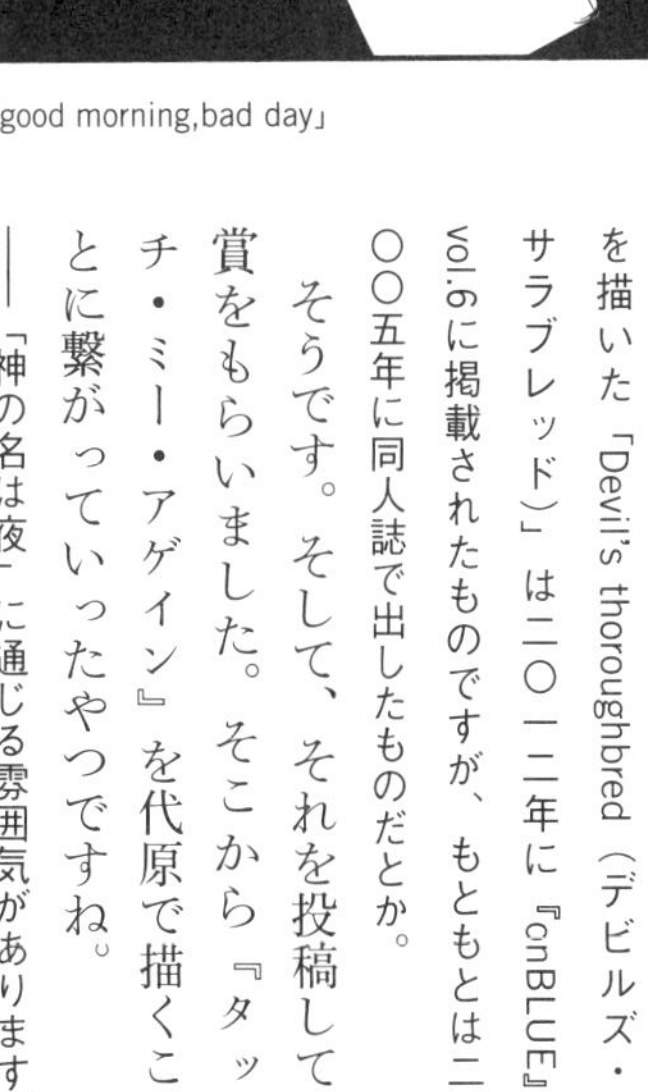

「good morning,bad day」

——暴力を介してしか始められなかったアウトローな青年たちのヒリヒリするような関係を描いた「Devil's thoroughbred（デビルズ・サラブレッド）」は二〇一二年に『onBLUE』vol.6に掲載されたものですが、もともとは二〇〇五年に同人誌で出したものだとか。

そうです。そして、それを投稿して賞をもらいました。そこから『タッチ・ミー・アゲイン』を代原で描くことに繋がっていったやつですね。

——「神の名は夜」に通じる雰囲気があります。

似た時期に描いたものだし、当時はそういうアウトローなものにハマっていたんですよね。より男っぽいほうが受けだし、どちらも男惚れされるような強い男で、きちんとしているやつがヤバいやつにめちゃくちゃにされるという、アルファメイル（オスのボス）同士の暴力的な関係は今でも好きです。

コミックス収録への葛藤

――このコミックスでは、二〇〇七年から二〇〇九年にかけて発表された、主に萌えにまつわるエッセイ漫画が一挙収録されています。

それらのエッセイについては本当に語ることが何もないのですが、エッセイが本当に下手だと思います。

――それはあらためて感じたということですか？

いえ、この頃から思っていました。ある時期まで来た仕事は全部お引き受けするというかたちでやっていて、こういったエッセイはそのときに受けたものなんです。当時は何事も経験だ

「Devil's thoroughbred」

と思っていたし、いろいろなところに露出するのが大事だと考えていたので。いろいろやらせていただいて得たものはもちろんあるものの、エッセイは二度と受けまいという強い気持ちが芽生えました。その後、『裸で外には出られない』をやらせていただきましたが、やっぱりエッセイは苦手です。なので今は依頼をいただいても、面白くできないからとお断りすることが多いんです。ストーリー漫画を描く以外のことが本当に苦手なのだと痛感していて。

――たとえば、イラストを描くのもですか？

そうですね。もう自分の作品のカバーイラストがギリギリのラインです。自分の本は、内容をよく知っているからなんとか描けますが、装画のお仕事なども何度かやらせていただいたものの、そもそも絵が上手くないのと主題をきちんと捉えて表現できるとは思えなくて、今はほとんどお断りさせていただいています。ストーリー漫画を描く以外のことは、できるだけしないようにしようと思って。

――労力のリソースを割くならストーリー漫画に。

そう思って。そのほうが依頼してくださった方も私もWin-Winだなと思います。

――読者としては、未収録のまま埋もれてしまわずに、コミックスに収録されるのはありがたいなと思います。

自分が描いたものは反省点がどんなにあったとしても、そのとき面白いと思って描いたことは嘘じゃないし、一生懸命描いたものだから、基本的には好きなんですね。でも、自分で好きだと思えないものを生み出してしまったと感じるものが何作かあって、それはとてもしょんぼりすることだし、できればもう目に触れないようにしたいと思ったりもします。ただ、そういうものを機会があるのにどこにも収録しないというのは、すごく不誠実な気がするんです。描き手の気持ちを想像もしなかった読者だった頃に、どうしてあれをコミックスに入れてくれないの、コミックス化してくれないのと嘆く作品があったから、描き手の気持ちや事情がわかったうえでもジレンマがあって。もちろん、好きだと思えない作品には理由があるんですよ。でも、その作品を少しでも好きな人がいる可能性がある以上、それを明らかにすることも不誠実なのかもしれないとかぐるぐる考えます。同人誌だったら再録集に入れないとか自分で判断できますが、商業作家として生計を立てている以上、未収録のものをいつまでも宙に浮かせたままにしておくのはどうなんだという思いもあって、頬の肉を内側から噛み切らんばかりに噛むような気持ちで耐えながら、収録することを決意しました（笑）。

『スニップ，スネイル&ドッグテイル』

なんでもない瞬間の大切さ

――二〇一二年から二〇一三年にかけて『onBLUE』で連載された『スニップ，スネイル&ドッグテイル』は、バスの運転手として働く安城と生真面目な翻訳家の峰の出会いから現在までを描いた作品です。各回が時系列順ではなく、出来事と時間が混在しているのが特長的ですよね。

特殊な構成だと思います。本当にこれも自由にやらせてもらって、時間が前後にジャンプするかたちなので、読者に優しくないとは思いながら、楽しく描きました。

――この話は、というかこの話も日常を描いたものです。

なんの変哲もない、日常の中にそんなに変わったことが起きるわけでもないロマンスを描きたかったんです。そんな中でも、何かすごく大きな転換になる瞬間とか感情があるじゃないですか。それを描きたかった。誰かと出会って変わっていくことや、誰かに変えられてしまう、影響し合うようなロマンスの美しさみたいなものを演出で見せたくて。

――なるほど。日常の積み重ねがあるからこそ見えてくるものが確かにありますよね。

なんでもないように思える瞬間こそが、恋愛においてとてつもなく大切な瞬間になり得ているんじゃないかと。それを読書体験的に面白く読んでもらうことはできないかなと考えました。でも、実は時系列順に描かないことで私に一番利がありました（笑）。

――そうなんですか？

気持ち的には描きたいところだけを描いている感じでやれて、楽しかったし、気分的にも楽だったんですよね。あらためて思うのは、読者の方たちをものすごく信頼して描いたんだなということです。

時間を前後することで見えてくるもの

――時系列が明らかになるのは最後に入っている目次ですからね。時間が前後にジャンプするエピソードの見せ方でも、描かれている大事なところは読み取ってくれるだろうという。

結果的に、すごく好き嫌いが分かれるものになったとは思います。とても好きだと言ってくださる方がいる一方で、わかりづらくて苦手だという方もいると思いますから。私としては、好きなことを本当に楽しくやって、描いているお気に入りの一作です。

——同じ出来事や瞬間が別の視点から描かれていることで、出来事の捉え方が変わったり、違う感情が芽生えたりして面白い体験でした。

日常のふとした場面もそれを見る人によって違うものになるんですよね。そういうことを描けたのが楽しかったです。

——たとえば、「2012年2月17日」のエピソードは、寝ている峰のベッドに腰かけている人がいて、読者はおそらく安城だとわかるのですが、その気配に一瞬目を開けた峰がまた目を閉じるまでが一ページで描かれたものです。そこからしばらく間をおいたあとに、その日から繋がる「2012年2月18日」のエピソードとして、ベッドに腰かけた安城が眠りについた峰にそっと触れる瞬間が描かれていて、終盤にある時計のカットで日付が変わってから五分経ったことが提示されます。最初は誰かがそばにいて峰が眠っている時間を切り取ったエピソードとして受け取っていたものの裏で、安城には安城のドラマがあったことがわかることで、物語を読み解くというと大げさかもしれませんが、ピースが繋がったり裏が見えてくる快感がありました。

あそこは、峰は寝ているからもちろん安城のことなどわかりようがなくて、安城は安城でしばらくじっとしていたのちにああいう行動に出ているんですよね。峰の視点からだけでは描きようがないし、時間の流れに沿って描く形だと峰の視点のすぐあとに安城の視点が入ると思うんですが、そうしないことで点と点が繋がるような快感はあるのかなと思います。あと、どの時間軸の話なのかによって二人の距離感が変わっていたりするのですが、その変化もやっぱり恋の風景なんですよね。順番に描かれていないことで混乱される方も多かったかもしれないのですが、時間が前後していることでより変化を感じてもらえるものにはなっているんじゃないかと思います。

――時系列に沿って二人に何があったか、メモのようなものは作っていたのですか？

そうですね。ざっくりとですが決めてはいて、描きながら間を埋めていった感じだと思います。

――もちろんこの作品を単体で読んでも面白いのですが、これまでに描かれたものを読んでいると、こういうものが描きたいという一つのかたちが見えてくるように思います。ものすごくドラマティックなことや激しい展開があるわけではないのですが、日常という風景のなかにロマンスがある。『恋の話がしたい』と同じ系譜と言いますか。

そうですね。元までたどると、同人誌版の『明楽』で描きたいと思っていたことに通じていると思います。ロマンスものの

『スニップ，スネイル＆ドッグテイル』

一つの描き方として、生活とその中でのとある瞬間を描きたいんですよね。たとえば、安城の彼女である女性が自分の彼氏がほかの人のことを好きになり始めていることに気づくのですが、安城の何気ない仕草の中に恋愛の気配のようなものを感じているんですよね。

――安城が峰に触れようとした手を下ろすところですね。

はい。そういう気配を描くのも好きで、この話ではそれを描いていきたかったんです。

――時間が前後していることもあり、流れるようにというよりはカットバックのような感じで、いろいろな瞬間が読者の前に映し出されていきますが、だからこそそういった気配が際立って印象に残るように感じました。

回想を連続していれたりだとか、似たコマを連続させるとか、好きな演出をたくさん入れていますね。フラッシュバックのような演出は特に好きなのですが、映像ではなくて漫画でやるとすごくやりにくいんですよね。わかりにくくなりがちというか。でもそれを惜しげもなくや

『スニップ，スネイル＆ドッグテイル』

っていますね。楽しそうだな、自分（笑）。

プライベートが垣間見える瞬間

――タイトルは、作中でも引用されているマザー・グース[*5]の童謡「What are little boys made of?」にちなんだものですよね。

はい。なんとなく、ぼんやりと決めた気がします。数を描いていることもあると思うのですが、タイトルは結構雰囲気で決めることがあって、これはそのパターンです。

――谷川俊太郎の詩も作中で引用されていますね。

谷川俊太郎が好きなんですよ。詩をそんなにたくさん読むほうではないのですが、谷川俊太郎の詩は読むたびにすごいなと思ってしまいます。あんなに平易な言葉で、本質的というとすごくペラペラな言葉になってしまうのですが、人間の芯を掴むようなことを美しく書けるのは感嘆しかないです。作中で使わせていただいているのは「黄金の魚」という詩の一節なのですが、詩全体を紙面で見ると「おおきなさかな」「ちゅうくらいのさかな」「ちいさなさかな」と並んでいる字面が集束していく感じが綺麗で、それにも感動してしまって。ずいぶん前に知った詩だったのですが、この話で彼氏を奪われるかたちになる女性を描くときに、この詩を引用したいなと思いました。

――安城の彼女だったみちこは、とてもいい子だなと思いました。

いい子なんですよ、みちこ。安城のことが好きだったから、彼のちょっとした変化に気づいたし、自分が気づいているのに当の安城が気づいていないことがきっと腹立たしくて「ムカつくから気づかせてやる」くらいの気持ちでいる。本当に優しいいい子ですね。みちこのおかげもあって、一つの恋が終わって一つ始まった風景が静かなものとして描けたようにも思います。

——確かに、全体的に静かな印象です。途中で峰がビール缶を投げつけたりしていますが。

そんなことしていましたね。描いたことを忘れていました（笑）。まあ、基本的に日常の話なんでね。そんなに激情型なことはないだろうと。そういえば、これを描くためにバスを見に行ったのを思い出しました。

——安城がバスの運転手だからですか？

そうです。雰囲気を掴みに行きたいなと思って。バスの運転手さんと知り合いで、その人のことを憎からず思っていて、偶然その人のバスに乗ったらめちゃくちゃドキドキしない？って思ったんですよね。バス同士がすれ違うときに運転手さん同士が手を挙げるじゃないですか。

『スニップ，スネイル＆ドッグテイル』

――挨拶のようにするやつですね。

そうそう。小学生のときにバスに乗って塾に通っていたんですが、あるときすれ違う運転手さんたちがただ手を挙げるんじゃなくて飲むジェスチャーをしているのを見たことがあって、すごくときめいたんですよ。この二人、仲いいんだ！と思って。プライベートが一瞬見えて、めちゃくちゃドキドキしたんですよね。

『スニップ，スネイル＆ドッグテイル』

――それはときめきますね。

そうでしょう？（笑）そういう関係性が垣間見える感じが当時から今でも好きで好きでたまらないんです。

――安城の部屋から荷物が減っていく一方で、峰の部屋に安城の荷物が増えていくのもいいなと思いました。二人の関係の変化がわかりますよね。

安城はこれまでも恋愛をしてきた人なので、人の空間を侵食することにためらいがないんです。

――なるほど。

峰はそうじゃないので、初めて侵食されて戸惑いがちになっています。しかもそこにつけこまれている節がある。なぜなら安城は悪いやつなので。

――悪いというか、大人の小狡さのようなものはありますね。傷つかないように立ち回れるというか。

そうなんですよ。

――そんな安城と峰の共通の知人が仕事を変えて実家のある東北に帰ると電話で安城に告げるエピソードがあります。日付が2012年のことで実家が震災で被災されたのだと読みましたが、二人の日常を描いた話の中でそういったエピソードを加えた心情を覚えていますか？

描いたことは忘れていましたが、おそらくそれが私の日常にあったことだったからだと思います。周りにそういう人がいたんですよね。この男性は安城や峰にとってとても親しいというわけでも、いい人なわけでもないんですが、そんな人でももう会わないかもしれないということや、やむに已まれぬ事情で仕事を辞めて実家に帰るということに感傷的になることはあると思うんですね。生活の中にあるそういうふとした感傷も私は好きなので、それで描きたいと考えたんじゃないかと思います。そういう感傷を共有したことで、ロマンスじゃなくても影響し合う感じが好きなんでしょうね。

――影響し合うということが通底している作品のように思います。巻末のほうにエピソードを時系列順に並べたかたちでもくじが掲載されていますので、順番に読み直したらまた違った印象を得られるかもしれません。

並べ直して読んでくださった猛者がいるそうなんですが、ありがたい限りです。

＊1　パク・チャヌク……映画監督。一九六三年、韓国生まれ。映画批評家として活動した後、一九九二年製作の『月は…太陽が見る夢』で監督デビュー。エロスやバイオレンスを描く作家として知られ、二〇〇三年製作の『オールド・ボーイ』で第五七回カンヌ国際映画祭グランプリを獲得。主な監督作に

＊2　『JSA』『渇き』『別れる決心』などがある。
『お嬢さん』……二〇一六年製作、パク・チャヌク監督の官能的なサスペンス映画。日本統治下の朝鮮半島を舞台に、財産を奪うためにメイドに扮して屋敷に潜入した孤児のズッキと、華族の令嬢・秀子との関係を描く。

＊3　ねむようこ……漫画家。二〇〇四年、『FEEL YOUNG』掲載の「ナイトフルーツ」でデビュー。『FEEL YOUNG』誌上で対談を行うなど、ヤマシタと親交がある。二〇二〇年より連載中の『こっち向いてよ向井くん』が、二〇二三年にドラマ化され話題を集める。主な作品に『午前3時の無法地帯』『ペンとチョコレート』『とりあえず地球が滅びる前に』などがある。

＊4　「SPARK」……二〇一〇年に発表された歌手・児玉奈央の同名アルバムのためにハナレグミが書き下ろした楽曲。ハナレグミは、バンドSUPER BUTTER DOGのボーカルだった永積タカシのソロユニットで、永積は児玉の高校の先輩にあたる。

＊5　マザー・グース……「がちょうおばさん」を意味する、イギリスの伝承童謡の総称。子守唄や物語歌のみならず、早口言葉やナンセンス歌なども含まれている。

第7章

恋愛的な愛に限定されないBL

『さんかく窓の外側は夜』

『さんかく窓の外側は夜』

生活感のあるオカルト

――二〇一三年から二〇二一年に『MAGAZINE BE×BOY』で連載された『さんかく窓の外側は夜（以下、さんかく窓）』は、霊が見える体質の書店員・三角(みかど)と、偶然の出会いから三角が助手としてコンビを組むことになる除霊師の冷川(ひやかわ)が遭遇する事件を描いた作品です。これは最初からオカルトホラーが描きたいと考えていたのですか？

そうです。オカルト好きなもので、オカルトっぽい話が描きたいなと思ったのと、BL読者の方にはホラーが苦手な人が多い印象だったので、ホラー好きな自分としては、楽しくホラーを読んでもらいたいなと思ったんです。もともと生活感のあるオカルトみたいな話が好きなのもあって、BLと組み合わせてもいけるんじゃないかなと。BL面でも、がっつりロマンスに振るというのでなく、それは恋なの？　エロなの？　どうなの、越えてるの？という絶妙なラインにあるものが描きたいなと思っていました。

――当初は読切の予定だったそうですね。

そうですね。創刊二〇周年の記念号だったかな、そこで読切をと依頼された気がします。それで読切として考えつつ、『タッチ・ミー・アゲイン』と同じ戦法で（笑）。

——続きが気になるでしょう?と（笑）。

これで終わらせるのはもったいないですか、と匂わせて、ありがたく続きを描かせていただけることになりました。あんなに長くなるとはまったく思っていなかったですけどね。

——「その後」のお話もまとめたものと合わせると、全一一巻にわたる長編になりました。読切の時点である程度の構想はあったのでしょうか。

どうだったかな。これ、まだノートという文明の力を知らない頃に考えた話だから（笑）、手元にメモとか残っていないんですよね。ただ、私の好きなカップリングの代表例みたいな二人だし、好きなキャラを描いているとは思います。なので、続きを描いたらきっと楽しいだろうなと思いつつ描いたんでしょうが、第一話の時点では設定とかは詳細には決めていなかったような気がしますね。

——抽象的な話で恐縮なんですが、タイトルはすごく長編ものっぽいと思いました。

『さんかく窓の外側は夜』

でもタイトルに意味はないんです。このタイトルに込められたものは、とかいろいろ考察される方もいるようなんですが、ないったらない（笑）。知り合いに三角という姓の方がいて、かっこいいなと思ったので「名前、使っていい？」と聞いてキャラの片割れに使ったんですけど、キャラの名前由来プラス雰囲気重視で、なんかそれっぽくかっこよく見えるタイトルをつけているだけです。タイトルにちなんでよくイラストデザインで三角形をモチーフとして使ったり、目のハイライトを三角形で入れてみたりしていますが、本当に意味ないので、みなさん深読みしないでほしいです（笑）。

「これはBLです」

——三角形のモチーフを使ったコミックスのカバーデザインが途中からガラッと変わったのは驚きました。六巻を機に、当初の黒を基調としたものから白をバックにした爽やかな印象のものになりましたよね。

デザインが変わったのは私の意思ではなくて、私のところに話が来た時点ですでに決定事項だったもので、駄々をこねてはみたのですがダメでした。そもそもBL誌で連載していたのに、コミックスがBLレーベルじゃないことも正直なところ私は不満があったのですが、それもあってかこの話はBLではないと思われる方もいるようで、BLっぽい描写がいらないという感想をいただいたりもしました。そういう方には残念ながら、これはBLなんですよねと。[*1]

——わかりやすい濡れ場や描写がないから非BLだと思う方がいるのかもしれないですね。

でも、これだってBLだし。すごく恋愛や性愛に近いところにいるけどまだそうならない人たちのハラハラする感じを描きたかった。

――点と点を繋いで線にするような。

ＢＬへの抵抗感を持ちながらＢＬに近いものを喜ぶ人たちにとっても、ＢＬレーベルでないことは重要だろうし、そのほうが受け入れやすいんだろうな、そういう人にも訴求したかったのかなと思いましたが、正直に言えば私はＢＬじゃないレーベルからこの作品が出ることがすごく残念で。私にとってこの話はＢＬなんだけどなって気持ちがずっと消えなかったのもあって、話す機会があるたびに「これはＢＬです」と明言していて、結果的に非ＢＬレーベルから出された意図を台無しにしています（笑）。

――どのレーベルから刊行されるかは、やはり重要なんですね。

マーケティング的な観点から決定されたことだと思うのですが、作者である私にとっては喜ばしいことではなかったという話なだけです。カバーデザインの変更も、乱暴な言い方をすると急にＢＬっぽく押し出していきたいという方針になって、そういうカバーイラストを望まれたんですが、私は最初のデザインのまま先生を描きたかったんです。

――謎の宗教団体の正体不明なトップである〝先生〟ですね。

そう。彼をあのデザインでカバーにしたかったのですが、デザインを変えることになったって言われて、それもとにかく残念で。どのあたりの時期だったかは忘れましたが、実写化やアニメ化の企画も進んでいて、それが実現するまでは連載を続けなくてはいけなくなっていたので、そういう状況なことにも気持ちがグルグルしちゃって。何が腹立たしいって、そういう作品そのものとは関係ないことで湧き上がった私の感情が、その作品に対して私が大事にしていた気持ちを変えてしまいかねないことでした。

とはいえ、商業誌で描いている以上、雑誌の方針だとか販売促進上の判断だとか、シンプルに作品を作るということ以外のもろもろが発生して、それに多少私がやりたいことや私自身が影響されることは仕方ないと思っています。もちろん、描く側としては、そういった中でどれくらいきちんと話を成立させるか、面白いと思っていただけるものを出せるかが仕事だと思うので、そこで投げ出すとかがんばらないとかは選択肢にないんですけどね。もう本当に、私の気持ちの問題。

——メディア化がなければ、もっと早く風呂敷を畳んでいました？

どうでしょう。メディア化はあの長さまで続いた理由の一つではありますが、それがなくてもあそこまで描いたかもしれないし、もっと短かったかもしれない。それはわかりません。ただ、無理に捻りだしたような不必要なエピソードはなかったです。もともと私は物語にエンドマークをつけたあとの番外編などは描きたくない性質なのですが、それでもこれは楽しく描けたし、読んでくださった方にも喜んでいただけ

『さんかく窓の外側は夜』

たんじゃないかなと思います。

不本意な相性のよさ

――メインキャラクターである三角と冷川は、好きなカップリングの代表例というお話をされていましたが、霊が見えるけれど特に何かできるわけでもない三角が、除霊師である冷川の力をブーストできるという設定が面白いなと思いました。

冷川にはいかにもオカルトという感じのキャラ付けをしたので、三角はそうではないキャラにしようとは思っていました。不調和の調和を取りたかったというか。それはこの作品ではわりと通底していて、いかにもオカルトな感じのする英莉可に対してお付きの逆木はそうではないとか、霊感がバリバリある迎もオカルトホラーにはあまり出てこなそうな陽キャぎみにしたり。BLやオカルトホラーというジャンルにおいても、王道のそれとはちょっと違う感じでバランスを崩したいと思っていました。

――見えるけれど霊が怖い書店員の三角、ワケありな過去持ちで傍若無人な冷川、呪い屋をやっている女子高生・英莉可と彼女に付き従う元チンピラな逆木、女性に人気で心霊的なアドバイスもする占い師・迎と、主だったところだけでも濃くてユニークなキャラだらけです。やはり筆頭は冷川と三角だと思うのですが、サポートし合うバディとはまたちょっと違う不思議な関係で、不調和の調和という言葉がとてもしっくりきました。

私は恋愛的な関係の人たちにおいても、ロマンスの文脈じゃない人たちにおいても、二人の間に能力なり力関係の優劣があったとして、何かを経ていくことでその立場が反転したり、状況によってどちらが優位になるかクルクル入れ替わるような構図が好きなので、それがこの二人にはわりとわかりやすく表れていると思います。

——始めのうちは、冷川は三角にサポートしてもらうというよりは便利に扱っていますし、三角も冷川を信用し、頼っているとは言いがたくて、急ごしらえのバディな感じが逆によかったです。

私は信頼関係というものを信用していないところがあって、自分が読み手の立場になるとさほど気にしないのですが、描くうえでは登場人物に信頼関係を簡単に築かせる気にならないからだと思います（笑）。だって、そんなに簡単に他人を信用できる理由が見当たらないし、他人に献身的に協力する動機がどこにあるか気になるじゃないですか。それと、相手のことを信用しきっているとは言いがたいけど、いろいろなことが調和しないのになぜか合ってしまう不本意な相性のよさというのがすごく好きなので。そういうのが三角と冷川という二人には本当にぴったり合っていたと思いますね。最終的には、この人たちがすごく歩み寄る話になって、それは普段から描きたいと思っていたことだったので、そういう意味でも描き上げることができてよかったです。

——信頼関係がまだできあがってもいない相手に魂の核を触らせることになる三角がある意味、不憫ですね。予想外の快感まで与えられてしまって。あの設定はとてもエロいなと思いました。

エロじゃないのにエロに見えてしまうものっていいよね、という思いを実現させるための装置ですね（笑）。

——第一話の時点ではあまり詳細に設定など決めていなかったとのことですが、話の着地点が見え始めたのはどのあたりですか？

二巻のあたりではイメージできていたように思います。なので、そこに向けてある程度キャラクターを見せておこうとか考えていたんじゃないかな。この話に出てくるキャラクターはわりとみんな口数も多くて、動かしやすいタイプのキャラクターだったので、最後までブレることなく描けた気がしますね。

――先生もですか？

先生は、ラスボスに向かっていくみたいなストーリーラインにしたかったのと、私が霊感商法のようなものが大嫌いなので、そういうのに関わっているような立場の人を描きたかったんです。病気や生活苦、ほかにも苦しくてつらいことなんかの理由や解決法が、霊だとか信心だとかにされちゃうのが本当に嫌いなんですよね。なので先生は……悪口の対象みたいなもの？（笑）

――悪口（笑）。

オカルト好きとしてジレンマはあるんですけどね。

じわじわと嫌な気持ちにさせる誠実さ

――そもそも、オカルトやホラーに惹かれる理由に心当たりはありますか？

単純に面白いと思うからですね。子供の頃、とにかく漫画が読みたくて読み漁っていた中に、ホラー雑誌が何誌もあったんですよ。御茶漬海苔[*2]さんや犬木加奈子[*3]さんの作品などが掲載されていました。ホラー映画も好きで見ますが、どちらかといえば、怪奇現象の正体が可視化されず、見えないままこちらの心情的に嫌な感じのする展開をしてくれるものが好きで、スプラッターものはあんまり。内臓をわざわざ散らばせるのって、キスシーンをカメラがぐるぐる回りながら撮るくらいの誇張な気がするんですよね。そういうものが見たいときもありますが、静かで綺麗で、見終わった後から恐怖が忍び寄ってくるようなものが好きです。黒沢清監督のホラーがとても好きなのもそこなんですよね。『CURE』は本当に大好きで、オールタイムベスト映画の一つです。

——そういうのを見ると、気持ちが引っ張られて落ち込んでしまったりしませんか?

そんなことはないですね。逆に、気分が落ち込んでいるときにホラー映画を見ると元気が出ます。

——え? ホラー映画を見ると元気が出るのですか?

出ますね(笑)。

——そうなんですね。私はホラーが苦手なので、見ると元気を失う気がしていました。

観客を驚かせるためだけの音響演出とかは苦手なんですが、なぜか元気が出ます。あとは、オカルトっぽいギミックを単純に「カッコいい!」って思っちゃうところがあるので、それも大きいかな。たとえば、アンドレ・ウーヴレダル監督の『ジェーン・ドウの解剖』[*4]という映画があるのですが、映画そのものはさほど私の好みに合わなかったものの、作中に出てくる死体を解剖したら皮膚の内側に魔法陣が……!みたいなものに心揺さぶられるわけです。超カッコいいって(笑)。

——それは少しわかる気がします。私は『ツイン・ピークス』[*5]で爪の間から写植が出てきたときにぶわっとテンションが上がりました。

それです、そんな感じです。

——ご自身の好みとしては、ざわざわ嫌な気持ちになるものなんですよね？　黒沢清監督の作品だったり、ほかには？

たとえば、アリ・アスター監督[*6]ですかね。

——『ミッドサマー』[*7]の。

はい。アリ・アスター作品は、ホラージャンルで表現できるものの広さをすごく感じるんです。怪異や恐怖だとかももちろん描かれるのですが、そこに他人には理解されにくい苦しみや悲しみが描写されていて、ホラーというジャンルの中でそれが表現されているのがすごいなと思います。恐怖を感じさせる演出の仕方も含めて、映画作りがすごく誠実だと思うんですよ。

現実との折り合いの難しさ

——『さんかく窓』で描かれる怪異も、嫌な気持ちの共感の意味合いがあったのでしょうか。

ありました。こういうことが日常で起こったら、私は超嫌なんだけどみんなは嫌だと思わない？という投げかけ（笑）。

——『さんかく窓』に登場する霊的なものは、人間とは理が違う感じがして、こちらの理が通じない恐怖も感じました。得体の知れない怖さがありました。わかり合うなんて無理だと思わされてしまうというか、通じ合いたくないと思ってしまうというか。

そういう怖さが好きなんですよね。そういうのは霊的なものに限らず、生きている人間にもあてはまることだと思いますが。

――そのような理が通じないものに否応なく関わりながらも、三角はそういったものに侵食される印象がありません。怯えはしますが、本人の軸はブレなくて、健やかですよね。

私、健やかな人が好きなんですよ。天性の健やかさを持つ人って、いるだけで他人を救うなってすごく感じるので、三角の持つ健やかさが嫌みにならないよう、ギリギリのラインを探しつつ、三角にはちょっとがんばってもらいました。

――作中では三角と三角の母親のシーンが幾度も出てきますが、三角にとってだけでなく、母親は物語にとっても重要な存在ですね。

お母さんもすごい健康的な人ですからね。お母さんがメインの回（第22話）も描いていて楽しかったんですよ。周辺キャラクターの生活を描くという、ここにも私の好きなものが入っています。BLに限ったことはではないんですが、物語のメインのストーリーではないところで、家族や登場人物のルーツの話を描くのが好きなんですよね。三角のお母さんの回を描けたことで、三角の言動に説得力が増したように思いますし、背景がすごく太くなった気がします。

『さんかく窓の外側は夜』

――三角の母親の健やかさに先生も救われていた部分はあったと思うのですが、結果的に彼は離れることを選んでしまった。

そうですね。先生は健やかさに救われることよりも自分の思うままに動くことを選んでしまった。彼は人でなしなんですよね。小さな子になんてことをするんだって、自分で描いておきながら思いましたが、彼は私の中でものすごくダメな人なんです。

――なるほど。その先生の〝人でなし〟な感じもある意味、物の理が通じない怪異のようにも思えます。BLからヤマシタ作品と出会った人は、この作品にまた違った印象を持つのかもしれませんが、漫画賞の受賞作というかたちで初めて雑誌に掲載された「ねこぜの夜明け前」の時点ですでに日常に侵食している怪異を描かれているんですよね。

もう本当に昔から自分が好きなものを描いているということですよね（笑）。オカルトが好きだし、日常にファンタジーが食い込んでくるものも好き。そういった場面をこれまでにほかの作品でも何度となく描いていますが、それもやっぱり好きだからなんです。『違国日記』や『BUTTER!!!』のイメージが強い方は、日常ものをたくさん描く作家のように私を捉えていらっしゃると思うのですが、実はファンタジーと日常が融合しているようなものも結構描いているんですよ。

――確かに、そうですね。

隙あらば自分の好みを入れています（笑）。

――『さんかく窓』で日常と怪異という非日常を融合させるにあたって、楽しみつつも難しさを感じた点はありますか？

現実との折り合いのつけ方ですね。たとえば、オカルト映画を観ていると、事象と警察の絡ませ方が本当に難しいと感じるんです。特に現代ものだと、日常における異常な状況に対して警察を絡ませないわけにはいかないですから。なので、現代を舞台にオカルトを描くなら、警察が関与する余地のない密室や固定のシチュエーションで描くほうが楽だとは思います。そういった折り合いをどうつけるかも、現代オカルトものを描く楽しさの一つだとは思うんですけどね。

——たとえば、ほかにはどんな楽しさが？

シミュレーションの楽しさがあります。三角や冷川は霊が見える人たちですが、見えない人には怪異はどう見えているのかなとか。それはありえないと思っているのですが、自分も怪異に遭遇することがあったとしたら、どんな風に対処するかなとか。

——ご自身が怪異に遭遇するのはありえないと思っているのですか？

はい。そういうものが描かれているものが好きで楽しんではいますが、私は霊も宗教もまったく信じないので。でもＵＦＯもオカルトも大好き。それは成り立つと思っていますし、好きとそういう事象があると信じているはイコールではないと思っています。

——あくまでも、三角や冷川を見える人として描いているだけ。

そうです。

——自分には見えないものを表現として描く楽しさもあります？

ありますね。霊みたいなものを描くときは、人間としてのバランスがおかしくなっていることを意識して描いていたのですが、それが楽しくて。

――バランスというのは造形的にということですか？

自分の中のイメージとしては、魂みたいなものが肉体の形を覚えていられなくなった状態を意識していました。服と肉体の境目がつかなくなっていたり、見たときに違和感がある感じというか。そのデザインを考えるのが楽しかったんですよね。この作品での呪いに関しては、精神状態をそのままビジュアル化したような感じだとか、結構汚めに描くのがすごく楽しかった。綺麗なものがぐちゃぐちゃになるのはやっぱりみんな好きじゃないですか。

『さんかく窓の外側は夜』

――同意しきれないです（笑）。

あ、そうか、苦手な方だった（笑）。単純に、ぐちゃぐちゃを描写するのが私は楽しくて、そういうシーンばかり描いていたら食傷ぎみになると思うのですが、この話はそういうシーンが連続するようなストーリーでもなかったので適宜楽しめるという感じで。

――英莉可が呪いをかける場面で、大きな文字が下に敷いてあったり、吹き出しの表現が面白くて秀逸だなと思いました。

あれは無理を言った覚えがあります。「そういうことはできないかも」と言われたのをやりたいから「そこをなんとか」で押し切って。やっぱり漫画だからできる表現はやりたいですから。そういう表現の仕方も含めて、霊現象とか呪いの装置とかギミックを考えるのはすごく大変だけど、同じくらいすごく楽しくて、やっぱりオカルトものは楽しいなと思います。

恋愛的なものに限定されない愛

——三角が健やかな存在というお話は聞きましたが、対して冷川はご自身の中ではどういった位置付けのキャラクターだったのでしょうか。

彼はああならざるを得なかった人ですね。欠けている人。欠けさせられた人。そういう人がどう社会と折り合っていけるかとか、どうやって自分の欠けたり壊されたりしたものと向き合っていけるかは描きたかったところでもありました。作中で、冷川が英莉可のことを「ずるい」と言う場面があるのですが、そこはすごく冷川がかわいそうで、描いていて楽しいというか、描きがいがありました。その場面に限らず、冷川は描きがいのあるキャラクタ！だったんですよ。冷川に比べたら三角は凸凹がないので描くのが難しいかなと初めのうちは懸念もあったのですが、描き始めたら三角が予想以上にしゃべってくれて。あんな性格のわりによく動いてくれて、おかげで助かりました（笑）。

——冷川が三角に「きみの善意はやはり暴力的だ」（第44話）と言うシーンが印象的でした。

冷川にとって三角の健やかさはそうとしか受け取れなかったってことですよね。この話は、ある意味、自分が誰かに助けられるという選択肢がない人を助けるのはいかに大変かということを含んでいて、それを描くのも大変ではあったのですが、私の中で三角と冷川の愛……思い合うことに物語が収束していくという目指すものがはっきりと見えていたので、ブレたりすることなく描けたのはよかったです。実は、終盤にかけての展開を担当さんに説明するときに、冷川がいばら姫で三角がそれを助けに行くんですって説明していたんですよ（笑）。

――なるほど、囚われのいばら姫ですか。

冷川に私が抱いていたイメージはそれです。恋なの？ 愛なの？ そうじゃないの？みたいな距離感にある二人を描きたいという気持ちが最初からあって、最終的に愛というものがさまざまなことを包括してくれたらいいなと思っていました。二人の間にある愛も恋愛的なものに限定されることなく、友愛の要素もあったり、ほかの要素もあったりするすごく広がりのあるものにしたくて、そういうものを二人が自分たちの間に培っていく話にしたかったんです。それと、先ほどこの話を自分

『さんかく窓の外側は夜』

が誰かに助けられるという選択肢がない人を助けるのはいかに大変かという話だと言ったのですが、同時に、誰かを助けることで自分も助かるという話にしたくて。誰かに助けてもらえると思いもしていなかった冷川と、そんな冷川を助けることで自分も助けられる三角の話になりました。

――恋愛面では純化したラブストーリーものが多いBLにおいては、なかなか異色ですよね。

異色になっちゃうのが残念ですね。シンプルな話しか受け入れられにくいみたいなことも耳にはしますが、BLがファスト消費されるものにますますなっている印象があって、そういうものを楽しんでいる人もいるだろうけれど、そうじゃないものももっとあっていいんじゃないかなと思うんです。私自身、恋愛に思い切りメーターを振り切ったものより、なんとなく恋っぽい？みたいな微妙ものが好きなのもあって、そういうものを描かせてもらえる機会があるならやりたいと思っていたし、恋愛を中心にしない恋愛物語を実際に描いたらやっぱり面白かったんですよね。

『さんかく窓の外側は夜』

――この話を恋愛を中心にとまではいかなくても多少恋愛に寄せて描く可能性はありましたか？

それはなかったと思います。何よりも恋愛を第一に考えたり、それで人生が変わったりするようなことはそう容易いことではないと思っているし、他の要素と絡み合ってこそ面白いと思っていて。なので、それを中心に据えたら話が進まないというか（笑）。恋愛を中心に据えずに、でも恋愛を描くなら、その分キャラクターには苦労してもらおうと思っていました。

――恋愛面で盛り上がらない分というわけではないでしょうが、二人の間で強制イベントが起こり続けてはいるんですよね。怪異現象ではありますが。

それを媒介に二人の関係に変化をもたらせるのはよかったです。ただ、おかげで後半は私が当初考えていたよりはずいぶん派手な展開になりました。先生をわりと厄介な人にして、彼を最後の難関にしたいと考え始めたあたりで、冷川はいばら姫だなと思ったんです。

――助けにくる三角は王子様だと？

いいえ、これは担当さんにも言っていなかったのですが、私の中では三角は天使でした。これはもう私の頭の中だけのイメージなので気にしないでほしいんですけど（笑）。片方が深い穴の中に落ちた片方を助けに行くみたいなイメージはずっとあって、それで私の中では概念としてのいばら姫と天使として固まったというか。

ネガティブな感情を肯定したい

――先ほど終盤は派手な展開とお話しされていましたが、冷川が囚われの身になってからは、三角をはじめ誰にとっても怒涛の展開で、最後みんなで顔を合わせたあとに解散するくだりはものすごいカタルシスがありました。明るい方向に向かって歩いていく感じがして、清々しい読後感だったんです。

最初から最後まで、私はこの話をいわゆる〝happily ever after（めでたしめでたし）〟として描いていたので、そう感じてもらえたらうれしいですね。これは、出会うべき人にきちんと出会えて、それでも間違ったかたちに収まってしまうこともあるけれど、幸いそんなことにはならずに、互いに望むかたちに収まることができた二人の話なんです。相手の存在を以てして自分がよりよい人間になれて、そしてそれによってほかの人たちとの関係も上手くいったり、新しい関係が始まったりする。そういう〝happily ever after〟。

『さんかく窓の外側は夜』

――ただ、そこに至るまでに冷川も三角も乗り越えなくてはいけない大きな壁がありましたよね。

終盤、冷川を助けるにあたって、誰が何を言って、言わないか、ということはものすごく考えました。

——魔王のような存在の先生を倒しておしまいというわけではなく、そこからが本番というか、実は討伐すべきものがまだ控えている感じで、冷川に迎や三角が対峙して会話する場面は、果たして彼を救い出すことができるのかハラハラしました。

先生は私の中の〝許されざる父親〟の一人みたいなキャラクターで、退場させたあとはもう出すまいと強く思っていました。まさに本番はそのあとで、冷川に家族主義を押し付けてはいけないし、彼の憎しみを肯定してあげたいし、それでも生きていくという選択肢を彼が取るためには、彼をどういう気持ちにさせてあげたらいいんだろうといろいろ考えました。恋愛が隠れたテーマとして根底にずっとあって、恋愛が一つの救済にはなっているんだけど、だからといって恋愛至上主義な感じにもしたくなくて。

——以前にもマイナスの感情を肯定したいとおっしゃっていたかと思うのですが、その根底にあるものはなんなのでしょうか。

憎しみとか悲しみとか、そういうマイナスな感情を自分で解体したり、そこにあるものを選り分けていくような作業はすごく大事だと思うからです。正体を知ると怯えなくて済むというか。そういう感情って、こんなことを考えるのは自分だけなのかもと思ってしまいがちだし、自分で向き合うにはしんどいものだと思うのです。それをフィクションが代わりにやってくれて、その感情は自分だけのものではないと提示されるのは、少なくとも私にとってはありがたかったんです。ネガティブな感情や経験が人をより成熟させるとかはまったく思っていないんですが、ネガティブになることは普通にあるじゃないですか。それをおかしなことだと切り捨てたくないし、「人を憎むなんてダメ！」とその感情を簡単に蹴とばしてしまいたくない。私がそんな風にされたくないから。そこまでの感情ってたやすく霧消するものでもないと思うので、長い時間をかけて解体していくしかないんですよ。そのヒントが物語にあると私はうれしかったし、自分が描いた物語でそう思ってもらえるとうれしいなって。憎しみだとか強い感情を肯定するまでの道筋が大変だったりするので描くのは難しいんですが、ヒントが上手く伝わらないとしても、そういう感情ってあるよねということはまず伝えたいんです。そこで「そんな気持ちを抱えていたら前に進めないぞ☆」みたいなことは言いたくない（笑）。

――（笑）

私がアリ・アスター監督の作品が好きなのは、「そういうのあるよね」って描いてくれるからなんです。家族至上主義じゃなくて、家族だって憎しみを抱くことも殺したいって思うこともあるよねって。それをセンセーショナルにではなく、普通にあることとして一般的な人間の視点から描くことは大事なんじゃないかなと思います。

家族主義を否定したい

――家族主義といえば、先生の力に三角が対抗する場面（第53話、第54話）で三角が「血しか繋がってない」「おれのほんの一部だ　全てじゃない」と言い放ちます。あれは先生に向けての言葉であり、三角の中にある〝父親〟という存在に対する複雑な気持ちとの決別の言葉なのかなと思いました。

この話にはいろいろなものが詰まっているのですが、その一つが家族主義を否定したい気持ちなんですよね。家族だからどうのこうのというのがものすごく嫌いなんです。家族だから愛さなくてはとか、家族だから信じられるとか、それこそ家族はいいものだとか、自分の作品で諸手をあげて肯定したくない気持ちが強すぎて。良い家族もいるし悪い家族もいるから。家族のせいでひどい目に遭ったり傷ついたりしている人を見ると本当に腹が立って仕方がない。家族を愛する気持ちを否定したいわけではなくて、その根拠が血の繋がりにしかないのだとしたら、それは合理的ではないと思うし、血の繋がりだけに頼って固執してしまうのはつらいことのほうが多いように考えています。だから、かたちを変えながら「家族なんて捨ててもいいよ」と描きつづけている気がします。

いただいた感想には三角のお母さんと先生の関係修復を望む声もあったのですが、私はこの二人は完全に修復できないものとして描いたので、それはありません。お母さんは先生に裏切られて、置き去りにされて、そのあと一人で本当にがんばっていろいろなことを乗り越えてきた人なので、先生を許さないというか、元に戻ろうとは思わないと思います。そういう風に描きました。お母さんの空虚はそんな簡単に埋まらないんで。ただ、お母さんも健やかな人で、大事に三角を愛して育ててきたし、三角もそれをちゃんと実感できて育っているので、三角の健やかさはそこに通じているんですよね。

――三角は霊や怪異を恐れはしますが、必要以上にネガティブになったりはしませんしね。

三角がとにかく絶望しない人だったおかげで、作品のバランスが取れていたのかなって思います。三角は家族を愛しているけれど、その家族には欠落があって、彼自身も抱えているものがあるけれど、それでも自分を取り巻くものに絶望しないでいられる健やかさがある。三角は私がこれまでに描いたキャラクターの中で一番健康な人かもしれないです。健康だし、強いし、元気。多少ネガティブになっても、自家中毒を起こさないし、解決策を探そうとして悩むし、ちゃんとご飯食べるし、ちゃんと寝る（笑）。

――冷川が惹かれるのも納得ですね。

この作品は、メインの冷川と三角のことはもちろん、お母さんだとかそのほかのキャラクターのことも読者の方たちがすごく好きになってくれてうれしかったです。

脇を固めるキャラクターたち

――特に反響が大きかったのは誰なんですか？

メイン二人はもちろんなんですが、意外だったのは逆木ですね。そう多かったわけではないのですが、英莉可×逆木的な関係性に熱く盛り上がってくれていた人たちがいました（笑）。広く人気があったのは迎です。万能キャラというか、すごくカッコいいキャラクターとして描いていましたし、彼は達観したところがあって、俯瞰する位置にいる人だったのですが、サードホイール的なキャラとしての人気もあった感じです。

――クライマックスで、先生が作った「部屋」に囚われた冷川を前に、迎が辛抱強く言葉を交わす場面（第52話）があります。三角が助けに来るまで迎が冷川を繫ぎとめていたわけですが、最初から彼にその役割を託す予定だったのでしょうか。

そうですね。最終的に冷川を助けるのは三角なのですが、別に冷川のことをたいして大事に思っていない人にも彼を助けてほしかったんです。相手が自分にとって大事かに左右されることなく助ける人間の善良さみたいなものがすごく好きなんですよ。迎は他人との間に上手に線引きをしながら、自分が決めたところまでは関わるし助けるということをずっとやっていて、静かな信念のある人だということもあって、三角が来るまで助けようとするなら迎だなと決めていました。迎と冷川の気の合わなさみたいなところは描いていて楽しかったですし、その迎に「話をしようぜ」と言わせたかったんです。

『さんかく窓の外側は夜』

――迎は自分から人を心の内に招いたりはしませんが、話は聞いてくれますもんね。

迎は一生、誰のことも心には入れないでしょうね。心を開かない。だから、バンバン自分の中に他者を入れている三角のことが信じられないし、ヤバいとも思っているんだけど、同時に「いいなあ」と感じているんです。自分と同じように他者を誰も入れないけれど、そのやり方があまりにも違う冷川のことはバカだなと思っている（笑）。

――だから気が合わないんですね（笑）。

でも迎は根が善良なので放ってはおけないんですよ。助けたいと思ってしまうし、行動できる。結果として、かっこいいキャラになってしまいましたね。

――個人的には、霊をまったく信じていないリアリストの刑事・半澤もかっこいいキャラだと思います。

半澤は私が昔から好きなビジュアルのキャラなので、描いていて本当に楽しかったです。これまでそういうキャラを描いても特に注目されたことはなかったんですが、半澤はキャラの掘り下げがあったことも影響してか、好きだと言ってくださる方が結構いてうれしくて。

――霊現象が作用しないという設定は最初から決めていたのですか？

はい。霊や霊が起こす現象をまったく信じないという人を出したくて、そういう人がいるといろいろなことの説明が便利になるんですよね。あと、すごく理知的で精神力が強い人を出したいと思ったんです。私は犯罪小説も好きなので、法が現実に即していないところがあるのはわかっていながらも、それを遵守しようと割り切って職務を遂行する警察官がいいなと思って。現代を舞台にしたオカルトものの、事象と警察の絡ませ方の難しさについてもお話ししましたが、一方で警察を出すと決めたらそこで広がる部分や補強されるところもあるので、半澤は警察官にしようと決めました。

――加害者遺族の女性が半澤に相談に来る回（第26話）もあります。

それも、警察の人が出てくるから描けることですよね。加害者遺族は、本当に想像し難いぐらい傷つくと思うんです。ひどい目にも遭うし、注目もされないし。もちろん注目されたくないだろうけど。でも語られることのない存在として、関心があります。あと、描けてよかったのは、半澤の若い頃ですかね（第30話）。子供だった冷川を若き日の半澤が助ける場面があるのですが、あそこは半澤の一面を見せるうえで描きたいところだったんです。

——半澤の一面とは？

彼が持つ正義感だとか優しさ、善良性ですね。あの場面で明らかに冷川は怪しい存在で、何かおかしいということは半澤も感じているし、おそらくあの場所はすごく異臭がすると思うんですね。冷川の手も腐った米粒で汚れているし、でも半澤は「おじさんと一緒に行こう」とその手を握る。そういうところです。半澤は自分の仕事の範疇内、自分の目で見て知ったことから判断していくのですが、信じないものは意に介さない。それがどれだけ強い力なのかも描きたかったんです。それと、半澤とはまったく関係ないのですが、その場面はモブの警察官を描くのも楽しんでいました。女性警察官を出すぞと決めて。

『さんかく窓の外側は夜』

——三角の母親の同僚として杖を使っている人も登場しますが、これまでお話しされていたように、社会に存在している人を当たり前に描くということですね。

はい。モブを描くのは楽しいんですよ。『違国日記』の朝のクラスメートとかもそうですが、ちょっと出てくるキャラにも自分なりにこのキャラはこう、という描くうえで決めていることがあるんです。時折そういうのに読者の方が気づいてくださると、そこまで読んでいただけてありがたいなと思いますね。この作品で言うと、子供の頃の冷川のお世話をしていたモブキャラの女性がいるんですが、ほとんど放置されている冷川に対して、その人は自分だけ髪型を変えて人生謳歌しているのが許せんと怒ってくれる方がいたりして。そこまで読んでいただけるんだなと驚きました。

——描いていて楽しい、好きなものが詰まっているという点では、英莉可の存在も同じでしょうか？

そうですね。本当に自分の嗜好が詰まりすぎている（笑）。英莉可はこの作品における女神です。すごく強い力を持っているのに足場がグラグラなあたりも好みで。洋服なども楽しく描けました。振り返ってみると、この話は本当に私の好きなもの、好きな関係性、好きなことをたくさん描いていますね。詰め込んでいる分、私も描いていて楽しかったし、私がそうだと読んでくれている方も楽しんでくださる確率が高いので、Win-Winになっているといいなと思います。

『さんかく窓の外側は夜』

思い描いた場所に辿り着けた

――この作品は、三角と冷川の話ではあるのですが、お好きな群像劇の面もあるのだなとあらためて思いました。

キャラクターがよく動いてくれる話だったこともあって、キャラが互いに作用し合って、関係性が濃厚になったり、薄い関係のキャラが強く作用し合うこともあったりして、各回楽しく描きました。恋愛要素があってもその二人きりという閉じた世界にあまり興味がないので、ほかの人も描きたくなっちゃうのはこの作品でも健在でした（笑）。

――無理に捻り出したような不必要なエピソードはなかったとお話しされていましたが、好きなものもたくさん詰め込んで十二分に描ききった感じですか？

そうですね。いばら姫と天使のイメージが浮かんでから自分が思い描いた場所にちゃんと辿り着けた実感はあります。終盤の展開で、三角にとってそれは最善ではないと思う選択肢を冷川が取るなら、それはもう止められないから仕方ないと思うけれど、自分は従わないし冷川に付いてはいかないという三角の決断を描けたときに、描きたかったことが描けたと思ったんです。大切に思う相手と一定の距離を保ったまま助けようとする、ただ一方的に助けるんじゃなくて一緒に苦しんでいこうよっていう三角の選択を描くことができた。それがとてもうれしかったし、それを読んだ人たちが三角や冷川が選んだ道を喜んでくれたのもとてもうれしかったです。

――〝happily ever after〟ですね。

みんな仲良く暮らしていくと思います。

＊1　BLレーベルじゃない……リブレが配信するウェブコミック誌『クロフネ』の連載作品を中心に刊行されるコミックレーベル「クロフネコミックス」を指す。主な作品に、『サムライせんせい』（黒江S介）『おとなりコンプレックス』（野々村朔）『ごくたぬ』（一膳ほの）などがある。

＊2　御茶漬海苔……ホラー漫画家。一九八四年、『レモンピープル』（あまとりあ社）掲載の「精霊島」でデビュー。『ハロウィン』（朝日ソノラマ）や『サスペリア』（秋田書店）などの少女向けホラー漫画誌を中心に活動。主な作品に『惨劇館』『暗黒辞典』『地獄博士とネコ』などがある。

＊3　犬木加奈子……ホラー漫画家。一九八七年、『少女フレンド』（講談社）掲載の「おるすばん」でデビュー。主な作品に『不気田くん』『不思議のたたりちゃん』『アロエッテの歌』などがある。二〇二三年に自身の歩みを振り返るコミックエッセイ『ホラー漫画の女王ができるまで』を刊行した。

＊4　『ジェーン・ドウの解剖』……二〇一六年製作、アンドレ・ウーヴレダル監督によるホラー・サスペンス。身元不明の死体の検死を担当したことから、怪現象に巻き込まれていく親子を描く。

＊5　『ツイン・ピークス』……一九九〇年から一九九一年にかけて製作された、デヴィッド・リンチ監督・製作総指揮によるテレビドラマ。死体となって発見された高校生ローラ・パーマーを軸に、謎と狂気に満ちた世界が展開される。放送当時社会現象となり、二〇一七年には、続編『ツイン・ピークス The Return』が製作された。

＊6　アリ・アスター……映画監督。一九八六年、アメリカ生まれ。二〇一八年製作の長編デビュー作『ヘレディタリー／継承』が高く評価され、ホラー映画の新鋭として注目を集める。その後、二〇一九年に『ミッドサマー』、二〇二三年に『ボーはおそれている』とホラー映画を発表している。

＊7　『ミッドサマー』……二〇一九年製作、アリ・アスター監督による異色のホラー映画。太陽が沈まない白夜のもと、異様な儀式が繰り広げられる「夏至祭」に参加したアメリカ人学生ダニーの身に降りかかる悪夢を描く。

第8章

規範を超えた連帯のあり方

『違国日記』

『違国日記』

作品との倦怠期

——あらためて『違国日記』についてお話を聞かせていただきたいと思います。『違国日記』のコミックス最終巻が二〇二三年八月に発売されましたが、実際に作品を描き終えたときと今とでは心境に変化がありますか？

作品にかかわらず描き終えて二か月ほどの間は、自分なりにちゃんとその作品を描けた気でいるし、その作品と蜜月めいた間柄になるのですが、そこを過ぎると倦怠期が来るんです。今、まさにそこで。

——倦怠期というのは、その作品と少し距離を置きたくなるということでしょうか。

そんな感じです。粗も見えてきますしね。描いていたときはその作品のことばかり考えて楽しかったんだけど、終わったのにまだその作品が頭の中で主張してくるというか、「ああ、もういいんだってば！」という気持ちが増してきて。おそらく作品に対する自分の気持ちがまだ生々しくて、時間が経たないと冷静に引いて見られないんだと思います。

それと、最終回が雑誌に掲載されたり、最終巻が発売されたりしたあとって、うれしい感想の声などがたくさん届くのですが、もちろんよい声ばかりではないので、私の気持ち的に閉じちゃうところがあるんですね。言葉を選ばずに言うと「うるせーよ」と（笑）。そうなってくると、作品に対してもマイナスな気持ちになってきてしまう。『違国日記』は予想外に大きな反響をいただけるものになったこともあって、本当にさまざまな読み方をしてくださって、いろいろな感想を寄せてもらったり、SNSでお見掛けしたりするのですが、それをものすごくありがたいことだと実感するのも私の本当の気持ちだし、同時に「もういいから」と閉じていたい気持ちも本音としてあるんですよね。

——読んでもらってうれしいけど、と。

私の中でも分裂しているんですけどね。「描いたからみんな見て見てー！」と思うのに、見られすぎているのがわかると引きこもりたくなるし、描くのが楽しくて自分のために描いている部分も多いから、「もっとよこせ」的な要求ばかりされるとスン……ってなる。もっとバランスよくクオリティが高いものをと求められても、一人で描いているから無理です！って正直なところ思うし。その結果の倦怠期です。まあ、一年か二年ほどすれば気持ち的には落ち着いて倦怠期は終わるので。

——年単位で続くんですね。

そう、意外と長いんですよ（笑）。

——これまでに寄せられた『違国日記』の感想に、この作品ならではだと感じられる特徴はありますか？

すごく大事に作品を読んでくださっているのは伝わってくるんだけど、「言葉にならない」と書かれている感想が多い気がします。私はずっと自分の感情や思考を言語化していくのが大事……はちょっと違うな……語彙力を鍛えることが大事だと思っていて、朝の成長はまさにそのつもりで描いていたんですね。でも読んでくださった人の中に「この気持ちを表すには語彙が足りない」「言葉にできない」という人がとても多くて、言葉にならないというのももちろん感想だし、何かを伝えようとしてくださった気持ちはうれしいのですが、一巻かけて朝を通して描いたつもりのことがなかなか届かないものだな、と。出てきた言葉が拙くても誰も笑ったりしないから、自分の中にあるものを言葉にしていく闘いをしてくれるとよいなとは思いました。

——まだ作品から受け取ったものを咀嚼しきれていないのかもしれませんね。

そうかもしれません。「言葉にできない」、で止まってしまうのでなくて、何か見つけたら、どんなにぎこちなかったり拙かったりする言葉でもいいから伝えてくれたらうれしいですね。

女性同士の連帯

——完結時にお話を伺ったときに、連載序盤に考えていた場所とは結果的に少し違うところに着地した感があるとおっしゃっていましたが、意識せずとも決してブレなかった部分もあると思います。

ブレなかったところ……『違国日記』を始めるにあたっては、女性同士の連帯を描きたいという気持ちがまずあって、その軸からずれることはなかったかな。初めは漠然と、自分が若いときに年上の女の人から褒められたり認められたりしたとき何よりもうれしかったあの感覚を描きたいなという思いもあって、それで主人公のキャラ造形はもっとギャル寄りの子だったんですよ。朝よりはえみりに近いかな。それと、軸というか枠というか、読者に優しい作品にしようと考えていました。

――優しいというのは？

どんな作品でも、描く前にその作品世界での物事の倫理のレンジを決めるのが私の決まりごとなんです。今回も登場人物がどれぐらいひどい目に遭うかとか、登場人物が目にする世の中で起こるひどいことをどの程度描写するかを考えました。そのとき、ちょうどその前に描いていた作品が読み心地的に優しいとは言いにくいもので、あまり好評ではなかったのもあって私の気持ちも落ちていまして……。その傷をいやしたかったというか、読者さんに優しくすることで私も優しくされたいと思っていました。それで、『違国日記』では生きていたら当たり前に被る害についてはあまり描かず、ひどい出来事には遭遇しないようにしようと考えていたんです。でも、描いているうちに変わりました。

――それは何かきっかけがあったのでしょうか？

現実世界で、医大入試において性差で不正に点数がつけられていたことなどが明るみになって、そのショックが大きくて。それを作中で描くことは、最初に『違国日記』に設けたレンジからは逸脱しかねないことではあったのですが、千世のキャラ像が私の中ではっきりとあったのが大きかったです。私は中高一貫の進学校に通っていたのですが、おしゃれで、頭がよくて、おしゃべりも上手くて、すごくカッコいい同級生たちがいたんですね。その子たちの思い出をちょっとずつ抽出してできたのが千世というキャラで。彼女たちの中には実際に医大を目指していた子もいたのを思い出したときに、彼女たちからできあがったキャラを出しておいて、現実に起きていたこの事件を扱わないのは無理だと思いました。それで、レンジの幅をがっと広げたんです。そうしたら、笠町というキャラで私が描きたかったことも自然と内包する感じになって、結果的によかったと思いました。

――笠町はかつて槙生と付き合っていて、現在の関係は名前をつけづらいけれど、確実にリレーションシップ[*1]のある男性です。作中では彼が抱える弱さも描かれていましたね。

彼は一見厳つくて、昔風のできる男性っぽく見えますが、一番の魅力は弱さにあると思っていました。自分でその弱さを受け入れているからこそカッコいい。そういう新しいカッコよさを備えた男性像を描きたい気持ちから笠町のキャラはできていったのですが、それを描くことも広げたレンジの中に入っていくことだな、と。別に現実で起きた社会問題が明らかにならなくても、『違国日記』を描き続けているうちにそういうことを描く展開にいずれはなったかもしれないのですが、より明確に意志を持ってそうしたという感じですかね。

『違国日記』

――現実世界を舞台にしている以上、作中で描かれなくても登場人物を取り巻く状況には〝ひどい〟ことは存在していて、それをどこまで顕在化させるかどうかがレンジの幅に繋がるのだと思いますが、ただこんなひどいことがありましたと描けばいいわけでもなく、レンジの幅を広げる匙加減が難しそうです。

読者にも自分にも優しくと思いつつ、優しさって何かね、とは考えました。目隠しして世界を見えなくさせてあげることは優しさではない気がしますしね。物事の中核にあるものの話をしたいのに、その外側にあるものに触れないまま語っていくのはフェアではない気もして、そうするとレンジを広げて描くべきことはあるよなと。でも、考えながら結局描かなかったこととかはもちろんありますよ。朝たちも通学途中に痴漢被害に遭うことはあるだろうけれど、そういう話をするかしないかとか。レンジの幅内だからといって、考えたことをすべて描いたわけではないです。

――『違国日記』で女性同士の連帯を描きたいと思ったきっかけに、二〇一六年公開の映画『ゴーストバスターズ』[*2]があることはいろいろなインタビューでお話しされていますが、あの作品を見なくても、いずれは描きたい題材だったのでしょうか。

どうでしょう。ただ、あの映画には本当にいい影響をたくさん受けました。公開当時、こんな風にフェミニズムを扱うんだって面白さを感じるものがいろいろとあったんですよね。『ゴーストバスターズ』もそうだし、『マッドマックス　怒りのデス・ロード』[*3]だとかもそうで。このテーマとこの作品ならではの装置と面白さがかみ合って見事に結実した、すごいものに出会えて刺激をもらいました。中でも『ゴーストバスターズ』には女性四人がメインキャラクターで登場しますが、この四人が揃った〝最悪〟な感じが最高だったんですよ（笑）。中年の女性四人で集まって、バカみたいにくだらないんだけど、すごく楽しい空気になって「ウェーイ」

ってやり合うみたいな、あの感じがすごくいいと思って、そんな雰囲気のものを描きたいと最初は考えていました。ただ、それをやるのは難しすぎるとも思ったんですが、女性同士がつるんで楽しいという空気があるものを描きたいというのは変わらずありましたね。

——その連帯を描ける機会を得たときに、メインの二人を血縁関係にしたのにはどんな意図があったのですか?

必要要素だったからですね。生死にかかわらず、親が急にいなくなった子供が知らない大人に引き取られるというシチュエーションがもともとすごく好きで、自分でもよく描くのですが、それは児童文学の影響なんじゃないかなと思います。それって、特殊な状況下に置かれた一種の冒険ものだと思うんです。子供の冒険ものってやっぱり面白いじゃないですか。ただ、子供だけで冒険に向かわせるのは倫理ブレーキが働いて(笑)。そもそも、現代を舞台にするとなかなかそんな冒険は起こりえない。そのような中で、そんなに命を心配することなく、それまでの日常とはちょっと異なる状況に置かれると考えると、知らない大人と暮らすというシチュエーションは便利なんですよね。血縁関係があると、そのシチュエーションを使いやすいわけです。そうじ

『違国日記』

ゃないとイリーガルな要素がどうしても入ってきちゃうので。

——それまでほぼ面識のない二人が暮らし始める理由が必要になるわけですね。

血縁以外でそこを求めるとイリーガルなシチュエーションに振るしかなくて、それはそれでとても好きなのですが、『違国日記』に関してはイリーガルな話ではないので、自然と二人は血縁関係になったという感じです。

一話をリフレインする五〇話

『違国日記』

——一話では槙生と暮らしている高校三年生の朝が描かれていますが、二話（page.2）ではそこから時間が過去へと巻き戻ります。これは最初から二話分セットで構築していったのですか？

別々にネームは作りました。一話のネームを担当さんに送って、「これ、面白くなるんですか？　大丈夫ですか？」という意味合いのことをとても柔らかな言葉で聞かれた記憶があります（笑）。

——なんて答えられたのですか?

「大丈夫です、二話を待っていてください」と。確かに、一話だけを単体で読んでもどんな話なのか見当はつかない不親切仕様ではあるんです。自分としては、二話を読んだときに「一話は未来の話で、安心してあそこに辿り着くなら、安心して読んで大丈夫だ」と思ってもらおうと考えて、先に未来予想図じゃないけど物語の設計図のようなものを一話でちら見せした気持ちだったのですが、あの二話を第一話だと勘違いしている人が意外といてびっくりしています。そういう人は二話を気に入ってくださっていることが多いのですが、「全巻読んでいるけど、この一話め、本当に最高」とかSNSで書かれていると、本当に全巻読んでくれている……?と(笑)。

——あの一話をスルーされてしまうと、五〇話のリフレインにも気づきにくくてもったいないですね。

一〇巻まで読み終えたあとで一巻を読み返してもらったときに、「これは……!」と気づい

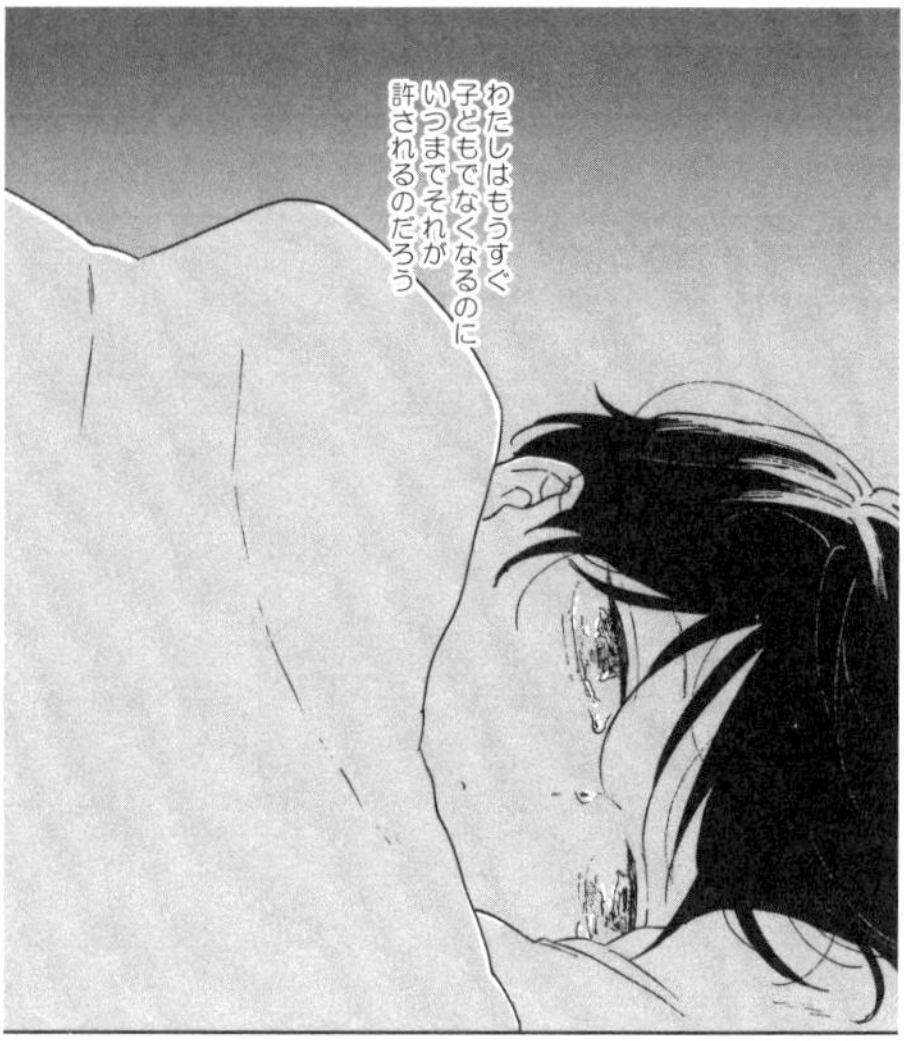

朝 高校3年 春

『違国日記』

てもらえたらなと。同じシーンを別の見え方がするように描くのも好きなので、五〇話は特に描いていて楽しかったですね。一話でちょっとファンタジックな優しい雰囲気だったモノローグが五〇話では現実的なシーンに変わる。一話を描いたときに明確に何かを意識していたわけではないのですが、五〇話かけて言葉の意味が上手いこと変化してくれたことで、私の好きな演出が機能してくれています。一話で充填した弾が五〇話を撃ち抜く感じを体感してもらえたらうれしいですね。私は演出として、回想のフラッシュバックみたいなものをわりとよく挟むので、読み返してもらったら気づくことを前提とした描き方をしてしまうところがあるんですが、二話を一話だと思っている人にも、一巻を読み返してもらえたらなと思います。

でも実は、私としても最初はあの二話を一話として描こうと思っていたんですよ。それこそお葬式のシーンから始めようと思っていて。

——お葬式のシーンから始まると、インパクトの強いものになった気がします。

そうなんですよね。そのとき考えていたお葬式のシーンは現在のものとは違うんですよ。もっと槙生視点が強いものでした。おそらく、ドラマチックすぎると感じたんだと思います。一話でこのお話は日常風景みたいなものを描く漫画ですよとお知らせしておきたい気持ちもあったのかな。結局、お葬式のエピソードは二話に回すことにして、一話のネームをやっていたときに、巻頭カラーにしたいのでカラーページをつけてほしいとご依頼いただいて、考えていたネームの冒頭をちょっと調整したんですよ。それで、カラーページを増やすにあたってモノローグをなんとなく考えていたときに、あれが。

——では、作品冒頭のモノローグは当初のネームには存在していなかったものなんですか？

そうですね。しかもあれ、高校生のときに思い浮かんだフレーズだったんです。高校生のときはオリジナルの漫画を一本も完成させたことがなくて、こんなキャラが描きたいとかこんなシーンが描きたいというのをただ描いていただけだったんですが、あるときに女の子がアウトローな感じのおじさんに引き取られるにあたって、葬式の白黒の垂れ幕の前でそのモノローグをつぶやくシーンだけを描いたことがあって。

——高校生の頃からそのようなシチュエーションが好きだったのですね。

好きなパターンの源泉がすでに（笑）。そのときに使ったモノローグをずっと覚えていて、冒頭のカラーページにモノローグをつけるにあたって、あれだ！と。何十年越しかに役に立って、我ながらびっくりしました。

——最終回でも活きますからね。

はい（笑）。結局、一話をなんてことのない日常的な話から始めて、未来を提示しておいたことで、それ以降を多少は安心して読んでいただけた気がするので、お葬式から始めなくてよかったです。

——二話で過去に戻ってからは、明らかな回想シーンを除いて、基本的には時間が巻き戻ることなく進んでいきます。連載開始時に二話以降の展開もある程度具体的に考えていたのですか？

大枠としてある程度の見当はつけていました。まったく違う人間同士が、しかもお互いに特別な感情を相手に持っていない状態で、どう歩み寄って一緒に生きていけるかというのを中心に据えて、そのうえで序盤は朝の喪失の処理を中心に描こうとしていたように思います。

——朝が仕事をしている槙生のそばで布団に入り、槙生は電気を消して仕事を続けるというシチュエーションは、一話で登場して以降、何度か繰り返し描かれる構図ですが、最初に描いたときから、ポイントになるシチュエーションだと考えていたのですか？

そこまでは考えていなかったように思います。ただ、一話の最後のモノローグのシーンが上手く描けたと思っていたし、あのシーンが好きだと言ってくださる方も多かったので、印象的なシーンになった手ごたえはありました。そういう意味で私の印象にも残っていたし、仕事をしている槙生と寝ようとしている朝をちょっと特別な雰囲気で対話させることができるシチュエーションだと思ったので、そのあとも描いたんじゃないかと思います。いつもいる家の中でふっと空気が変わる瞬間みたいなのがすごい好きで、仕事をしているとか寝るとか料理するとか、それ自体は特別じゃないことをしている中でいつものシチュエーションがちょっと違って見える感じを『違国日記』は多用していると思います。

——なるほど、最初からこうしようと考えていたことと意図せずその後に続くことが、特に一話と二話には混在している感じなんですね。

一話も二話も考えていたことはあると思うんですが、ネタ帳を見てもプロットらしきものだったり、一話、二話としての個別のメモが残っていないんですよ。この作品にこの先入れようと考えている要素みたいなものがバーッと書かれているだけで、三話（page.3）目から急にその話用のメモが始まっているんです。「三」て書いてある見出しはあっても、「一」「二」は見当たらない。その代わりなのか「一巻は五話まで」というメモ書きもあるので、たぶん最初は一巻分の構成をものすごくざっくりと考えながら描いていて、ネーム自体は別々に仕上げたけど、意識としては一話と二話はわりとセットな感覚だったのかもしれない。昔のことに関して記憶が曖昧なんであまり覚えていないのですが。

ノートという文明の利器

――そういえば、創作ノートを作ったのは『違国日記』が初めてだと。

そうです。これまではA4の紙にバーッとメモをしたものをプロットがわりにしてネームを描いていまして、ネームを終えると「やっとネームが終わった！」とそれを毎回捨てていたんですね。『さんかく窓の外側は夜』を連載していたときに、見返したら何か思いつくこともあったかもしれないと何度も前のプロットを取っておけばよかったと思いながら、一度も実践しないまま毎回「もう終わった！」とその紙を捨てていたので、今度はノートに残してみようかなと思ったんです。でもそれまで何かの記録用にノートを使うということをやってこなかった人間なもので、途中で挫折するかもとは思っていました。なんとか最後まで続けることができましたが、一冊のノートに収めたくて最後のほうは惜しみながら使っていました。結局ページは余ったんですけど（笑）。

――連載中に開催されたトークイベントなどでも触れられていましたが、そのノートの最初に書かれていた覚書のようなものがとても印象的でした。

あれはね、みなさんよく取り上げてくださるのですが、重く受け止められすぎています（笑）。

――そうなんですか？　作品テーマというか『違国日記』で大事に描かれているものを抽出したような言葉の数々だと思っていました。

連載を始めるにあたって、何を描こうかなと考えたときにこれから先も忘れないようにしようと書いたものではあるんですが、一話を描いたくらいでそんな覚書をしたことを忘れていましたからね。何かのタイミングでパラパラと見返したときに、こんなこと書いてある！って自分でびっくりしたくらいですから。

——それはノートの効用ですね。

文明の利器はすごいと思いました（笑）。だから、テーマとして忘れないようたびたび見返していたというようなものでもなくて。ただ、最初に思いついて書いた時点で、自分の中に刷り込みはできていたのかもしれないです。

——なるほど。ノートだけを利用されていたわけではないんですよね？

スマホでメモを取ったり、パソコンを使って思いつい

『違国日記』制作時のノート

たセリフをバーッと書き出したりなんてこともしていましたが、ノートは有効活用できていたと思います。

――ノートは主にどんな風に使われていたのですか？

たとえば、あるキャラの思考の流れを書いて、そこから派生するかもしれないことを書いてみたり、ふと浮かんだセリフを書いたり。いちおう各話数を見出しにつけてはいましたが、その回では使わないことも書いてあったりしますね。くだらないことなんだけど、どこかで使いたいなと思いついたこととか。「弁当にフォーが入る」と何回もいろいろなページに書いてあるんですが、結局そのネタは使いませんでしたし（笑）。レンジを使うことを「レンチン術と言っている」とかも使わなかったんですが、いつか使うかもって蛍光ペンで囲んだりしてます。ノートを逐一すべて読み返すようなことはしていなかったんですが、脳のリソースに余裕があるときに蛍光ペンで囲んだところをあとからちょっと見ればいいようにしておいたり。

――メモにはあるけれど、描かれていないことがたくさんあるようですね。フォーのエピソードなど気になります。

「塔野、流しの下に靴が入っている」とかありますよ（笑）。「笠町「意識の低い俺を見てもらおう」」とか。

――聞けば聞くほど気になります。塔野や笠町のそういった断片がメモにあることから、登場人物の像がしっかりと頭の中にある印象なのですが、今までの取材でも描かないことは考えないとおっしゃっていますよね。

そうですね。でも描くのに繋がることは考えるから。描きながら考えているほうが多いかな。会話が好きなので、どんな会話をするか考えているときにキャラクターが固まっていったりするんですが、サイン会などで読者の方にキャラについて細かな設定を聞かれたときに、それまで考えてはいなかったことでもこうなんじゃないかなとパッと出てきたりするので、考えてなかったけれど〝知っている〟ことが多いんだと思います。全体像は把握していないけれど自分の中にあって、いつも必要なところだけフォーカスを合わせて見ているけれど、見ようと思えばどこでも見られる感じなのかな。

感情がどう動いてどう連なっていくか

——それは特定の作品に限らずですか？

そうですね。キャラクターを考えるとき、「なんかこういう人」という漠然とした像があって、話を考えていくと顔が決まるし、顔が決まらないと話を考えていけないみたいな相互関係にあって、どの話も物語に相応しいキャラが自然とできる感じです。キャラの顔がしっくりこなかったら、どれだけがんばっても先の話に繋がっていかないのですが、一度できてしまえば自然と人間としてできあがってくるというか。そういう意味では、『違国日記』では塔野は厄介でしたね。キャラはできているのに、面白いことが何にも思いつかなくて。担当さんに「塔野は出てこないですか？」と聞かれても、じゃあ出しますとはならなくて。たぶん塔野はこの物語に向いていないキャラクターだったんだと思います。

——いい味を出しているように思いますが、塔野にはほかの登場人物ほど一見してわかりやすい感情の襞のようなものがなかったからでしょうか。

そうなんです。塔野はわりと一面的で、彼の多面性のなさというのをあの物語の中で表すのはちょっと難しかったんですよね。ただ、そんな塔野をなぜか好きと言ってくださる方も多くて。

——この物語に向いていなかったとしても、魅力がないわけではありませんから。

そう受け取っていただけるのはありがたいですね。作者としても、塔野は最終回で思わぬ活躍を見せてくれたので、まあいいかと（笑）。

——『違国日記』はキャラクターの内面に踏み込んで描かれるエピソードも多い物語だったと思うのですが、描きながらキャラクターを把握していく際により掘り下げる、把握の強度を上げている感覚というのはありましたか？

どうかな……。この作品だからあえてしっかり、みたいなのはなかったと思います。そんなにキャラクターの内面を掘り下げる必要がなさそうに見える話でも、キャラクターにそのセリフを言わせることの整合性は取れているか、この人格とこの行動はかみ合っているか、その言葉はそのキャラの語彙にあるのかとか、キャラと感情の動きみたいなことは、もともとかなり重要視して描いているほうなので。物語展開のためにキャラの感情を発露させないようには意識していて、一瞬で終わる経緯だとしても、その感情に至るプロセスに必然性がないといけないと思っているんです。私が描くものはたいていてい、出来事が及ぼす感情から次の展開に繋がっていくんですが、出来事をシンプルに描くのが苦手なので、感情がどう動いてどう連なっていくのかで進む『違国日記』のような話は、キャラにしても物語にしても、自分には向いていたと思います。楽でした。

——この作品に限ったことではないのですが、読み手としては各登場人物の行動規範に矛盾が見当たらないので読んでいて心地いいんです。このキャラはこんなことしないのでは、言わないのでは、という違和感を抱くことがないので、ストレスがない。

私の場合、そこを自分が把握しておくのはわりと容易なことなんです。キャラクターの感情をそのキャラの語彙の範疇に収めながら説明するのには労力がいるのですが、その前段階、セリフに落とし込む前に私がやっておくことは感覚的にはほとんどなくて。

――朝と槙生の会話で特に顕著ですが、ほかのキャラ同士でも、会話が成り立っているようで通じ合っているとはいえないシチュエーションが描かれるのがすごいなと思います。Aと言ったことをAと受け取っていない、理解し合っているとはいえないけれど、それは対立によるものではないし、会話も関係性も成立している。これは日常の風景だと思って。

『違国日記』

私はキャラクター同士をしゃべらせるのがすごく好きなんですが、そういう上滑りしているようなやりとりも好きなんですよね。本質的なものに触れようとしながらも、わかり合ったんだか、わかり合っていないんだか、なんだかよくわからないけれど何か心が動いたみたいなやりとりが好きで。キャラクターの語彙に合わせて会話をさせたり、考えさせたりするのが楽しくて。

一〇代だったり、まだ語彙の足りない子たちが使う「むかつく」「うざい」とかでしか表せない言葉の中にものすごい感情が詰まっている感じとか、そういう子たちが拙い言葉の中に万感の思いを込めて使っているSNSだとかのツールが私は昔から好きなんですが、朝なんかも「むかつく」「寂しい」「むかつく」「寂しい」ってずっと言っているのは、彼女の中にまだ自分の感情を表す語彙が足りないからです。

自分は槙生ではない

――キャラクターが言ったり考えたりしていることは作者のそれと直結されがちなところはありますが、トークイベントやインタビューなどで特に槙生と重ねられることをはっきりと拒絶されていますよね。

キャラは描き手の分身だとかよく言われるものですし、自分が描いている以上そういうところもあるのかもしれないけれど、私はキャラクターと自分に距離を置いて描いているほうなのもあって、槙生に限らずキャラクターと自分を重ねられるのがすごく苦手で嫌いなんです。描きやすさもあって自分と同じような歳ぐらいのキャラクターを主人公に据えて描いたりするんですが、女性が主人公で恋愛ものだと「実体験ですか?」って聞かれたりして、なんてすごい質問をとびっくりしますからね。驚きを通り越してイライラしたりもする(笑)。なんでいちいち重ねたがるのかな、と素直に疑問にも思います。

――特に『違国日記』の槙生は作家ということもあって、余計に重ねたくなった読者もいたのかもしれません。

そういう人間が実在してほしいみたいな気持ちもあるんだろうなとも思うのですが、槙生は槙生であって、決して私ではありません。これまでも機会があるごとに言ってはきたのですが、これから先も言われるたびに潰していくしかないなと思っています（笑）。

――読み手は作品と作者をつい繫げて考えてしまいがちな人が多いのだと思います。

そうなんですよね。デビューしたての頃から今に至るまで、サイン会やトークイベントのたびに「明るい方なんですね」と何度言われたことか。

――どシリアスな作品そのままのイメージを抱かれていたんでしょうか。

どうなんだろう。明るいのも描いているんですけどね。まあ、今後もその矛先を実際に向けられたら、一つひとつ丁寧に潰していこうと。

――そんな決意を。

はい（笑）。

――先ほど、描きやすさから自分と同じくらいの年齢のキャラクターを主人公に据えがちとおっしゃっていましたが、槙生の職業を作家以外にするという選択肢はあったのですか?

なかったですね。槙生のキャラには一定以上の語彙が必要で、理屈っぽく管を巻くタイプかつ無愛想にしたかったのと、発達障害[*4]の女性をメインキャラとして描きたかったのもあって。社会生活をその職業なりに送れているけれど、外に出たら困ることの多い人が就ける職って何かなと考えたら、家でできる仕事が向いているように思って。それと、これもいろいろなところでお話ししているんですが、知り合いの少女小説家の方が自分の読者層でもある若くて幼い女の子たちのことを考えて作品を作っていることにとても感銘を受けたことがありまして、それがすごく心に残っていて、そういう人がいいなと思ったのもあって。そのようなことが重なり合って槙生は小説家になりました。

——発達障害の女性を描くというのは、『違国日記』という作品だからこそだったのですか？

いいえ、タイミングです。たとえば『さんかく窓の外側は夜』の主人公・三角の母親の同僚は杖をついている人なんです。何かしらの属性があるんだけれど日本の漫画ではあまり見かけない人を、その人の属性を描くことをメインとせずに出すということはこれまでの作品でもちょこちょこやっていまして。私たちの日常にいる人たちが創作物でなぜかいなくなるのをやめたいと思っているからなんです。脇役で気づかない人のほうが多いかもしれなくても、「自分がいる」って思う読者の方が絶対にいるはずだと考えていて。

それと、私が発達障害という概念を知ったときに、私はこれじゃん、と腑に落ちて。最近ようやく診断も受けて。でも私が知り得た創作物で、特にエッセイ的なもの以外ではそういうキャラに出会ったことがすごく少ないなと思って、発達障害の特性を見せながら魅力的でもあるキャラを描けたら、自分みたいと思って生活しやすくなる人がいるんじゃないかなって、そういう気持ちもありつつといったところでしょうか。

——その思いと作家という職業の特性が上手く結びついたんですね。

作家なんてクセの強い人がたくさんいますからね（笑）。そういう人間が多少は楽に、どうにかして生きていける道の一つが作家かなと思います。

——以前に作家の方から「一人で創作活動できる作家ならコミュニケーション力がそんなにいらないと思ったのに、

やっぱりコミュ力は必要だった」という嘆きを聞いたことがあります。

本当に、作家はコミュニケーション力が必要だと思います。でも、それに疲れ、そこに労力を割きたくなくなってきたら、最終的には面白いものを作ってなんとかするという力業でゴリ押しする。それができれば、あまりうるさいことは言われずに済むし、必要以上のコミュニケーションも無理して取る必要がなくなってくると思います。私はあまり自分にコミュ力がないとは思いませんが、それでもオンオフは激しいし、コミュニケーションを取らなきゃいけない状況がよくあると気持ちがすごく疲弊していくので、もうネームで黙らせるしかない……という決意を固めることはたびたびあります（笑）。

「これは自分だ」と思ってほしい

――槙生というキャラクターは描きやすいほうでしたか？

そうですね。特異なところはあるから、どういう行動に出てもわりと面白がってもらえた気はします。どのキャラクターにも言えることであるんですが、特に槙生に関しては、読者の方がすごく期待を抱かれている印象で、なぜそんな風に思われるのか興味深く思いながら描いていました。こういう風なことを言ってほしくないとか、恋愛をしてほしくないとか、なんだかんだ言って友達がいるのが「ずるい」って感想もあったかな。

――「ずるい」ですか。槙生のどこかに自己投影されていて、自分にはいないけれど槙生には友達がいてずるいということなのでしょうか。

孤独というものをその程度で語るなって感じだったように思います。まあ、ただ何が孤独かは人によるものだと思いますし、『違国日記』は下を見ることとは別にいいことじゃないという気持ちで描いていて、いろいろなことに希望を持つための闘いみたいな話だと考えているので、「すみません、そういう話ではないので諦めてください」と思うしかないのですが。槙生を崇拝に近い感じで好きになってくださっていた方もいましたし、反対に嫌いだという方もいて、描いている側としてはその反応が興味深くて。

朝も好きと嫌いが分かれていましたが、興味深かったのは朝について、一五、六歳の子供はこんなに大人っぽくないのではという方もいれば、ちょっと子供じみすぎているのではという方もいたことです。読んだ方がそれぐらいの子供に何を期待しているか、どんな言動を求めているかが反映されているようで、物語が読んでくれた方の鏡になればいいと思って描いていたので、そこは成功していると思いました。

――読者さんの反応によって、好かれすぎないよう、意図せず嫌われないよう調節しているというお話をされていましたよね。

必要以上に嫌いにも好きにもさせないよう、ちょっとがんばって調節しながら描いていたところはあります。でも、そのキャラの何が好きか、何が嫌いかというのは読んでいる方の価値観のようなものがダイレクトに表れる感じで、私はキャラに感情移入をして描かないので誰にも共感しないんですが、どのキャラクターにも共感したり反発したりする方がいて、そこも面白いなと思っていました。

――『違国日記』は朝と槙生といったメインの登場人物以外にも、笠町や醍醐、えみり、千世などさまざまなキャラクターそれぞれに読者が仮託できる何かを見つけやすかった気がします。誰にとっても“for me”な話になっているように思うんです。

私自身、自分に影響をもたらすフィクションに出会ったとき、どうして誰も知らないはずの私の気持ちがここにあるんだろうって、ものすごいビッグウェーブを体験するわけですよ。似たような気持ちを実感してもらえたらいいなと思っているところはあります。「これは自分だ」と思ってほしいなって。

――そうすると、最初から朝と槙生二人だけにフォーカスを絞った話にはなり得なかったということでしょうか。

そうですね。いろいろな人を出そうと思って、意識的に視点をちょっと広げたようなところはあります。えみりの母親とかはそんな感じで。それと、特に理由やドラマチックな出来事はないけれど漠然とあの人のことが好きと感じるような友情みたいなものが作中にいっぱい存在するといいなと思って、朝の同級生だとかそんなにフォーカスは合わせないけれど、そんな思いを抱きながら描いていましたね。ただ、朝と槙生の話から外れすぎないようにしようとも思っていました。当の本人も覚えてもいないような些細な出来事の影響から誰かの人生や世界が変わるシチュエーションが好きなのもあって、『違国日記』ではそういう積み重ねをしていきたいと思って、二人以外のキャラについて描くときはそこを意識していたかもしれません。ジュノみたいなさらに脇のキャラに関しては、あまりそこに興味を持ったり好きになったりしてもらっても話がそれちゃうしなと思って、出そうかどうしようか迷って出さなかった設定が結構あったりします。それでもジュノは意外と好いてもらったキャラですね。

家族になる話ではない

——一方で、朝の両親は物語の重要な要素を担いながら、最後まで事情や心情が詳らかに描かれることはありませんでした。それも最初から意図されていたのですか？

朝の両親に関しては何をどこまで描くか、最後まで本当に迷いました。いろいろ悩んだんですけど、私の固い信条として、死んだ人の心情はあとから誰も語るべきでないというのがありまして……。死んだ人間には弁明の機会もないわけで、そんな人の気持ちを勝手に推察して語ることはアンフェアだと思うんですね。なので、死んだ人のことが何もわからない、その中で残された人間が考えていくしかない話を美化することなく描きたかったんです。死を美化するのがすごく嫌いなんですよ。

——本当に嫌そうな顔をされていますね。

幽霊が出てきて、なんかいいことを言ってくれて、全部の出来事が美化されて終わる展開が本当に本当に本当に心の底から苦手で（笑）。朝の両親についても善意に基づいた推察をされたくなかったんですよね。『ひばりの朝』を描いたとき、「このお父さんは本当にすごく心配し

『違国日記』

ているから、こうやって寝ているところを見に来たんだと思う」ということを言っている感想を目にして、とても怖かったんです。善意の暴力というか、私があの作品で一番の悪のキャラクターとして描いた人と同じことを言っていて、でもそこに疑いがないんですよ。なんて怖いんだろうと思って、そういう善意の推察をさせたくないけれど、でも、残された人間にわからないものはわからないということを描きたかった。わからないものを考え続けるのが人生だし、時には理解することを諦めるしかないこともあると。私は、常に諦観が存在しているものが好きなので、BLなどのラブストーリーで「ああもう、結ばれて今本当に超ハッピー！ だけどいつか別れるけど」みたいな話ばっかり描いてきた気がします。それらの諦めは決してつらいだけのものではなくて、ある種の美しさがある。そこにロマンを感じているところもあって、死んでしまった人を描くときもそうしたいんですよね。

——朝の母親であり、槙生の姉でもある実里（みのり）は多少内面が描かれる機会がありましたが、朝の父親に関してはほとんどそれもありませんでした。生きていたときのエピソードとして父親についてもう少し何かを描くことも考えましたか？

はい、そこもすごく悩みました。悩んだけど、そのまま描こうって。客観的に見て幸せそうじゃない家庭は現実にあるし、家族を愛せない人もいるだろうし、愛せないのか愛さないのかはわかりませんが、そこに理由があるとも限らない。親だからといっても子供を理由なく愛せないことはあって、それはすごく残酷なことだけど、その理由のなさを理由のないままにしておきたかったし、そのことを否定したくなかったんです。愛せないことに理由をつけて弁明がましくなって、私が味方をしたくないと思うような誰かの味方をすることになるかもしれないのが嫌でした。どうしてなのかわからないことってたくさんあるじゃないですか。ずっと抱えていかなきゃいけない謎みたいなものが世の中にはあるということも描きたかった。なので朝の父親は、正体のわからない人として描くことにしました。

——物語の登場人物はやはり行動の動機が描かれることが多いので、朝の父親のようなキャラはめずらしい気がします。

そうかもな、と思います。朝の父親は塔野と並んで、物語では扱いにくいタイプの、でも現実にいるよねという人物でした。なので描くのは難しい面もあったし、最終回の父親と朝のシーンでも何も明らかになっていないんですが、あそこは自分としては好きなシーンですし、朝の父親を描き終えられた気がしています。

——実里に関してはいかがですか？

槙生に焦点を合わせたときには実里と槙生の関係の話でもあるので、ここを絶対に和解はさせないぞと考えていました。実里は死んだ人なので和解のしようもないんですが。姉妹だからってわかり合えるわけではないし、許さないまま生きていくと結論づけたかった。そういうネガティブな感情の存在を肯定したかったんです。そういう意味では、朝の抱える寂しさも解消されることなく、彼女がずっと抱えるものとして描きたかった。そういうこともあるよねって。

——実里個人に関しては、回想で描かれる実里という人物と、内縁関係にあったという彼女が置かれていた状況がどこかちぐはぐで、そこに思いを馳せてしまいました。

実里は、規範に沿いたくてそれに囚われて生きてきた人がなぜかそうできなかったけれど、その中でなんとか努力していたこととか、こう生きるべきだと考えていたのにままならないことはあるというシチュエーションに置きたかったんです。彼女の感情については、父親よりは多少描きましたが、やっぱり詳細は明かさないことにしました。

――朝が両親を亡くして初めて両親がどんな人だったのか考えるのがすごくリアルだと思いました。それと、朝は無自覚だけれどそんなことを考えなくていいくらい、父親からは希薄だったかもしれないけれど、愛情を受けて育ったんだなと。

『違国日記』

そうですね。朝は一五歳の時点では、愛されて育ったという自覚すらなく愛されて育っていて、そういう人特有のおおらかさとか傲慢さのようなものも描けたらと思っていました。朝のように父親からの愛情が実際は希薄だったりすると、子供の頃は当たり前のように親が自分を愛してくれていると信じてあらためて考えたりもしないのですが、大人になって自分が他者を特別に扱おうとしたり、何かしらの知識を得たり、何かをきっかけに急にそのことに気づいて驚愕すると思うんですね。それを描きたかったところもありました。家族という枠組みに過大な期待を持たせたくなかったというか。

――というのは？

『違国日記』を朝と槙生が〝家族〟になる話だと捉えられたりすることもあるのですが、そういう話ではないんです。二人の関係を家族だと定義づけられてしまうと正直違和感があって。家族という名称を言い訳にいろいろなことが見過ごされたり、なあなあになったりしがちだと思っているもので、そこにはいい側面もあるだろうけれどそれだけじゃないよねと。「家族＝愛情で繋がった人たち」のように単純化したくない気持ちがあるんです。なので、朝と槙生が辿り着いたのは、よくわからない名前のつかない関係です。

――それを家族とは呼ばないと。

そう呼ぶのは違うかなと思います。さっきも言ったけれど、この話は二人が家族になる話ではないんですね。五一話（page.51）の最後に「わたしが姉さんの大切なあの子を大切に思ってもいい？」という槙生のモノローグがあって、それを思いついたときにはっきりと最終回の方向性が固まった感じがあったのですが、あのモノローグの前の槙生はとても嫌そうな顔をしているんですね。その表情をしていることが私にとってはとても大事なことでした。誰かに愛情を傾けるとか愛情を抱くことが決して諸手を挙げるほどいいことではないと私は思っているのですが、槙生も誰かを大切に思う気持ちに縛られたり、愛情を持つことになってしまって本当に嫌だと思っている。でも、「それでも」と。これは、そういう話なんです。

世間体や社会規範で気持ちを潰すべきではない

――『違国日記』は脇を固めるキャラクターたちそれぞれに生活や人生があることがきちんと感じられる名バイプレイヤーばかりだったと思います。朝の幼馴染で親友でもあるえみりは、朝よりは大人びた雰囲気を持っていますよね。

えみりは私が当初思っていたよりも本当によく動いてくれました。私自身、すごく好きになりましたね。コミックスの二、三巻あたりまでは結構読者の方から見た目や言動からなのか嫌われがちだったんですが、「待ってろよ」って思っていました（笑）。

――いつかその認識をひっくり返してやるぞと？（笑）

はい。パッと見の印象だけで判断するなよって（笑）。

――えみりには、しょうことという同性の恋人がいますがそれも初めから考えていたことですか？

ちょっとずつキャラのことを描いているうちにそうなればという感じでした。私たちの日常に普通にいる人たちとしてそういうキャラを描きたいとは思っていて、自然とえみりがいいかなと。えみりとしょうこは描いていてとても楽しかったです。しょうこは最初に登場したときから、えみりはこの子と恋をさ

『違国日記』

せようと考えていました。

——友達の両親が死んでしまって、と会話をするシーン（page.29）ですよね。

そうそう。なんてことのないシーンに見えるかもしれないんですが、「マック行く？」と言っているところは恋してるすごいテンションの顔にしようと思っていました。えみりにも少しフォーカスして描こうと思ったときから、この作品のロマンス担当はえみりで笠町ではありません（笑）。

——えみりとしょうこのシーンは、えみりに学校以外の別の世界があることがわかって、群像劇っぽさも感じられますね。

えみりとしょうこに限らず、朝と槙生にしてもお互い別の世界を持っているし、お互い以外の人間関係があるわけで、それぞれの向こうにいる人と直接コミュニケーションを取ったり、急に仲良くなったりはしないけれど、お互いを通じて話を漏れ聞いたりとか、そういうことってあるじゃないですか。よく知っている人ではないけれど、知らない人でもなかったり。そういうのって日常だなと思うんですよね。

——えみりが朝の身に起きたことを知って「もう絶対友達やめられないじゃん」というような正直な胸の内をしょうこに明かしますが、そういうことを言える場所があってよかったと思ったんですよね。

あのシーンに関しては、えみりはひどいっていうリアクションもいただいたんですよ。それはもちろん素直な感想なので、そのことをどうこうは思わないのですが、ああいうような友達に突然降りかかった不幸って、自分がダイレクトにものすごく悲しくなかったとしても、一〇代の子にとっては衝撃的だと思うし、だからといって友達に何をしてあげたらいいかなんてわからないと思うんですね。でも何かしないといけない気持ちになったり、えみりのように友達を辞められなくなったと瞬間思ったとしても、外聞を気にして誰にも言えないかもしれない。でも、その気持ちは誰にも否定されるようなものではないし、あってもいいと思っていて、それを世間体だとか社会規範に基づいて「そんなのって」と潰すようなことが私は嫌いなんですね、結局。『違国日記』は全編通じて「こんな気持ちは持つべきではない、と思う気持ちを持っていい」ということを言い続けているようにも思います。

笠町は〝変な人〟

――大人組では、笠町は読者からの人気も高かったのではないでしょうか。

人気でしたね。担当さんにも愛されていました（笑）。笠町はもうカッコいいキャラとして好きになってもらおうと思って最初から出していますから、ちゃんと多くの人に好きになってもらえてよかったなと思います。ただ、笠町は私も描いていてとても楽しいキャラクターでしたが、彼は〝変な人〟なんですよ。

――五一話で槙生と笠町が食事をしている場面でもそんな話をしていましたね。

みんながよぼよぼになった頃に、結局一番変な人だった言われるのは笠町だよ、というやつですね。自分は凡庸だと思っているけれど、そうじゃないことに死ぬ頃にわかるってある意味、素敵だと思って。あれが笠町への総評ですね。

――あの会話の場面で最後に笠町が「…与えたのと同じものが返ってこなくていい」と言うのが〝THE笠町〟と

いう感じでした。若かりし頃の彼はそんな風に考えられず槙生とすれ違ったようですが。

「minun musiikki」についてお話ししたときにファッションデザイナーのヴァレンティノ・ガラヴァーニのドキュメンタリーのことを話しましたが、ヴァレンティノには公私ともにパートナーだったジャンカルロ・ジャンメッティという人物がいて、その人がとにかくヴァレンティノという天才に尽くしていたんですよ。それがものすごく興味深くて。考えてみたら、天才のそばには恋人だったり家族だったり友人だったり立場は違えど滅私的に尽くす人がいることが多くて、どうしてその傲慢な才能に付き合っていられるんだろうと思っていたんです。そういう人に興味が尽きなくて、前々から面白い存在だと思っていたのですが、笠町にはその片鱗がありますね。描いていて面白かったです。

——笠町は槙生と繋がっていられる適切な距離を見つけましたからね。それは彼が最初に望んだものとは違うのが

『違国日記』

寂しくはありますが、それごと飲み込んで今の笠町になっている印象です。

一生手に入らない大事なものを、一生手に入らないなあって思いながら大事にしている。笠町は雑念渦巻く人間から解脱してしまったところがありますね（笑）。槙生と付き合って別れた頃はまだ人間の心があったから「なんでだ。ううう、しんどい」ってなったけれど、槙生みたいなやつとずっと繋がっていくには雑念ごと捨てるしかないと。人とわかり合えなくていいのだと、『違国日記』のテーマを一番咀嚼して自分のものにしていたのは笠町だったのかもしれません。

——同様に、人と人はわかり合えないと思いながらも、槙生はそのことに傷ついたり諦観したりを繰り返している気がします。

そうですね。槙生はもう最初から、自分がそう生まれついてしまったからだと思っているところがあるんですよね。ほかの人たちはわかり合っているのかもしれないけれど、自分は他人とはわかり合えない人間なんだって。笠町にはそういう前提がなくて、「俺はこの人とわかり合えないのか？　いや、その立場でやっていってみせる」と結果的に新たな視点を会得した。槙生は旅をする人なので、笠町はオアシスや宇宙ステーションになるしかないんだけど、槙生がいざ補給に寄ったら「よし、来たか」って。また旅立っちゃっても「行くと思ってた」、連絡がしばらく来なくても「連絡に間が空くと思っていた」と。「わかっていたから俺は大丈夫」と、そう思えるのが笠町の芯の太さであり、彼が槙生との別れを通して変わったところでもあります。

——ぶつかり合わないでいられる距離をちゃんと見つけたんですね。

笠町が作品テーマを実践していることに気づきました。ありがとう、笠町。最終回に出さなくてごめんね（笑）。

――そうですよ、人気キャラなのに出てきませんでした。

笠町の総括は最終回の数話前で済んでしまっていたし、笠町を出すといいところを持っていかれそうで。

――みんなに好きになってもらいたいと出したキャラなのに？

最終回には醍醐にいてほしかったし、笠町に持っていかれすぎても（笑）。笠町は弱さをきちんと抱えている人で、だから好きになってもらいたかったんです。繰り返しますが、自分の弱さを直視して、その痛みに耐えようとしたり、誰かとその痛みを分かち合ったりでき、「俺は痛い」と言える、そういうのが「カッコいい」になるといいと思って。

――弱っている人の窮地を救う王子様像ではなく。

はい。「俺は君を助けたいけど、君も俺を助けてほしい」と言える人。カッコいいと思ってほしい、好きになってほしいと思いながら描きましたが、私が思っていた以上に多くの人が笠町を好きになってくれましたね。

主観的に読まれる作品に

――『違国日記』では、子供と呼ばれる年齢である朝のパートと大人と呼ばれる年齢の槙生のパートが絶妙にクロスオーバーしているのですが、お話しされていた作品を描くにあたっての倫理のレンジが『ひばりの朝』などとは違うのもあってか、朝を取り巻く大人たちの姿勢がとても素敵だなと思って読んでいました。心配をしたり、気にかけてはいるけれど、意のままにしようとしなかったり、朝と程よく距離を取りながらも彼女を尊重している印象です。

朝の周りで親という立場にいる大人は、えみりの母親である美知子くらいなんですよ。なので、『違国日記』はある意味、親になることを選択しない人たちが子供にどう関わっていくかという話でもあるんですね。私は自分が子供だったときに、子供を一人の個人として扱う大人が好きだったこともあって、この物語の朝の周りにはそういう大人がいるといいなと思って。子供の私が好きだった大人の中には、優しさからそうしてくれていた人や、子供が苦手だから距離を取った結果、私にとってその距離が心地よかった人とか、さまざまだとは思うんですが。世の中には『ひばりの朝』に登場するような大人のほうが多いだろうとも思っているので、『違国日記』の大人たちはほとんどファンタジーな存在のつもりで描いていました。こうだったらいいよねと建前を言っていくことも大事なのかなとも思って。

――現実がそうではないからこそ、建前を言い続けることが大事なときもありますよね。『違国日記』では朝たちのような次の世代の子供に対して何ができるのかを大人たちが考えて、よき大人たろうとしている様に襟を正される思いでした。

ありがとうございます。そこもね、ファンタジーなんだろうなとは思うんです。槙生についても扶養したい欲を満たしているだけのような言われ方をしたこともあるのですが、そもそも血縁関係にあるとはいえ、それまで関わりのない子供を大人がどうやって守っていくかという話で、それをある意味表したのが最終回での塔野の言葉だったりするのですが。朝にとっても周りの大人にとっても何が最善なのかはわからないなりに、自分は大して何もしてやれていないと思いながらも、少しずつ気持ちを持ち寄って心配りをしてなんとか子供に選択肢を示す。そういうことを親という存在が全部やらなくてはいけないのもしんどい気がするんですよね。親がいてもいなくても、親も含めて大人というか社会が子供に対して無責任でいないでいられるというのが理想なんじゃないかと思います。最終話の槙生の劇中詩も結局はそういうことですし。『違国日記』を〝孤独な子供を拾う〟という一面から見ると、そういう話として受け取れるような気がします。

——なるほど。弁護士である塔野のような専門的なものから笠町のような精神的なものも含めて、槙生も周囲のサポートがなければ朝と共同生活を送るのはとても困難だと思われますね。

特に子供と暮らす場合、道義的責任感みたいなものと自分のやりたいことにどう折り合いをつけるかが難しいと思うんですね。それは親であってもそうだと思うのですが、子供がいることでやりたいことをやりたいようにやれない自分のストレスと親であることにどう折り合いをつけていくか、なかなか難しいことなんじゃないかと思って。それに、現状ではいずれ子供を持ちたいと思っている人がその生活を想像したときに、社会と折り合いがつかなそうなことばかり浮かびそうですし。社会全体で子供を守るという視点が欠如している社会状況だと思うので、フィクションではありますが小さな一歩として目指していきたかったんです。

——私はもうすっかり大人なもので、どうしても自然と朝を取り巻く大人たちのほうに視点を寄せるかたちで読んでいたのですが、子供のときに読んだらどんな風にこの物語を受け取ったんだろうかとつい考えます。

似たようなことを言ってくださる方も多いです。「言葉にならない」という感想をくれる読者さんが多いという話をしましたが、もうひとつ特徴として、ほかの作品に比べて、すごく個人的なエピソードを交えての感想をくださる方が多い気がします。高校生のときにこんなことがあって、とか、それこそ身の上話が書かれていたり。私は『違国日記』に限らずどの作品も、こういうキャラを動かしたいとか、こういうことを言いたいとか、こんなシチュエーションが描きたいとか、根底は自分が描いて楽しいものを作っているだけなんですね。自分が楽しいから描いて、描けたから見てほしいって思う気持ちもずっと変わらなくて。そのうえで商業的に中庸な落としどころを見つけられたら最高だと思っていますが、そうやってできあがったものが主観的に読まれているということがとても興味深いし、不思議です。

以前にトークイベントで「誰のために描いているのか」と聞かれて「これは私の物語だと思ってくださる方がいたら、その方のために描いているんだと思います」とお答えしたことがあるんですが、自分が楽しくて描いていると同時に、その気持ちもまったく嘘ではないんです。自分が物語からいろいろなものを受け取ってきたように、『違国日記』が誰かにとっての何かの一助になれたらうれしいですね。でもやっぱり、なんでこの話だけ「実は私」という打ち明け話をみなさんがたくさん寄せてくださるのか謎なんですが（笑）。

——読んだ人が自分と近いと思える誰かしらが作中にいるからなんでしょうか。

どうなんでしょう。ほかの作品だと、言葉はもちろん違いますがだいたい感想で触れられるポイントは決まっていたり、読んでいる立ち位置もそう変わらない気がするのですが、『違国日記』は本当にさまざまな読まれ方をしているように思います。

——ひとつ私も「実は私」という話をさせていただきたいのですが。

はい（笑）。

——何かの物語、創作物に出会うのに遅すぎるということはないとつねづね思っていて、いつ何時でも楽しめるタイプなのですが、『違国日記』もこの年齢の自分として存分に物語を堪能したということを前提にしつつ、なんだかとても悔しかったんです。もし血気盛んで自意識過剰で面倒なくらい傷つきやすかった一〇代の頃にこの作品と出会っていたら、誰に何を投影して、どんな苛立ちや好感を持って読むんだろうかと。それをもう一〇代ではない私は一生味わえないことがとても悔しい。

ああ、それはとてもうれしい感想かもしれません。何かが届いたんですね。

——読者の方も読み返すたびにそのときの年齢や状況によって受け取るものが違ったりすると思います。

何度も読み返していただけたら本当にうれしいですね。

「知ってるよ」と伝えたかった

——創作物といえば、作中に登場する槙生の作品が気になっている読者も少なくないと思います。

あれは必要なところだけ無責任に書けばいいので、槙生の小説を捏造するのはとても楽しかったです。高校生のときみたいに、こういうのがいいなーと漠然と思ったものを浮かんだところだけ表に出す遊びみたいなもので、文章を書きながら楽しくて仕方がなかったですね。

——高代槙生先生のファンタジー小説を読める日は来ないんでしょうか……？

来ないです。私にものすごく体力と胆力があれば、小説を出したかもしれませんが、そんなものはない（笑）。

――残念です。槙生が手掛けるのは主にファンタジー小説のイメージですか？

はい。そのイメージも漠然とですけどね。ちょっと根底に不幸の香りが漂っているような、そういうものを書く作家だと思います。槙生の学生時代の演劇にまつわるエピソード（page.47）とか、本当はもう一話分使おうかと思っていて、結局はボリューム不足になりそうだったのでやめたのですが、そのときの作品とかも無責任に書いたら楽しかったでしょうね。

『違国日記』

――そのときのものを改稿したのが槙生のデビュー作なんですよね？

そうです。中学生のときに書いたものがもとになっていて、そう考えると中学生で自作の物語を完結させることができるなんて、高代槙生はすごい人でした（笑）。

――『違国日記』も無事完結しましたよ（笑）。あらためて、女性同士の連帯を描きたいというところをひとつの発端に生まれた『違国日記』ですが、描きたかった連帯を描けたという手ごたえはありますか？

この話のトーンの中で描けることは描けたかもしれません。でも、まだ描けることはあるし、ひとつ描いたからといって描きたいことが尽きるテーマでもないので、また違う作品で描けたらとは思います。少し休むつもりで次作の予定を入れていなくて、描くときにならないと話が浮かばないので今はなんのアイデアもないのですが、『違国日記』が結構優しい趣の話だったので、ストレスを発散したい気持ちがあります。『違国日記』そのものにストレスを受けたわけではないですが（笑）。

――優しい話を描くとストレスを受けますか。

暴力的な衝動を発散する場がないので。今はバイオレンスな話を描きたい気持ちが強いかな。暴力が媒介する何かにも連帯はありうると思っているので、そういう話をある程度の倫理のレンジの中で描くのは難しいと思いますが。

――『違国日記』は描くのが楽しかったとお話しされていますが、振り返ってみてこの作品だからこそ難しさを感じた点はありますか？

私が自覚なく描いたシーンやセリフに無意識の偏見や無知が反映されたことで誰かを傷つけたりとか、私の意図しない別の意味に読み取れたりしてしまうことがないように、それを最大限避けることに注力していたので、そこが難しいというか大変でした。読み手も注意深く読んでくださっていた話だと思うので、言い回し一つにもずいぶん神経を使って。読み手が不用意に傷つけられたり、裏切られたと思ってしまわないよう、キャラクターの言動には特に注意していました。それとこれも難しかったというより特に意識していたことなのですが、キャラクターが過度に好印象を持たれないようにと考えていました。読者にあまり特定のキャラにのめりこんでほしくない気持ちもあったので、絶対的な善意のキャラであると思われないようにしようって。

――のめりこませないようにしたかったのはなぜですか？

漫画はフィクションだし、いつか完結するものだし、読み手がそのキャラクターの言動にあまり寄りかかるのは望ましくないなあと思っていました。いただいた反応などから、そうなりがちな物語になってしまったなという印象もありましたし。たとえば、槙生のことを好きになりすぎて、期待しすぎて失望されるのが嫌だという気持ちも正直ありました。それは作品全体にも言えるんですが、過度な期待や大きな何かを仮託されるのでなく、気楽にただ読んでもらえたらいいなという気持ちも。私は『違国日記』という話を誰かが問題をスカッと爽快に解決してくれるようなものにはしたくなかったし、そういう物語だと受け取られたくなかったのもあって、それは違いますよーというのを随時お知らせしたかったというか。

——キャラクターはスーパーヒーローではないですよ、と。

そう。でも、この作品を描いている私は「知ってるよ」と伝えたい気持ちはあるんです。

——知っているというのは？

何かに傷ついたり苦しんだりしている人がいて、こんな気持ちを抱えているのは自分だけかもしれないと思ってもそうとは限らないかもしれないし、私も似た気持ちを知っているかもしれない。自分だけが苦しいのかもと思ってしまいそうなときに、その苦しさを身近な人と共有ができなかったとしても、同じような気持ちを抱えている人がいると知ると、自分だけじゃないとわかって孤立から楽になるところはあると思うんですね。それが物語として面白く提供されたら、すごく幸せなんじゃないかと思って。私は物語で自分だけじゃないという気持ちに出会って幸せだったから。そういう気持ちって、スカッと解決されるようなことではないからこそうしたくはないし、作品に依存されたいわけでもないです。でも、自分だけじゃないと知ることで何かの力になることもあると知っているから、そこは描いていきたいんです。『違国日記』に限った話ではないですけどね。ただ、『違国日記』は話の内容的に没入して自分に引き寄せて読んでくださる方が多いこともあって、ほかの作品より描き方を注意していたということです。

——没入と依存は違いますからね。

自分が描いた物語を大事に思ってくれるのは本当にありがたいです。そのうえで健やかに楽しんでもらえたらうれしいと思うんですよね。

——健やかにですか。

はい。心身ともに健やかさは本当に大事だと思っています。『違国日記』は本当に楽しんで描けた作品だし、最終回も描き足りないと思うことなく描けたと感じているので、この先作品に出会う人にも健やかに楽しんでいただけるといいなと思います。

映画化に寄せて

——『違国日記』の実写映画化とアニメ化[*5]が控えています。これまでも作品がメディア化されたことはありますが、劇場映画になるのは『さんかく窓』に続いて二作目です。実写化も同様ですね。

商業作家としてメディアミックスしていただくのはありがたく思っています。ただ、私が厄介な原作厨なので（笑）、どんなメディアミックスでも自分が原作者といえど適切な距離を取るようにしています。それがご迷惑をおかけせず、私の心の平穏を保つためにも一番いいんじゃないかと。

——厄介なんですか（笑）。

読み手の立場で楽しむときは、原作が一番だろうと思ってますから（笑）。原作者という立場だとまたちょっと違うんですけどね。その作品のクオリティとかそういう問題では一切なく、自分がメディアミックス作を手掛けるわけじゃないから当たり前なんですが、できあがった作品で自分の間だったり演出とは違うものに遭遇したときに落ち込んでしまうんですよ。自分の漫画はこんなに伝わらないものなのかって。読者の方から想定外の感想をいただいたときなんかも多少落ち込むんですが、でも読み手の受け取り方は自由ですからそれは仕方ないと。ただ、メディアミックスは商業的な二次創作なわけで、そこで自分が目指したものが制作側に上手く伝わっていなかったり、伝わっても諸事情でそれが表現されないのは残念だなと。致し方ない部分も十二分にあると思うので、そう思って落ち込んでしまうのを避けるために、距離を置きましょうという自衛に近いですね。

俗物なんで、単純に自分の作品がメディアミックスされるのはうれしいです。撮影現場にお邪魔させていただいたりして、ちゃんと楽しんでいます（笑）。

――今回の映画化にあたっては、原作者として何か要望を出されたりはしたのですか？

このキャラクターのこういう属性はなくさないでほしいとか、いくつかお伝えさせていただきました。それくらいかな。

――『違国日記』はいつかメディア化されるだろうと思っていたのですが、映画になるとはと少し驚きました。

いろいろ企画はいただいていたのですが、企画書の段階で作品のテーマを外さず、フェミニズムのこととか細部まで言及してくれていた企画が実現することになったので、お任せしました。

――映画公開前の貴重な原作者の声となりました（笑）。

その原作者は原作厨ですけどね（笑）。

＊1　リレーションシップ……二者の間で築かれた関係性を指し、恋愛感情だけでなく、信頼や尊重、相手への理解を含んだもの。

＊2　『ゴーストバスターズ』……二〇一六年製作、ポール・フェイグ監督によるSFコメディ。一九八四年製作の同名映画のリブート作品。起業した会社で「幽霊退治」を行う四人の女性たちの活躍を描く。

＊3　『マッドマックス　怒りのデス・ロード』……二〇一五年製作、ジョージ・ミラー監督のアクション映画シリーズ第四弾。これまでのシリーズ作品と異なり、女性が大きな役割を果たす。本作で描かれた女戦士の過去を描く『マッドマックス：フュリオサ』が二〇二四年五月に公開された。

＊4　発達障害……脳機能の発達に関係する障害。対人関係をつくることが苦手など、コミュニケーション能力や社会性に関連した発達障害の総称。自閉スペクトラム症（ASD）をはじめ、注意欠如・多動症（ADHD）や学習障害（LD）など複数の種類がある。

＊5　実写映画化とアニメ化……実写映画は瀬田なつき監督、新垣結衣・早瀬憩主演で、二〇二四年六月七日に公開。アニメーションは、大城美幸監督、朱夏製作で現在制作中。

エピローグ

変わらないテーマと
ぼーっとする才能

これまでのこと

これからのこと

これまでのこと

おしゃべりが楽しいと生きていて楽しい

——デビュー以前から現在に至るまで、二〇時間を超えてながながとお話を聞かせていただきました。

基本的に覚えていないことが多くてすみません。個人的には、デビュー当時から取材で何度も話を聞いてくださっている方とたくさんおしゃべりができて「楽しかった」の一言に尽きます（笑）。

——でも、覚えていることも結構ありましたよ？

些末なことばかり覚えているなと思いました。話が浮かんだきっかけとかはほぼほぼ覚えていなくて、こういうことを考えていたなとか、この場面を楽しく描いたなとか部分部分が自分の中に残っている感じなんですかね。自分の描いたものをあらためて振り返ったりしないので、自分でもよくわかっていないことが多いとは思います。ただ、好きなことはずっと変わらないですね。自分が描けるものの幅をこれまで更新することなくやってきただけなのかもしれないとも思うのですが、好きなテーマは何回擦ってもいいと思うので気にしないことにします（笑）。

――それが描きたいテーマなのだから、ブレていないということかと。

ただ、商業的に成立するように意識していたいと思っています。でも、より多くの方に手に取っていただけるものを目指すのが関わってくださる方にもいいことだと思うのですが、基本的には、自分が暮らしていけるのであれば、商業的に大成功を収めなくてもいいかなと思うようになりました。

――これまでにもインタビュー自体はさまざまな媒体でたくさん経験されていますよね。

しゃべること自体は嫌いではないのですが、みんなこんな話を聞いてどうするの……？と思いながらお話ししていることも多いです（笑）。担当編集者さん以外の人間と相まみえる数少ない機会だし、タイミングが合えばあまり断らないようにとは思っていますが、たとえば一つの作品についてお話しする機会が複数あるようなときは、これぐらいしゃべったからあとはもういいかとその後にお受けする取材の数を絞ったりすることはあります。

――タイミングというのは純粋にスケジュールの問題ですか？

それもありますし、あとは連載中の作品についてのインタビューの場合ですね。実際、『違国日記』の後半を描いているときは、なるべくインタビューをお受けしないようにしていました。相手がおそらくこういうことを聞きたいんだろうなとなんとなく推測できるので、それに関して話した内容が自分に染みついてしまうのを避けたくて。それと、インタビューをしてくださる媒体や相手によっては、聞きたいことが明確にありすぎるときがあって、私に聞きたいというより言わせたい内容がすでにあるような気配がすると、それをどうにか避けようとして不毛な攻防が始まるので（笑）。そうすることで、自分がそのときに考えていたことが強化されてしまうのが嫌なんですよね。作品を完結させたあとだったら、ある程度はプロモーションすべきだと思いますし、描き終えた話について聞かれるのだったらまだ気持ち的に楽なので、なるべくお受けしようとは思っています。私としては、描き終えた作品については、もう自分の中で忘れていくだけになるので、感覚としてはお通夜みたいな感じなんです。在りし日の思い出を話して、日常に戻ろうとするというか。

——個人差はあるかもしれませんが、連載中の作品についてお話を聞かせていただくのは難しさを感じます。明かせないことやまだまとまっていないこともあるだろうと思いますので、質問や言葉選びには気をつけるようにしているのですが。

ああ、聞く側の方もそうなんですね。答えられないことがどうしても多くなりがちで、その答えられないことを聞かれたときに、私の場合は思いのほかストレスを感じるんですよね。取材の際に作品の感想をおっしゃってくださる方も少なくないのですが、読者の方からいただく感想より直接会って話をする人からの感想はよりダイレクトに届くところがあって、そういう風に受け取られているんだとか、そんな風に感じるんだとか、影響をもろに受けたりして。誰からでも感想をいただくのは常にうれしい自分と、描いている途中だから聞きたくないって思っている自分とで分裂して疲れてしまうんですよね。

——なるほど。

でも、おしゃべりは嫌いじゃないんですよ。

——取材で話をすること自体には苦手意識はないんですね。

ないです。マンツーマンで教わっている韓国語の先生にまだ数回しかレッスンを受けていない時点で「しゃべるの好きでしょ? 喧嘩強いよね?」って言われて、何を察せられたのかと焦ったことがあるのですが(笑)。要は一言われたら十返せるタイプだと。確かにそうなんですよ。特にレッスン中は黙っていたらもったいないから、なるべくなんでもしゃべるように心がけているところがあるからだとも思うんですけど、それも別に苦痛ではないので。おしゃべり楽しいし。たぶん、根がお調子者なんだと思います。根暗のお調子者。

——おしゃべりが楽しいのはいいことなのでは?

そうなんですかね。いいかどうかはわかりませんが、おしゃべりが楽しいと、生きていて楽しい度合いも上がるような気がします。なので、おしゃべり好きでもまあいいかなと思っています。

もうすぐデビュー二〇周年

——二〇二五年にはデビュー二〇周年を迎えます。

……え?

——二〇周年。

怖い!

——怖いですか?

こんなに成熟していないのに、もう二〇年近く働いているなんて恐ろしいです。

――体感としてはこれまであっという間だったのでしょうか。

そうですね。私の場合はですが、漫画家の生活って年単位で時間がビャッと過ぎていくし、気が付いたら三年くらい平気で経っているんですよ。『違国日記』の連載だって、ついこの間始めたような感覚なくらいで。自分だけ時間の進みがのろいような気さえしてきます。友達の中で私だけ長生きしそうな感じも恐ろしいです。七、八〇歳くらいになったときに、友達はみんな死んじゃってて、人間が嫌いだとか言いながら新しい友達探さなくちゃいけなくなりそう。一緒に旅行する人はどうしてもほしいので、おそらくその年になっても限りなく元気でいるに違いない担当編集者さんを誘おうと今決めました（笑）。

――まだまだずいぶん先の話ですね。

でも気がついたら二〇年近く働いているわけで、似た感じかと思えばあっという間な気がします。そもそも二〇年も漫画家として働けるなんて思ってもいなかったのですが。

――そうなんですか？　まだまだ新人の時期に初めてお話を伺ったとき（『ぱふ』二〇〇八年二月号初出、『ヤマシタトモコのおはなし本』収録）から、この先も仕事として漫画を描いていくという意識がすごく高い印象だったのですが。

それは、自分の気持ち的に背水の陣だったからかもしれません。漫画家としてやっていけなかったらもうダメだと腹を括っていたところはあって、なのでとにかく一生懸命やるしかないと決めていました。私は自分が決めたことは絶対やり遂げるほうなので、決めたからにはと考えていたように思います。

——漫画家としての目標を掲げていたりしたのですか？

特には。ただ、とにかく不安で、それもあって最初のうちは受けられる仕事は全部受けていた気がします。貯金があったら多少は安心できるかなと思っていたのですが、結局どれくらいあったら安心できるかなんてわからないじゃないですか。でも不安だから、とにかく働いてお金を稼ごうと。

——一〇周年を迎えられたときには、気持ち的には少し落ち着きました？　記念本（『ヤマシタトモコのおはなし本』『ヤマシタトモコのおまけ本』『ヤマシタトモコ10周年記念イラスト集』）が刊行されたりと節目にはなったかと思いますが。

その節目は担当さんが作ってくれたもので、私としてはそのときも、一〇年も働いているのにまだこんなにふらふらしているのかと慄いていた気がします。

——それは新人気分が抜けない感覚に近いのでしょうか。

あ、まさにそんな感じです。でも、とあることをきっかけにそんな気持ちをいつまでも抱えていることはよろしくないなと反省しまして、一応気持ちを切り替えたつもりではいるんですが、なかなかどうして、いまだに抜けきらないところはありますね。

——何がきっかけだったのかお聞きしても？

一〇周年を過ぎて何年か経った頃に、私が結構落ち込んでいた時期がありまして、これは今でも思うことではあるのですが、自分の絵が上手くないことに気持ちがグルグルしちゃっていたんです。そのことを担当さんと電話で話してたときに、いつまでも新人のつもりで周りと自分を比べて落ち込んでしまうというようなことをぽろりとこぼしたら、「厚かましい！」と爆笑されまして。その屈託のない笑い声を聞いていたら、その通りだなと思って恥ずかしくなっちゃったんです。一〇年以上、漫画を描いてご飯を食べているくせに、そんなところだけ新人気分で落ち込んでいるなんて、確かに厚かましいし、そんな先輩は邪魔すぎるだろうと思ったら私も笑えてきちゃって（笑）。担当さんには新しい視点を与えてもらいました。でも、「自己肯定感常に低いマン」なので、ついつい詮無いことをいまだに考えちゃうし言っちゃうんですけどね。

——コンスタントに作品を発表されて、評価も得ていてもですか？

誰かに師事しているわけでも、会社みたいに先輩後輩がいるわけでもなく、一人で長いことやっているのもあって、いつまでも気持ちが成長しないんじゃないかと思います。そもそも私は物心がちゃんとついたのが二〇歳をすぎてからな気がしているので、バブバブ言いながら漫画を描いてきたようなもので（笑）。世界と自分の切り分けがすごくできない子供だったので、ようやく外界をきちんと認識し始めたのが二〇歳くらいなんですよ。その時点で同世代のほかの人たちよりずいぶん遅れているうえに、漫画家になってマイペースで働き出したものだから、さらに成長スピードが遅くって。会社勤めの友人たちを見ていると痛感しますね。

——バブバブ言いながらも描き続けてきたことについて、自分を褒めてもバチは当たらないように思います。

そうなんですかね。数をいっぱい描けることが自分の強みだと思ってがんばってきましたが、それは描きたいものを自分なりに描いてきたからやってこられたのかなとも思います。

変わらないテーマ

——漫画家としての経験を積んだことで心境に変化などはありますか？

どうせ無理だろうと意見を飲み込まずに、自分がやりたいことは伝える努力をするようになりました。私、人の言うことにただそのまま従うと、結果としてものすごく後悔することが多いんです。描いたものに対してそんな気持ちは抱きたくないので、そうならないようにしようと。自分の意思でやったことに対する後悔はまだいいのですが、外界からもたらされる後悔はなるべく避けたいので……。それは漫画に直接的に関わることだけじゃなくても、まず伝えるようになりました。一般誌で発表した作品がコミックスになるときに、読者の方がそれまでの私のBLのコミックスと並べられるように同じB6サイズで出したいんですけど相談してみたり、サイン色紙にインクがにじみやすいのでそのことを伝えてみたり、小さなことかもしれないのですが私には大事なことだったので、まず言ってみようと。これまで無茶なことは言っていないつもりなのですが、交渉にも至れない人とは距離を置くようにしたり。

——モチベーションが下がるからでしょうか。

それもあります。こちらの気持ちや要望を伝えたときに、前例がないと言われたり、「上がダメと言っています」とか、大人の事情を匂わされて諦めるように促されるとイーッ！ってなっちゃうんですよ（笑）。憤懣（ふんまん）やる方なくなってしまう。なぜそう思ったのかとか、こういうものを描きたいと思っている理由とか、こちらは逐一自分なりにお伝えしているので、ダメならダメでちゃんと説明してほしいなって。そう考えると、どんな雑誌でも自分が描きたいものが描けるようにがんばってきたなと思います。

——そのがんばりの原動力はなんだと思いますか？

やっぱり好きなものを描かないと楽しくないじゃないですか。私は大人になってから竹宮惠子さん[*1]の作品を読んだのですが、ものすごく面白いし、初期作品から何作か読んだときに、かたちは全然違えど同じテーマで描いていらっしゃるんだなと思ったんです。それにすごく勇気づけられたのを覚えています。あと、宮﨑駿さんの作品もかたちを変えながら同じテーマを扱っていて、作家は同じテーマを描き続けていいんだと心の支えをもらいました。漫画を描く以上、面白いものを描きたいし、読んでくれた方に面白く読んでもらいたい。その気持ちはこれからもずっと変わらないと思います。

——何度も繰り返し描かれているテーマの中で、最も幹が太いのではと感じるのが「人と人とはわかりあえない。それでも」というものです。他のインタビューで、最初に担当となった編集者に「描きたいもの」を聞かれた際、同じ返答をしたとお話しされています。これまでお聞きしたお話の中でも幾度も触れられてきましたが、これは今後も変わらないテーマであり続けると思いますか？

そうですね。最初から持っていた、基本的な私のスタンスでもあるので、そこはブレないと思います。テーマにあえて掲げなくても根底にはそれが必ずある感じですね。私はなんだかんだ言っても人間の善性を信じているほうだとは思うのですが、たとえば家族だとか社会制度に定められた関係については全然信用していないんです。そういう自分の中で一見相反しているものをずっと描き続けていきたいと思っています。人と人とはわかりあえないものでしょうというのは、これからも必ず。

——もう一点、今後もブレない視点になっていくであろうフェミニズム的な観点についてもお聞きしたいのですが、『ＨＥＲ』についてお話しを伺っていたときに、「あの作品を描いた時点ではフェミニズムという言葉は知っていても全然理解していなかった」とお話しされていたのが印象的でした。あらためてフェミニズムの理解に至ったきっかけを教えていただけたらと思います。

それについてはすごく明確な出会いがあったわけではなくて、単純に友人や私の周りの人たちがだんだんそういうものに自覚的になったことに影響されたのが大きいと思います。海外コンテンツを積極的に見始めた時期と重なるのですが、好きな俳優が社会活動の一環でフェミニズムの観点に立った発言をしたりしていて、そこからさらに興味を持ったり。それと、フェミニズム文学に出会ったことも大きいですね。作品自体を素直に面白いと思いましたし。

――イベントでのトークやインタビューなどでマーガレット・アトウッド[*2]の作品についてはたびたび触れられていますね。

ほかにチョン・セラン[*3]だとか、エンターテインメント作品としても面白いものに出会えたのがよかったと思います。そういったエンタメの中にフェミニズムや人権問題などが自然と組み込まれているものにたくさん触れるようになって、ますます興味が深まりましたし、自分でも認識をあらためる機会になったんです。アトウッドの『侍女の物語』[*4]なんかは今から四〇年ほど前のものですが、そういった昔の作品から現代のポップカルチャーの作品、ジャンルも現代文学に限らずSFだったりさまざまなフェミニズムの思想を含んだ作品がエンタメと作者が伝えたいこと、感じていることを見事に両立させていて、そのような作品に出会うたび自ずと自分なりに考えるようになったんだと思います。

これからのこと

これから描いてみたいもの

――この先挑戦してみたいジャンルやシチュエーションはありますか？

こうやってお話ししている今は、の話ですけど、『違国日記』を長くやっていた反動なのか、暴力を描きたいです。すごくどうでもいいことで人が死んだり、血がいっぱい出たりするやつ（笑）。ポップで理不尽で、本当にただただ暴力的な話が描きたいですね。たとえば「無敵」で描いたような、ああいう振り切った感じのものがいいなと思います。

――悪意のレンジの幅を広げるということでしょうか。

そうですね。本当にありがたいことではあるのですが、『違国日記』が多くの人に大事にしていただけて、またあの話のようなものをと望まれる声だとか、描き手の私はきっとこういう人なんだろうと何かを仮託されたりだとか、あの作品の余波のようなものにたくさん取り囲まれるような感じがして、子供みたいに「わー！」って叫び出したくなっちゃって。『違国日記』のようなものをと望む人を裏切りたい気持ちになっているのかもしれません。私は昔から、自分の作品を好きだと思ってくださる人をびっくりさせたいっていう気持ちがあるので。

――ホラー好きでもあることだし？

はい（笑）。

――何か具体的に描きたいモチーフなどはあるのですか？

ネイルサロンでネイルをオフしてもらうときに、歯科医院で歯を削る際に使う道具のようなもので削られるんですが、ネイルサロンで拷問ってすごくいいなあと思って。それをどういう文脈で使おうかなっていつもネイルをやってもらいながら考えています。予期せぬところに拷問器具ってあるなと思って（笑）。

――ストーリーもセットで浮かんでいるのですか？

いいえ、モチーフだけ。家に死体がある女を描きたいなとふと思って、そこから話ができないかなとちょっと考えているだけで、ちゃんとしたストーリーが浮かんでいるということはないです。最近はもっぱらどうやって死体を隠滅するかをずっと考えているんですが、ハードルが高そうだなと困っていて。やっぱり誰にも知られずに、証拠ともども隠滅するのはすごく難しいんだなと痛感しています。

――解体してもその後どうするかが難しそうです。

そうなんです。解体自体も大変な労力ですしね。何年か前にも似たようなことを考えていて、そのときに母に聞いてみたことがあるんです。母は庭仕事がすごく好きなので、その知識を生かしてアドバイスをくれまして、蔦植物でものすごく繁殖力が高いものがあるそうで、それが茂っているところに遺棄したら何年かは見つからないだろうって。それは割といい案かなと思ったのですが、今のところ話には結びついていないです。

――死体隠匿をネタにミステリーを描こうとは思いません？

大変すぎて私にはできないと思います。だって、何も浮かばないですもん（笑）。そのときに描きたいものしか基本描けないので、きちんと構想を練って、というのができないんですよ。

ミステリーなんてその最たるものじゃないですか。

――個人的にはBLの新作も読みたいです。

描きたいです。これも具体的に何か描きたいものが浮かんでいるわけではないのですが、コミックスに収録されていない短編が浮いている状態なので、それを収めるためにも何本か描きたいんですよね。ただ、今自分の萌えがすごくふわふわしていて、〝これ〟というカップリングが思いつかないので、ちょっと時間はかかるかもしれません。

――描かないと決めているわけでないのなら待っています。

描きます、描きたいです。自分が今ハマっているものがK－POPで、毎日アイドルを見ながら一方的にきらめきを浴びているのですが、それがなんのかたちにも結びつかないまま、ただぼーっと見て喜びをもらっています（笑）。

――芸能界ものはいかがですか？

難しすぎます。私に芸能人に対しての萌えがないのと、あとストーリーに制約が多すぎてたいへんそう。恋を秘密にしなきゃいけない時点でつらすぎて描けない。かわいそうすぎますもん。

――同人誌活動もマイペースに続けていらっしゃいますが、二次創作ジャンルでも特定のカップリングに限らず、女性キャラを中心にしたものなども出されていますよね。

どの二次創作も作品が好きというのが根本にあって、そこで勝手に私がカップルとして見ちゃっているキャラがいるだけなので（笑）、そのキャラ以外の話も浮かんだら表に出したいし。要は作品の再解釈をして、それを自分なりに再構築するところに二次創作の楽しみを見出していたりするので、カップルの話限定というわけではないんです。自分のオリジナル作品でも、老若男女すべての組み合わせが好きだし、恋愛や肉体関係が介在していない関係でもそれぞれ化学反応があって面白いんですよね。そこで属性だけにこだわって関係性を限定してしまうのは、物語の幅を狭める気がするし、もったいない気がして。恋愛だけ、二人だけの世界を面白く上手に描ける方もいらっしゃいますが、私はそうじゃないほうが自分が楽しく描けるので。

ぼーっとする才能

――今後についてお聞きしたいのですが、しばらくは具体的な執筆予定があるわけではないのでしょうか。

ないです。人がいっぱい死ぬ話に限らず、どんな話も驚くほど描く予定がないです（笑）。「ずっと働き続けてきたし、今が休むベストチャンスだと思いますよ」と担当さんが言ってくれて、何も決めないことを許してくれたので、本当に予定を入れていなくて。年齢的にもなんとなくとにかくがむしゃらに描くという感じでもなくなってきた気がして、ようやく緩やかに漫画を描くことと向き合えるように思っているのですが、そんなことを言いながらめちゃくちゃ働きたくなったらがむしゃらに働くと思います。なので、今のタイミングがそうじゃないというだけですね。

――今はのんびりムーブな時期？

そうですね。せっかくなので、休んでいる間に体を鍛えようと思ってジムに通っています。上半身ムキムキのトレーナーに「ヤマシタさんの上半身は伸びしろしかないですよ」と言われて、一生懸命重いものを持ち上げています（笑）。

――プライベートの目標は筋肉をつけるになりそうですね。

カッコいい体になりたいです。あと、語学上達かな。

――英語に続いて韓国語の勉強もされているのですよね。

はい。今は英語の勉強はほとんどしていないので、実力がガンガン落ちていると思います。韓国語はあらためて韓国映画にハマったことがきっかけで始めた勉強ですが、絶対にペラペラになるまでやるって決めたので、韓国語の勉強を継続しつつ、もうちょっと韓国語の語学能力が安定してきたら、また英語の勉強も再開したいなと考えています。

――三か国語話せるのはすごいですね。

韓国語の勉強を始めて一年くらい経ったときに、友人に「トライリンガルだ」と言われて、ミーハー的な感じでテンションが上がったんですが（笑）、勉強を始めたことで楽しめるコンテンツが増えたことがめちゃくちゃうれしいです。それと、語学を勉強すると新しい概念が手に入るように思うんですね。言語によってその言葉にしかない視点だったり、独特の言い回しや日本語にはない時制があったりして、そういうものを含めて勉強するのが楽しくて、私は語学好きなんだろうなと自分でも思います。

――あらためて日本語を勉強したりもされているのですか？

特にはしていないです。おかげでかそのせいでか、日本語の能力が下がっているような気がします（笑）。表したいことにズバッと適した日本語がなかなか出てこなくて。頭の中が複数言語でこんがらがっているのかもしれません。ただ、日本語は日々接しているものですし、娯楽としての小説なんかは日本語でしか読まないし、辞書もしょっちゅう引いているので、あらためて日本語を勉強しようという風には今はなっていないです。

――日本語も辞書をよく引かれるのですか？

引きますよ。辞書アプリたくさん持っています。そもそも辞書を読むのが楽しいんですよね。中高生のときなんかも辞書を読むのがすごく好きでした。

――しばらくは筋力と語学力のアップを目指す日々と。

はい。主に筋肉と語学のことばかり考えています（笑）。

――では、この先の目標は何かありますか？

も……目……標とは？（笑）

――（笑）。こうなっていたいなというビジョンとか。

それなら、健康でいたいです。私は今までもとにかく健康を重視して生きてきたのですが、これからもやっぱりとにかく健康は意識していきたいです。心の健康も大事だけれど、今は体の健康をより大切に。

――そのための筋トレ。

はい。一生に一回くらいは腹筋を割ってみたいので引き続きがんばります。それと私、自分にものすごくぼーっとする才能があるということを知ってはいたのですが、その才能を今まで活かしきれていなかったことに今お休みをもらっていてあらためて気づきました。めちゃくちゃぼーっとできます！（笑） なので、これからも適宜ぼーっとしていきたいなと。

――ぼーっとするのが苦手な方もいますものね。

私は大得意みたいです。いくらでも時間を溶かすことができます。気がついたら三時間経ってる！とかザラですから。

――上手に時間を扱う時魔導士みたいですね。

やだ、カッコいい（笑）。基本的にぼーっとして時間を溶かしているだけですけどね。

――ゆっくり休んでいただいて、また作品を楽しみにさせてもらえればと思います。長きにわたってお話たくさん伺いましたが、本当にありがとうございました。

こちらこそありがとうございました。描きたい話が浮かんだらまた描きます。これからもずっと何かしら描いていきますので、今後ともよろしくお願いいたします。

＊1　竹宮惠子……漫画家。一九六八年に『週刊マーガレット』（集英社）に掲載された「リンゴの罪」でデビュー。男性同士の恋愛関係を描いた『風と木の詩』でセンセーションを巻き起こす。主な作品に『地球(テラ)へ…』『私を月まで連れてって！』『イズァローン伝説』などがある。

＊2　マーガレット・アトウッド……作家。一九三九年、カナダ生まれ。一九六六年、詩集『サークル・ゲーム』でデビュー。アーサー・C・クラーク賞やブッカー賞など多数の賞を得ている。主な作品に『侍女の物語』『誓願』『昏き目の暗殺者』などがある。

＊3　チョン・セラン……作家。一九八四年、韓国生まれ。二〇一〇年、「ドリーム、ドリーム、ドリーム」でデビュー。純文学、SF、ファンタジー、ホラーなどさまざまなジャンルを横断し、作品の発表を続けている。主な作品に『フィフティ・ピープル』『保健室のアン・ウニョン先生』『地球でハナだけ』などがある。

＊4　『侍女の物語』……一九八五年に発表されたマーガレット・アトウッドの代表作。男性による独裁体制が敷かれた近未来を舞台に、支配階級の子供を産むための道具として扱われる「侍女」の姿を描く。二〇一七年に本作を原作にしたドラマシリーズがスタート。二〇一九年には、続編の『誓願』が発表された。

あとがき

果たして面白く読んでもらえるものだろうか、言うことも思うことも日々変わり続けるのに。というのが企画を受けた当時から書き起こされた原稿を受け取った日までを通しての正直な気持ちではあったが、七回にわたったインタビューはデビュー当時から何度もインタビューしてくださっている敬愛する山本文子さんとの楽しいおしゃべりの時間でした。

このとりとめのない話でも、漫画を大切に読んでくださる方にとって読み方の一助になれば幸いです。

二〇二四年五月

コミックス解題

執筆＝山本文子　＊刊行順に構成

『くいもの処　明楽』

単行本　二〇〇七年四月、マーブルコミックス、東京漫画社

初出　「ＯＲＤＥＲ．１」『年の差カタログ』二〇〇六年五月、東京漫画社／「ＯＲＤＥＲ．２」『制服カタログ』二〇〇六年七月、東京漫画社／「ＯＲＤＥＲ．３」『幼なじみカタログ』二〇〇六年一〇月、東京漫画社／「ＯＲＤＥＲ．４」『オヤジカタログ』二〇〇七年一月、東京漫画社／「フォギー・シーン」『メガネカタログ2』二〇〇七年三月、東京漫画社／「BASEBALL:AM7　くいもの処　明楽　LAST ORDER」「リバーサイド・ムーンライト」「店長記　くいもの処　明楽　SIDE MENU」描き下ろし

幼馴染と共同経営している居酒屋で店主を務める明楽高志と、彼に告白してきた六歳下のアルバイト・鳥原泰行の関係の変遷を描いた表題作は、同人誌として刊行した作品を雛形に、東京漫画社刊のＢＬテーマアンソロジーシリーズに連載されたもの（同人誌版は後に電子書籍として配信され、現在も読むことができる）。明楽と鳥原を取り巻く店の面々も描かれ、登場人物たちの何気ない会話の妙が詰まっている。同じアンソロジーシリーズに掲載された短編「フォギー・シーン」のほか、描き下ろしとして三編が収録されたデビューコミックス。『このマンガがすごい！２００８』の「腐女子入門」特集内の「２００７年ＢＬランキング」

で一位を獲得した。

『タッチ・ミー・アゲイン』

単行本　二〇〇八年一月、ビーボーイコミックス、リブレ出版

初出　『タッチ・ミー・アゲイン』『BE・BOY GOLD』二〇〇六年八月号・一〇月号・一二月号・二〇〇七年二月号、リブレ出版／『息をとめて、』『BE・BOY GOLD』二〇〇七年一〇月号・一二月号、リブレ出版／「ヘヴィ・シュガーの嫌がらせ」『MAGAZINE BE×BOY』二〇〇六年一月号、リブレ出版／「Candied Lemon Peel」『BE・BOY GOLD』二〇〇七年八月号、リブレ出版／「nuotatore nel cantero!」『MAGAZINE BE×BOY』二〇〇七年九月号、リブレ出版／「スターズ☆スピカ☆スペクトル」『BE・BOY GOLD』二〇〇七年六月号、リブレ出版／「うしめし」「touch IT again, again, again&again」「I cannot breathe without U」「lemon crush,bitter&sour あのひのよるのそのごのはなし。」「☆スピカのスはスジョウユのス☆」描き下ろし

表題作は、七年前に一度体を重ねたきり、互いにそのことには触れず、相手を思う気持ちも言葉にはせず、学生時代からの腐れ縁を続けている友人二人を描いた連作掌編シリーズ。本心を明かさないまま繋がりを絶つこともできないもどかしい恋が、少ないページ数（各八ページ）の中に凝縮されている。ほか、どこも双方向には成立していない三角関係を軸とした『息をとめて、』、駆け引きめいた会話劇が秀逸な「ヘヴィ・シュガーの嫌がらせ」など、リブレ出版のBL誌に掲載された短編に加え、それらの後日譚や新作短編の描き下ろしを収録。作者の好きなBL要素、物語の特性などが詰まっている。年に四、五冊コミックスが刊行されるほどの多作期の皮切りとなった一冊。

『恋の心に黒い羽』

単行本　二〇〇八年二月、マーブルコミックス、東京漫画社

初出　「ベイビー，ハートに釘」『ＢＧＭ』VOL.1、二〇〇七年五月、東京漫画社／「イッツマイチョコレート！」『兄弟カタログ』二〇〇七年七月、東京漫画社／「悪党の歯」『不良（ワル）カタログ』二〇〇七年九月、東京漫画社／「恋の心に黒い羽」『ＢＧＭ』VOL.2、二〇〇七年一〇月、東京漫画社／「その火をこえてこい」『青春カタログ』二〇〇七年一一月、東京漫画社／「FOOL 4 U」『ＢＧＭ』VOL.3、二〇〇七年一二月、東京漫画社／「フォトジェニック」「SHORT CUTS」「悪童の歯」「ONE 4 FOOL, FOOL 4 ONE」描き下ろし

マゾヒスティックな性癖を持つ二神と、彼と同じケーキ店に勤め、二神から思いを向けられる中頭。中頭は二神に苛立ちを抱きつつも彼を理解しようとするが、己の欲求は口にしても本心は明かさない二神は、そんな中頭に応えることはなく……。表題作では、そんな噛み合わない二人のディスコミュニケーションがシリアスとコメディを織り交ぜ緩急をつけたテンポで描かれる。友人に恋心を抱く弟を見守る姉の視点から描いた「ベイビー，ハートに釘」、〝少女と年上の男性〟〝主人公不在〟といった、作者の好きな物語の要素が盛り込まれた「悪党の歯」など、東京漫画社刊のＢＬアンソロジーに掲載された短編を中心に、それらの本編には出てこない場面が語られる描き下ろしも収録。

『イルミナシオン』

単行本　［旧版］二〇〇八年九月、メロメロコミックス、宙出版／［新装版］二〇一八年九月、onBLUE comics、祥伝社

旧版
新装版

初出『イルミナシオン』『メロメロ』Vol.1〜3、二〇〇七年三月〜九月、宙出版／「ラブとかいうらしい」『メロメロ』Vol.4、二〇〇八年一月、宙出版／「ばらといばらとばらばらのばらん」『メロメロ』Vol.5、二〇〇八年三月、宙出版／「あの人のこと」『メロメロ』Vol.6、二〇〇八年五月、宙出版／「神の名は夜」『COMIC DANDAN』vol.1、二〇〇五年五月、メディアミックス／「separation?」「きみはばらよりうつくしい。」「NOBODY BUT GOD KNOWS.」［旧版］描き下ろし／「おまけまんが」［新装版］描き下ろし

表題作は、幼馴染の小矢を思い続けている幹田、幹田と一夜をともにしたことをきっかけに彼を口説き始める洲戸、幹田のそばに現れた洲戸に困惑を隠せない小矢といった三人それぞれの視点で描かれた三話から成る〝一方通行〟な物語。恋愛の成就というかたちでは決着しないが切なさあふれるラブストーリーになっている。ほか、主人公不在で描かれる「あの人のこと」、同性の友人に思いを寄せている同じクラスの男子の恋心に気づいた女子の目を通して描かれる「ばらといばらとばらばらのばらん」、極道の道で生きる二人の男性を描く暴力とロマンスの香り漂う商業誌デビュー作「神の名は夜」と、これもまた作者の好きな要素の詰まった作品集。後日譚三作が収められているほか、新装版には新規の描き下ろし「おまけまんが」を収録。

『恋の話がしたい』

単行本　二〇〇八年一二月、マーブルコミックス、東京漫画社

初出『恋の話がしたい』『BGM』VOL.4〜7、二〇〇八年二月〜八月、東京漫画社／「Re:hello」『ライバルカタログ』二〇〇八年一月、東京漫画社／「フェブラリー・メッセンジャー」『職業カタログ』二〇〇八年三月、東京漫画社／「スパンク・スワンク！」『リーマンカタログ』二〇〇八年五月、東京漫画社／「昔の話はしたくない。」「間取りの話がしたい」「Re:hello」描き下ろし

思いを寄せていた友人の真川に唐突に告白してしまった美成。思いを告げることができただけでいいと思っていたが、真川に気持ちを受け入れられ、付き合うことに。想定外の事態に困惑する美成と、そんな美成と真摯に向き合っていこうとする真川を描く。日常の中で少しずつ変遷していく彼らの関係が丁寧に描写されたラブストーリー。そんな表題作のほか、過去の恋を忘れられない男性とその恋心を姪である少女の目を通して描かれた「Re:hello」、お互いの気持ちを試し合う男子二人がチャーミングな「フェブラリー・メッセンジャー」、〝超ガチのゲイ〟の男性と彼がガチ恋しているヘテロで〝ガチのドM〟な男性を描いた「スパンク・スワンク！」と、表題作と「Re:hello」の描き下ろし掌編を収録。

『薔薇の瞳は爆弾』

単行本　二〇〇八年一二月、ビーボーイコミックス、リブレ出版

初出　「the turquoise morning」『b-Boy Phoenix12』二〇〇八年五月、リブレ出版／「さようならのお時間です。」『MAGAZINE BE×BOY』二〇〇八年三月号、リブレ出版／「浮気者！」『BE・BOY GOLD』二〇〇八年五月号、リブレ出版／「ラブる。」『MAGAZINE BE×BOY』二〇〇八年二月号、リブレ出版／「薔薇の瞳は爆弾」『BE・BOY GOLD』二〇〇八年六月号、リブレ出版／「嗚呼ボーイフレンド」『BE・BOY GOLD』二〇〇八年四月号、リブレ出版／「絶望の庭」『BE・BOY GOLD』二〇〇八年一〇月号、リブレ出版／「薔薇の瞳は盲目」「欲望の庭」「曲者！」「GoGoボーイフレンド」描き下ろし

ドMでゲイの見津田が出会ったのは、見た目も中身も爽やかで、そのイケメンぶりから〝王子様〟とも呼ばれる蓮水。男の趣味の悪さゆえ蓮水に少しもよろめかない見津田だったが、そんな見津田の反応に蓮水のほうがよろめいてしまう。噛み合わない二人を描いたポップな表題作をはじめ、作者の作品ではめずらしい海外を舞台にした「the turquoise morning」、少年の幼さが招いた不幸が胸に迫る「さようならのお

時間です。」、恋人はいるが学生時代に好きだった相手への気持ちを風化できないままの小説家を主人公に、人と人がわかり合うことのないその孤独を〝心の中の庭〟にたとえたモノローグが秀逸な「絶望の庭」など七編と後日譚の掌編四編を収録。

『ジュテーム、カフェ・ノワール』

単行本 ［旧版］二〇〇九年七月、ダリアコミックス、フロンティアワークス／［新装版］二〇一五年一一月、onBLUE comics、祥伝社

旧版

新装版

初出 「ラ・カンパネラ」『Daria』二〇〇六年一二月号、フロンティアワークス／「サタデー，ボーイ，フェノミナン」『Baby』vol.5、二〇〇八年三月、ふゅーじょんぷろだくと／「こいのじゅもんは」『Daria』二〇〇八年四月号、フロンティアワークス／「ジュテーム、カフェ・ノワール」『Daria』二〇〇七年八月号、フロンティアワークス／「魔法使いの弟子」『Baby』vol.7、二〇〇八年九月、ふゅーじょんぷろだくと／「ワンスアポンアタイム イントーキョー」『Baby』vol.6、二〇〇八年六月、ふゅーじょんぷろだくと／「魔法使いので。」「ジュテーム、カフェ・ア・ラ・クレム～タムラの巻～」「ジュテーム、カフェ・グラッセ～髭の巻～」「ラ。」［旧版］描き下ろし／「新・魔法使いの弟子」［新装版］描き下ろし

とあるカフェに偶然居合わせたのは、恋人未満の関係にあるような男女二人組、友人同士と思しき男性二人、携帯電話で誰かと話している女性。それぞれのテーブルで起こっている事象を見守る店員二人にも実はドラマが進行しており……。表題作はラブストーリーの一面を持ちながら、複数の出来事が同時進行する群像劇の面白さも詰まった一作。好きだった友人に突然交わしたキスの弁明をする「こいのじゅもんは」、主人公の自宅キッチンを舞台としたワンシチュエーションもの「食・喰・噛」、日常にファンタジッ

クな要素を織り交ぜつつ少女と絵本作家の男性の交流を描いた「魔法使いの弟子」など全七編に加え、描き下ろし後日譚の掌編五編（旧版では四編）を収録。

『MO'SOME STING』

単行本　二〇〇九年九月、ゼロコミックス、リブレ出版

初出　『BE・BOY GOLD』二〇〇八年八月号・一二月号・二〇〇九年二月号・四月号・六月号、リブレ出版／「who's who?」　描き下ろし

自殺志願者で弁護士の田貫のもとに、馴染みのヤクザで田貫を好きなゲイの浅黄が連れてきたのは、浅黄の姪でワケありで逃亡中の女子高生・十和子。数日匿うだけの話だったが、極道とも浅からぬ縁のある保険屋で田貫に思いを寄せられている射立、ヤクザの組長の息子で浅黄に片思い中の王狐文……田貫や浅黄と関わりのある裏社会の男たちも絡みだし、状況は混沌としていく——。コミックスは一般レーベルから刊行されているが連載されていたのはBL誌で、少女が主人公の連載作品は極めて異例であった。双方向に矢印が向き合った関係が成り立っていない愛憎入り交じった関係の中にいる男たちの中心で、自分の足で立とうと努める十和子の凛々しさが際立つ。

『Love,Hate,Love.』

単行本　二〇〇九年九月、フィールコミックス、祥伝社

初出 『FEEL YOUNG』二〇〇九年三月号〜七月号、祥伝社／「bonus track」 描き下ろし

バレエダンサーとしての夢を諦め、バレエ教室の講師としての生活を始めた二八歳の貴和子は、ふとしたことをきっかけに、隣人である大学教授の縫原と言葉を交わすようになる。自分よりはるかに年上の男性である縫原の言動に惹かれていく貴和子。好きだったバレエを嫌いになりたくないから選んだ新生活だったが、簡単に割り切れるはずもなく、複雑な感情で過ごす中、これまでバレエ一筋で恋愛にさほど興味がなく、いまだ処女の貴和子は、縫原との距離をどう縮めていけばよいかわからずにいた——。初の女性誌連載作。始まりかけている恋の初々しさと同時に、好きで情熱を注いだものから同等に愛されるとは限らないという才能の切なさも描かれている。

『YES IT'S ME』

単行本 二〇〇九年一〇月、マーブルコミックス、東京漫画社

初出 「目蓋の裏にて恋は躍りき」『はじめてカタログ』二〇〇八年九月、東京漫画社／「彼女は行方不明」『三角関係カタログ』二〇〇八年一一月、東京漫画社／「minun musiikki」『バッドエンドカタログ』二〇〇八年七月、東京漫画社／「YES IT'S ME」『ＢＧＭ』VOL.8、二〇〇八年一〇月、東京漫画社／「YES IT'S YOU」『ＢＧＭ』VOL.10、二〇〇九年二月、東京漫画社／「Loathe!」『Cucue』VOL.1、二〇〇八年六月、東京漫画社／「夢は夜ひらく」『Cab』VOL.1、二〇〇九年五月、東京漫画社／「YES THAT'S IT」「Aari te minun?」「胸の裏にて心は躍りき」 描き下ろし

自分のことが外見も中身も含めて大好きで仕方がない東間は、常に自分に惚れ惚れし、自分の魅力を恐ろしく思っていた。あるとき幼稚園から勤務先に至るまでずっと同じで、自分のことを好きなのではない

かと思っていた幼馴染の江城から、「おまえがおれのこと好きだから」と言われ、激しく動揺する。挙げ句に、江城が自分をどう思っているのかまで気になってきてしまい……。表題作とその続編「YES IT'S YOU」のほか、美容部員でゲイの主人公を中心に描かれる、理解に見せかけた無理解に傷つけられるトランスジェンダーの女性や規範を押し付けられた苦しみを知る主人公の同僚女性のエピソードが印象的な「夢は夜ひらく」など七編に描き下ろし後日譚の掌編三編を収録。

『HER』

単行本　二〇一〇年七月、フィールコミックス、祥伝社

初出　『FEEL YOUNG』二〇〇九年一一月号～二〇一〇年四月号、祥伝社／「BONUS TRACK」「連動小話 with『BUTTER!!!』」描き下ろし

自分に自信を持ちながら自分が誰かに〝選ばれない〟ことに複雑な思いを抱える靴好きの井出をはじめ、見た目はもちろん、性格も年齢も社会的立場もさまざまな六人それぞれの視点で描かれた六編の連作シリーズ。最終話以外は女性が語り手になっており、主に女性が社会や集団の中で感じる素直な思いや苦しさ、葛藤、生きづらさが赤裸々に盛り込まれている。最終話の視点は男性で、彼が自分の恋人を通して女性の理解しえない点やそれゆえの怖さ、魅力的なところなどに思いを巡らせる様が描かれる。『このマンガがすごい！２０１１』オンナ編で第一位を獲得。

『ドントクライ、ガール♥』

単行本　二〇一〇年七月、ゼロコミックス、リブレ出版

初出　『ドントクライ、ガール♥』『クロフネZERO』二〇〇八年Summer・二〇〇八年Winter・二〇〇九年Summer・二〇一〇年Spring・二〇一〇年Summer、リブレ出版／「3322」『クロフネZERO』二〇〇九年Autumn、リブレ出版／「Don't Laugh, my Girl♡」描き下ろし

奔放な両親が原因の家庭の事情により、三〇代独身男性・升田のもとで同居生活を始めることになってしまった女子高生・たえ子。それだけでもストレスを感じる状況なうえに、升田は自宅では一秒たりとて服を着ているのが耐えられない極めつけの裸族だった。とはいえ、そこ以外は気遣いもできて常識人な升田との奇妙な同居生活は、多少のストレスは感じつつも概ね順調に進んでいたが……。『このマンガがすごい！2011』オンナ編で第二位（一位は『HER』）を獲得した終始ハイテンションで進行するコメディ（結果的にラブストーリーにもなる）な表題作のほか、個性が異なる大人の女性二人と夏休みを過ごすことになった少女の葛藤を描いた「3322」を収録。

『BUTTER!!!』

単行本　全六巻、二〇一〇年七月〜二〇一三年五月、アフタヌーンKC、講談社

初出　『アフタヌーン』二〇一〇年二月号〜二〇一一年五月号・二〇一一年九月号〜二〇一二年三月号・二〇

一二年五月号〜一〇月号・二〇一二年一二月号〜二〇一三年四月号、講談社／各巻に描き下ろしあり

明るくて元気が取り柄な女子高生・夏は、ヒップホップが大好きだったことからダンス部への入部を決意するも、そこは社交ダンス部だった。いじめの延長で入部させられてしまった同級生の男子・端場、爽やかイケメンの掛井、中学時代の経験から体型に強いコンプレックスを持っている女子・柘といった新入部員仲間とともに、二人しかいない先輩に見守られ、ダンスの練習に邁進していく青春グラフィティ。一辺倒に部活の様子を描くことなく、学生ものに多い恋愛に主軸を置くこともせず、高校生たちそれぞれが自分なりの悩みや苦しみに葛藤し、気づきを得たり得なかったりしながら成長していく様を一年間という区切りの中で見事に描いている。初の青年誌連載作。

『ミラーボール・フラッシング・マジック』

単行本　二〇一一年四月、フィールコミックス、祥伝社

初出　「うつくしい森」『FEEL YOUNG』二〇一一年二月号、祥伝社／『ミラーボール・フラッシング・マジック』『FEEL YOUNG』二〇一〇年一〇月号〜二〇一一年一月号、祥伝社／「don't TRUST over TEEN」『月刊flowers』二〇〇九年四月号、小学館／「blue」『YOU』二〇〇九年vol.17、集英社／「いつかあなたの不思議のおっぱい」『FEEL YOUNG』二〇一〇年八月号、祥伝社／「カレン」『FEEL YOUNG』二〇一〇年九月号、祥伝社／「エボニー・オリーブ」『FEEL YOUNG』二〇〇八年一一月号、祥伝社／「BONUS TRACK」　描き下ろし

夜分に外で、恋人の男性に浮気を弁明していた女性にミラーボールが直撃するという、なんとも不思議な第一話から始まる連作シリーズ。毎回八ページというショートストーリーで各話の主人公が異なるオム

ニバス形式だが、どの話も状況がよくわかる構成力が見事。最終話まで読むと最初から隅々まで読み返したくなること請け合い。女性の美術教師に憧れを持つ男子高校生が、腋毛や舌に棘が生えている彼女の姿を想像する「うつくしい森」など、日常を侵食する妄想が印象的な作品も多く収録された作品集。いずれも女性向けの漫画誌に掲載された作品で、シリアスなものからクスっと笑えるもの、胸が締め付けられる切なさのあるものなど全七編と後日譚三編を収録。

『サタニック・スイート』

単行本　二〇一二年三月、アフタヌーンKC、講談社

初出　「edge of her」「イナズマ」「サタニック・スイート」　雑誌未発表作品／「ねこぜの夜明け前」『アフタヌーン』二〇〇五年一〇月号、講談社／「ビューティフルムービー」『アフタヌーン』二〇〇八年五月号、講談社／「ＭＵＤ」『アフタヌーン』二〇一二年三月号、講談社

魔法が存在する社会を舞台に、父親の借金返済のためにヤクザの事務所で働くことになった少女を描いた表題作は、投稿作で未発表だったもの。同様に、両親の借金のせいで夜逃げし、夏休みの間は叔父と彼の別荘で暮らすことになった少女が主人公の「edge of her」、怪我をきっかけに野球をやめ、極道の事務所から金を奪って行方をくらませた幼馴染を思う男子高校生の話「イナズマ」も未発表の投稿作。怪異が見え、それに怯える男性が主人公の「ねこぜの夜明け前」は、『アフタヌーン』主催の新人賞である四季賞の二〇〇五年夏受賞作。ほか、恋人を寝取られた女性が主人公の「ビューティフルムービー」、日常と空想表現をマッチさせた塾講師と女生徒のラブストーリー「ＭＵＤ」の全六作を収録。

『ひばりの朝』

単行本　全二巻、二〇一二年八月・二〇一三年七月、フィールコミックス、祥伝社

初出　『FEEL YOUNG』二〇一一年四月号・八月号・一〇月号・一二月号・二〇一二年二月号・四月号・六月号・八月号・九月号・一一月号・二〇一三年一月号・三月号・五月号・六月号、祥伝社

肉感的な体つきと独特の雰囲気を持つ一四歳の女子中学生・手島日波里。良くも男たちの目にも女たちの目にも留まってしまう彼女には、父親から性的虐待を受けているという〝噂〟があった——。母親のイトコで日波里とも親しかった男性、女性としての自分に自信がないその男性の恋人、その彼女を憎からず思っていた男、日波里のクラスメイト……毎話語り手が変わり、バラバラの視点で描かれることで、日波里が抱えていた悩みや葛藤、(その人の目から見た)日波里の姿が浮かび上がっていく。あくまでも周囲の人間を語り部に〝主人公不在〟で描かれているが日波里の存在は鮮烈。彼女の痛みや苦しみを見過ごすことはできない、読み応えのある一作。

『裸で外には出られない』

単行本　二〇一二年八月、マーガレットコミックス、集英社

初出　『裸で外には出られない』『コーラス』二〇一〇年七月号～一一月号・二〇一一年二月号～四月号・八月号～一〇月号・『Cocohana』二〇一二年二月号～五月号、集英社／「あなたカレー」『コーラス』二〇一

一年五月特大号ふろく『はらぺこコーラス』、集英社／「「美青年」」『Cocohana』二〇一二年一月号、集英社／「縞々」『Cocohana』二〇一二年八月号、集英社／「巻末おまけまんが」描き下ろし

表題作は女性向け漫画誌に掲載されたものとしては初のエッセイ漫画連載で、テーマはファッション。一〇代の頃に「オタクがバレない恰好がしたい」と考えたのを原点に、迷走した黒歴史や、下着の話、好みの男性向けファッションなど、好きなアイテムや悩みの種、素朴な疑問などさまざまなことが綴られている。自宅での浮気に遭遇した女性が置き忘れられた浮気相手のブラジャーにカレーをよそって彼氏に食べさせる絵面が印象に残る「あなたカレー」、美しい母とは異なる地味な容姿を最大限に活用し、大人の男たちを魅了する少女が主人公の「「美青年」」、会社の上司であるふくよかな女性の体形に性欲を刺激される女性を描いた「縞々」の短編三編と「巻末おまけまんが」四編も収録。

『ストロボスコープ』

単行本　二〇一二年一二月、ビーボーイコミックスDX、リブレ出版

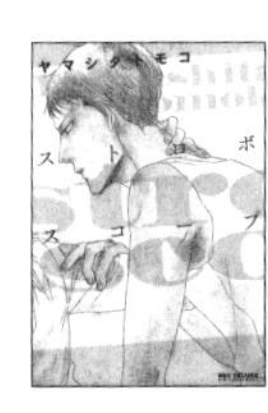

初出　「ストロボスコープ」『泣けるBL』二〇一二年三月、リブレ出版／「good morning,bad day」『onBLUE』vol.4、二〇一一年一二月、祥伝社／「Chain gang」『b-BOYキチク　おもらし特集』二〇一二年九月号、リブレ出版／「Devil's thoroughbred」『onBLUE』vol.6、二〇一二年七月、祥伝社（同人誌より再録）／「stroboscope afterward」『泣けるBL』特典ペーパー、リブレ出版／「pulling the chain!」描き下ろし／「Devil's thoroughbred（おまけまんが）」『onBLUE』vol.6、二〇一二年七月、祥伝社（同人誌より再録）／「go to the devil!」描き下ろし／『エッセイ』『コミックアクア』二〇〇七年四月号〜二〇〇九年四月号、オークラ出版・『アクア絶対領域』Level.1〜7、二〇〇六年四月〜二〇〇七年四月、オークラ出版・『Zokkon』れべる1〜6、二〇〇七年六月〜二〇〇八年四月、オークラ出版・『受攻ドリームマッチ』らうんど1〜6、二〇〇

八年八月～二〇〇九年六月、オークラ出版

二〇〇九年にＢＬアンソロジーに掲載された「夢は夜ひらく」（『YES IT'S ME』所収）以来ＢＬとしては数年のブランクを経て発表された「good morning,bad day」は、同居生活を送る大学生二人の曖昧な関係を描いた短編。田舎町で喫茶店を営むゲイの男性と、そこに転がり込んできた若い男性の日々を描いた表題作は、「泣ける」をテーマとしたＢＬアンソロジーに発表されたもの。日常の一コマを切り取ったショートストーリー「Chain gang」、二〇〇五年に同人誌で発表され、二〇一二年に雑誌に再録掲載された「Devil's thoroughbred」のほか、二〇〇六年から二〇〇九年にかけて複数のＢＬ誌やアンソロジーに連載された萌えに関するエッセイ漫画を一挙収録した作品集。

『スニップ，スネイル＆ドッグテイル』

単行本　二〇一三年一〇月、onBLUE comics、祥伝社

初出　『onBLUE』vol.7～10、二〇一二年一〇月～二〇一三年七月、祥伝社／「bonus track」「the recipe」描き下ろし

知り合いを介して出会ったバスの運転士として働く安城と翻訳者の峰。取り立てて共通点のない二人だったが、何かが引き合うように急速に親しくなり、やがて二人は一緒にいることを選ぶ——。安城と峰の出会いから現在に至るまでのふとした瞬間や出来事を一ページ、もしくは短いページ数で描いていく。エピソードごとに日時が示されているが、過去から現在へ時系列をなぞるように順番には描かれておらず、二人の間にどんなことがあったのかが時間を前後にジャンプさせながら提示される。同じ日の出来事が、

少し時間をずらし視点を変えて描かれることもあり、一方向からでは見えてこなかった状況や感情のゆらぎが浮かび上がってくるのが秀逸。

『くうのむところにたべるとこ』

単行本　二〇一四年二月、マーガレットコミックス、集英社

初出　『Cocohana』二〇一二年九月号〜一二月号・二〇一三年三月号〜七月号・一〇月号〜二〇一四年二月号、集英社／「おまけまんが」描き下ろし

自分のことを好きな同性の友人とたびたび出かけて食事をするも大きな進展がない女性、働いているレストランにもしも食い逃げが現れたらプロシュット（生ハム）で殴りつけようと妄想するシェフ、胃弱でおとなしい性格のため食と色恋を本の中の出来事として楽しんでいる女性、ホテルのバーで酒を嗜みながら洒落た会話の応酬を楽しんでいるかのような老夫婦……毎回視点を変えつつ、登場人物たちの食と欲、恋を描いたオムニバスシリーズ。日常に侵食してくるような妄想や会話の妙が詰まった登場人物たちのやりとりなど、作者が描くものに充満している旨味をあらためて感じさせてくれる一冊。単行本には、初回限定でリアルなベーコンを模した帯がついていた。

『さんかく窓の外側は夜』

単行本　全一一巻、二〇一四年二月〜二〇二一年一二月号、クロフネコミックス、リブレ出版・リブレ

初出　『MAGAZINE BE×BOY』二〇一三年四月号・七月号・八月号・一一月号〜二〇一四年一月号・四月号・六月号・七月号・一〇月号〜一二月号・二〇一五年三月号・四月号・七月号・八月号・一〇月号・二〇一六年一月号・四月号・六月号〜八月号・一〇月号〜二〇一七年二月号・六月号〜八月号・一一月号・一二月号・二〇一八年二月号・四月号〜六月号・八月号・一〇月号〜一二月号・二〇一九年二月号・三月号・七月号〜九月号・一一月号・一二月号・二〇二〇年二月号〜五月号・七月号・九月号〜二〇二一年一月号・二〇二一年九月号〜一一月号、リブレ出版・リブレ／「さんかく窓のうすいほん」『さんかく窓の外側は夜』六巻アニメイト限定版小冊子、二〇一八年七月、リブレ／「三角くんのえっちなおしごと!」『Libre Premium 2013 WHITE SNOW』二〇一三年一一月、リブレ出版／「部下と上司のこもらせ生活」『クロフネフェア2020』二〇二〇年一一月、リブレ／「呪われた夢からの脱出」『体感型ホラー謎解きゲーム「さんかく窓の外側は夜」〜呪われた夢からの脱出〜』特典、二〇一七年八月、リブレ／「おまけ」Twitter掲載、『MAGAZINE BE×BOY』二〇二一年一月号、リブレ／七巻を除き各巻に描き下ろしあり

幼い頃から霊が見えるがゆえに怪異を恐れ続けてきた書店員の三角は、あるとき出会った除霊師の冷川にその能力の高さを見出され、否応なしに彼の助手を務めることに。力はあるが怖がりな三角と有能だが世間からずれたところのある冷川による心霊を題材としたバディものとして進みつつ、次第に二人の過去が深く掘り下げられていく。二〇二一年に森ガキ侑大が監督、岡田将生、志尊淳のW主演で映画化。同年秋にはテレビアニメ化もされた。『さんかく窓の外側は夜　その後』は、タイトル通り本編完結後の出来事を描いたもので、これまでどの作品でもおまけ漫画的なページ数でしか後日譚を描いてこなかった作者にしてはめずらしい一冊となっている。

『運命の女の子』

単行本　二〇一四年八月、アフタヌーンKC、講談社

初出「無敵」『アフタヌーン』二〇一四年二月号、講談社／「きみはスター」『good!アフタヌーン』二〇一四年#46、講談社／「不呪姫と檻の塔」『アフタヌーン』二〇一四年九月号、講談社

連続殺人事件の被疑者である女子高生を取り調べることになった女性刑事は、一六歳の少女を前に人間の深淵を覗き見るような心情に陥らされる。妄想と現実が入り乱れる画面に、刑事同様に読む側の気持ちも落ち着かなくされる「無敵」。同作のほかに、高校の英語劇部で出会った高校生の男女三人の関係と大人になったその後を描く「きみはスター」、誰もが〝祝福〟というスキルを授けられる世界において、ただ一人、その祝福を得ることがない少女を主人公にした近未来ファンタジー「不呪姫と檻の塔」の三編を収録。いずれも青年誌に掲載された長尺の読切で、表題作は存在しないが、ジャンルもバラバラなこの三編をまとめた単行本にこれ以上のタイトルはないと思わされる。

『花井沢町公民館便り』

単行本　全三巻、二〇一五年三月〜二〇一六年九月、アフタヌーンKC、講談社

初出『アフタヌーン』二〇一四年一〇月号〜二〇一五年三月号・五月号〜七月号・一〇月号・一二月号・二〇一六年一月号〜五月号・七月号・八月号、講談社／各巻に描き下ろしあり

シェルター技術の開発事故が原因で、生命反応のある有機体を通さない膜のようなものに覆われてしまった花井沢町。誰も入れないし誰も出られない小さな町を舞台に、事故をきっかけにそれから約二〇〇年後まで花井沢町で何があったか、視点を変えながら住民たちの日常を描く。狭いコミュニティの中で起こる出来事は些細なことから犯罪までさまざま。それらが時間の流れの通りではなくシャッフルされて描か

れるが、各回の扉絵に描かれている公民館外面の様子から、事故からの時間経過が推し量れる。物語のキーパーソン的な存在として最後の住民となる少女・希がおり、彼女と外界に住む青年・総一郎の恋もまた、物語の重要なファクターとなっている。

『WHITE NOTE PAD』

単行本　全二巻、二〇一五年一二月・二〇一六年一二月、FCswing、祥伝社

初出　『FEEL YOUNG』二〇一五年三月号・六月号・九月号・二〇一六年五月号・九月号・一一月号、祥伝社

ある日、体と人格が入れ替わってしまった女子高生の葉菜と三八歳の自動車工・木根。突然の事態に困惑しながらもそれぞれなりに一年を過ごした二人は偶然邂逅を果たすが、お互いの置かれた状況はまったく違うものだった。葉菜になった木根は読者モデルとして活躍、一方の木根になった葉菜は、何もわからないまま働けるはずもなく記憶喪失扱いで仕事をクビになっていた。葉菜（木根）の紹介でファッション誌の編集部で働き始めた木根（葉菜）だったが、その様子を見る葉菜は複雑な思いに駆られていく——。〝わたし〟とは何か。自分らしさとは何か。かつて自分だった存在のそばで、迷い悩みながらも〝新しい自分〟を探していく二人の物語。

『違国日記』

単行本　全一一巻、二〇一七年一一月〜二〇二三年八月、FCswing、祥伝社

初出　『FEEL YOUNG』二〇一七年七月号～二〇一八年二月号・二〇一八年四月号～八月号・一〇月号～二〇一九年二月号・四月号～七月号・九月号・一一月号～二〇二〇年四月号・六月号・七月号・九月号・一一月号～二〇二一年三月号・五月号～七月号・九月号・一二月号～二〇二二年四月号・六月号～八月号・一一月号・一二月号・二〇二三年三月号～五月号・七月号、祥伝社／一巻～五巻・七巻に描き下ろしあり

不慮の事故で両親を喪ったことから、ほとんど交流のなかった少女小説家の叔母・槙生と暮らし始めることになった中学生の朝。誰かと暮らすことに不向きな槙生との生活や突然自分を襲った人生の変化に戸惑う朝だったが、揺るがない自分を持つ槙生の言動を自分なりに咀嚼しながら、少しずつ成長していく。一方、他人との関係に縛られることなく生きてきた槙生にとっても、朝との生活は自分に多大な影響を及ぼすものだった。生き方が器用とはいえない大人と子供の共同生活を描く。フェミニズムや男性性と言われるものが抱える問題なども登場人物を通して声高に叫ばれることなく提示され、物語に多様な襞を生み出している。

ヤマシタトモコ

漫画家。1981年、東京都生まれ。2005年、『COMIC DANDAN』掲載の「神の名は夜」でデビュー。以後、BL誌、青年誌、女性誌とさまざまな媒体で作品を発表。『このマンガがすごい！ 2011』のオンナ編で、『HER』と『ドントクライ、ガール♥』が1位と2位を受賞し、注目を集める。主な作品に『くいもの処 明楽』『さんかく窓の外側は夜』『違国日記』などがある。『違国日記』は、2024年6月に実写映画が公開されたほか、テレビアニメ化も決定している。

山本文子（やまもと・ふみこ）

ライター、編集者。漫画情報誌『ぱふ』、小説情報誌『かつくら』の編集者を経て独立。よしながふみのインタビュー本『仕事でも、仕事じゃなくても』で聞き手を務める。共著に『やっぱりボーイズラブが好き』がある。これまでにヤマシタトモコへの取材、登壇イベントの司会を多数行うほか、ヤマシタの対談・インタビュー集『ヤマシタトモコのおはなし本』にも協力している。

ほんとうのことは誰にも言いたくない

2024年6月30日　初版発行

著　ヤマシタトモコ
聞き手　山本文子

編集協力　梶川 恵（シュークリーム）
装丁　川名 潤
編集　伊東弘剛（フィルムアート社）
DTP　白尾 芽（フィルムアート社）

発行者　上原哲郎
発行所　株式会社フィルムアート社
〒150-0022　東京都渋谷区恵比寿南1丁目20番6号 第21荒井ビル
TEL 03-5725-2001　FAX 03-5725-2626　https://www.filmart.co.jp

印刷・製本　シナノ印刷株式会社

ISBN978-4-8459-2313-7　C0095